Gwyrth y Gwirionyn

Jenny Day

Argraffiad cyntaf—1998

ISBN 1 85902 600 1

ⓗ Jenny. Day

Dymuna'r cyhoeddwyr gydnabod cymorth Adrannau Cyngor Llyfrau Cymru.

Argraffwyd yng Nghymru gan
Wasg Gomer, Llandysul, Ceredigion

Hoffwn ddiolch yn fawr i Gwenllïan Dafydd ac i staff y Cyngor Llyfrau am olygu'r gyfrol hon, a hefyd i bawb arall sydd wedi rhoi cymorth ac ysbrydoliaeth, gan gynnwys Gwasg Gomer, criw Tŷ Newydd, ac yn enwedig Guy — diolch am bopeth.

Diolch yn fawr hefyd i'r Athro Patrick Sims-Williams am gyflwyno'r *Gododdin* a *Branwen Ferch Llŷr* imi a'm dysgu am iaith y cynfeirdd. Bûm hefyd yn ymgynghori â *Chyfres Beirdd y Tywysogion* (Gol. Yr Athro R. Geraint Gruffydd, Gwasg Prifysgol Cymru, 1991-1996), ac *Armes Prydein* (Syr Ifor Williams a Rachel Bromwich, Dulyn, 1972).

Pennod 1

Castell yr Esgob, Tyddewi
21 Mehefin 1215

'Dyw e fawr o le, yw e?' meddai Anselm, wrth agosáu at y clwydi agored. Nid atebodd ei fintai, a hwythau wedi arafu'n reddfol i gerdded y tu ôl iddo.

Nid oedd gan yr hen gastell furiau uchel na phorthdy cryf i'w amddiffyn, dim ond ystyllod pren a chloddiau, a ffos sych o gwmpas y cyfan. Safai gorthwr o bren ar ben y mwnt, a phont serth yn arwain tuag ato dros ffos arall. Y gorthwr oedd y man cryfaf yn y castell a lloches olaf y trigolion petai'r gweddill yn syrthio, ond fe ymddangosai'n chwerthinllyd o gyntefig i lygaid Anselm.

Rhwng y mwnt a'r clwydi, roedd y beili'n llawn o adeiladau bychain, i gyd wedi'u gwneud o bren. Gwelai Anselm gytiau'r gof, y bragwr, y pobydd, y gwarchodwyr, a'r holl weision eraill yr oedd eu hangen ym mhob castell. Roedd y rheiny'n edrych fel pe baent yn brysur wrth eu gwaith, ond fe wyddai Anselm fod pob un yn rhyw giledrych ar ei garpiau ac yn chwerthin am ei ben. Ni fyddai byth bythoedd yn maddau i hwnnw a wnaeth iddo gerdded yn *droednoeth* trwy glwydi castell Normanaidd.

Roedd un o warchodwyr y castell yn aros amdanynt ger y pyrth, yn gwisgo hen arfwisg o ledr, a chap o'r un defnydd am ei ben. Cododd ei law i'w cyfarch, gan ddweud rhywbeth yn Gymraeg.

'Rydyn ni eisiau gweld yr Esgob,' meddai Anselm mewn Ffrangeg araf, uchel.

Nid oedd y dyn fel pe bai wedi deall. Troes a dechrau cerdded yn gloff i gyfeiriad y stablau gan ddefnyddio'i bicell fel ffon. Sylweddolodd Anselm mor hen oedd e . . . efallai ei fod e'n fyddar.

'Yr Esgob, ti'n deall?' gwaeddodd, gan ddechrau cerdded ar ei ôl.

'Dyw'r Esgob ddim yma,' galwodd llais newydd, mewn Ffrangeg rhugl.

Safodd Anselm yn ei unfan, a gadael i'r hen ŵr ddiflannu o'r golwg. Troes a gweld dyn penfelyn yn sefyll yn nrws y cwt bach a wnâi'r tro fel porthdy.

Am rai eiliadau bu'r ddau'n llygadu ei gilydd fel ceiliogod talwrn, y naill yn dyfalu gwerth a gradd y llall. Roedd yr ail ddyn o Dyddewi wedi gwisgo fel ei gymrodor mewn arfwisg o ledr cryf, treuliedig, ond y peth cyntaf y sylwodd Anselm arno oedd ansawdd y cleddyf wrth ei ochr.

'O . . . wel, pwy sydd ag awdurdod yma, felly?' gofynnodd Anselm.

'Fi sy'n arwain gwarchodlu'r castell. Nevern yw'r enw.' Cerddodd tuag at Anselm, a'i lygaid gleision yn craffu arno ef ac ar ei fintai.

'Anselm ydw i . . . mab yr Iarll Wiliam Farsial. Ac mae gen i neges bwysig.'

'Ie . . . i'r Esgob, ontefe?' meddai Nevern, yn gwbl ddigyffro fel pe na bai enw Iarll Penfro yn golygu dim iddo. 'O'r gore. Os ti'n moyn yr Esgob, efalle gwnaiff Meistr Gerallt y tro.'

'Arwain y ffordd, felly!'

Ni symudodd y dyn penfelyn. Roedd yn dal i syllu ar Anselm, ac ar ei garpiau budr, ac ar ei wallt anniben, ac ar y cleisiau ar ei wyneb.

'Ar bererindod wyt ti, ie fe? Ar benyd?'

Daeth chwerthin isel, euog o gyfeiriad y fintai, a hwythau wedi gwrando ar y cyfan. Cochodd Anselm, ond nid atebodd.

*   *   *

'Dewch i mewn!'

Roedd y llais o'r tu ôl i'r drws yn gryf ac yn soniarus, a chododd calon Anselm o glywed y Ffrangeg dysgedig a'i hacen Normanaidd. Nid oedd Nevern wedi dweud llawer wrth iddynt ddringo i'r tŵr hwn ar ben y mwnt, ond fe gofiodd iddo glywed yr enw *Gerallt* wedi'i gysylltu â Thyddewi o'r blaen. Roedd ganddo eithaf syniad pwy oedd yn aros amdano, hyd yn oed cyn i Nevern agor y drws a datgan: 'Yswain Anselm, Meistr Gerallt. Mab ieuengaf Iarll Penfro.'

Roedd wedi rhoi pwyslais annheg ar y gair *ieuengaf*, ym marn Anselm, ond fe geisiodd anghofio'r gwawd cynnil wrth iddo fynd i mewn i'r ystafell a moesymgrymu.

Ni chododd yr hen archddiacon o'i gadair, na gollwng yr ysgrifell o'i law. Roedd tudalennau o femrwn wedi'u gwasgaru dros y bwrdd fel dail yn yr hydref, ac ambell dwmpath o lyfrau'n codi fel madarch o'u plith. Y tu ôl i gadair Gerallt roedd ffenestr lydan, a honno'n

8

gollwng golau bendigedig y bore dros ei ysgwydd a thros ei holl bapurau. Er hynny, gallai Anselm weld ei wyneb yn ddigon clir i adnabod ei aeliau trwchus, ei drwyn llym a'i lygaid treiddgar. Ni chafodd mo'r fraint o siarad â Meistr Giraldus de Barri erioed o'r blaen, ond roedd wedi ei weld sawl gwaith, ac fe fu'n clywed straeon amdano ers ei blentyndod.

Gorffennodd Gerallt ei frawddeg cyn rhoi ei ysgrifell o'r neilltu, a'r frawddeg honno'n llenwi naw llinell. Ond pan edrychodd i fyny eto roedd croeso ar ei wyneb, a charedigrwydd yn ei lais. 'Mab Iarll Penfro, ontefe?'

'Ie, Meistr Gerallt.' Cododd Anselm ei law i lyfnu ei wallt. 'Rwy'n ymddiheuro 'mod i'n edrych mor flêr, ond . . .'

'Popeth yn iawn.' Troes Gerallt at Nevern. 'Wyt ti 'di trefnu dillad glân iddo?'

'Dim eto, Meistr Gerallt . . .'

'A wnei di hefyd ofalu bod bwyd a llety addas yn cael eu paratoi?'

Moesymgrymodd Nevern cyn mynd ar ei berwyl. Arhosodd Anselm, yn ôl gwahoddiad yr archddiacon, gan deimlo mwy o gywilydd am ei garpiau nag erioed. Roedd y crys yn fratiog ac yn ddrewllyd, a phrin yr oedd yn gorchuddio'i benliniau noethion.

'Meistr Gerallt,' meddai'n ffurfiol. 'Rwy'n cymryd eich bod chi'n gweithredu ar ran yr Esgob?'

'Ydw. Fe ges i wahoddiad i ddod yma wedi i'r Esgob Geoffrey farw, ac fe fydda i'n aros nes bydd yr Esgob Iorwerth yn cyrraedd. Mae e'n cael ei gysegru heddiw, wyddost ti.'

'Do, fe glywais i rywbeth.'

'Wrth gwrs, dyw e ddim yn cael ei gysegru yma yn Nhyddewi. All neb ddisgwyl i fawrion Eglwys Loegr fynd i'r drafferth o deithio i Gymru, mae'n debyg.'

'Na all,' cytunodd yr yswain, a'i feddyliau'n corddi cymaint fel na sylwodd ar goegni'r hen ŵr. 'Ond yn ei absenoldeb e, Meistr Gerallt, gobeithio y gwnewch chi fy helpu. Os gwnewch chi roi cwch i fi . . .'

'Cwch?'

'Y . . . ie, ac un cyflym. Does dim amser i'w wastraffu!'

'Ond rwy'n meddwl y dylet ti adrodd tipyn bach mwy o'th hanes yn gyntaf! Ydy dy dad yn gwybod dy fod ti yma?'

'Wrth gwrs ei fod e! Mae e wedi f'anfon i . . . i wneud gwaith pwysig drosto.'

9

'Pa fath o waith?'

Petrusodd Anselm am eiliad. 'Hebrwng carcharorion o Gastell Corfe i Gastell Penfro.'

'Pa fath o garcharorion?'

'Beth yw'r ots am hynny? Y peth pwysig yw eu bod nhw wedi dianc, ac fe fydd 'Nhad . . .'

'Wedi dianc, ddywedaist ti? Sut?'

'Roedden ni ar long . . . roedd 'Nhad wedi dweud wrtho' i am eu rhoi nhw ar long am fod y ffyrdd mor beryglus y dyddiau 'ma . . .'

'Doeth iawn.'

'Doeddwn i ddim yn disgwyl llawer o drafferth ganddyn nhw. Roedden nhw wedi bod yn pydru yno ers blynyddoedd, chi'n gweld, a dim ond deuddeg ohonyn nhw oedd yn dal yn fyw ta beth. Fe rois i nhw o dan fwrdd y llong, gyda digon o wŷr i'w gwarchod. Aeth pethau'n iawn ar y dechrau . . . er bod rhai o 'ngwŷr i'n taeru bod y Cymry'n cynghreirio yn ein herbyn, neu'n bwrw melltithion arnon ni.'

'Cymry oedden nhw, ddywedaist ti?'

'Y . . . ie.'

'Ac wedi'u carcharu yng Nghastell Corfe . . . hoff gastell y Brenin John. Pobl eithaf pwysig, mae'n rhaid?' Gwenodd Gerallt wrth weld yr yswain yn edrych mor annifyr. 'Fe glywais i si fod y Brenin yn cadw meibion holl uchelwyr Cymru yno. Un o bob teulu, ontefe? Hyd yn oed un o deulu'r Tywysog Llywelyn.'

'Wnes i ddim gofyn eu henwau.'

'Ond rwyt ti'n gwybod pwy oedden nhw, serch hynny! Dere, fy mab, well i ti ddweud wrtho' i os wyt ti eisiau fy help. Ac yn wir, rwyt ti cystal â bod wedi dweud wrtho' i'n barod!'

'O'r gore, Meistr Gerallt. Gwystlon o Wynedd oedden nhw . . . gan gynnwys mab y tywysog.'

'Wel, wel . . . a finnau'n meddwl y byddai'n siŵr o fod wedi marw erbyn hyn!' Ni cheisiodd Gerallt guddio ei foddhad o glywed y newyddion hyn, nes sylwi ar ystumiau diamynedd yr yswain. 'Mae'n ddrwg gen i. Cer ymlaen â'th stori, fy mab. Wnest ti ddweud bod y gwystlon yn cynghreirio rywsut . . .'

'Do, fe glywson ni nhw'n siarad lawer gwaith am Ddewi Sant.'

'Beth roedden nhw'n ei ddweud amdano?'

'Dwy ddim yn berffaith siŵr . . . doedd 'da fi neb a allai ddeall eu hiaith nhw'n iawn. Ond mae'n ymddangos i fi eu bod nhw'n sôn am gysegr Dewi Sant—am y lle 'ma. Roedden nhw'n cynllwynio yn ein herbyn trwy'r adeg . . .'

'Ond beth wnaethon nhw, yn y diwedd?'

'Does wybod pryd, neu sut . . . ond rhaid eu bod wedi dylanwadu ar y morwyr. Rhaid eu bod wedi addo arian, neu rywbeth . . . ond er mwyn popeth, on'd oeddwn *i* wedi'u talu nhw'n ddigon hael yn barod!'

'Beth ddigwyddodd wedyn?'

'Mae'n anodd dweud. Alla i ddim credu i'r morwyr ryddhau'r gwystlon i gyd yn ystod y nos, a hynny o dan drwynau 'y milwyr i . . . ond 'debyg i rywun roi cyllell iddyn nhw, a hwythau'n gwneud y gwaith eu hunain yn ddistaw bach trwy'r nos.'

'Ond beth wedyn?'

'Beth ŷch chi'n 'feddwl ddigwyddodd wedyn? Fe wnaethon nhw ymosod arnon ni!'

'Ond dwyt ti ddim wedi brifo?'

'Roedd popeth drosodd o fewn eiliadau.'

'O?'

'Fe gipiodd mab Llywelyn 'y nghleddyf i cyn i fi ddeffro'n iawn, os oes rhaid i chi wybod.'

'Rwy'n gweld . . .' Ie, hawdd dychmygu'r olygfa. Mab Llywelyn yn dal y llafn wrth wddf Anselm, a milwyr Iarll Penfro yn gorfod ildio'u harfau.

'Fe aethon nhw â'r llong i ryw borthladd wedyn, a'n gwthio ni i'r môr. Wrth lwc roedd yna lwybr yn codi i fyny o'r clogwyni, ac yn arwain at y castell hwn. Ac rwy'n gobeithio y gwnewch chi roi benthyg cwch i fi nawr, er mwyn i fi fynd ar eu holau nhw.'

Ysgydwodd yr archddiacon ei ben yn araf. 'O, dwy ddim yn meddwl, fy mab.'

'Pam lai?'

'Ystyria. Pan fuest ti'n llogi dy long i lawr yn . . . ymhle? Dorset, ie?'

'Ie . . . porthladd Wareham.'

'Iawn. Wel, pryd hynny, wnest ti ddim gofyn am y llong orau oedd ar gael? A'r un cyflymaf?'

'Wel, do . . .'

'Ac rwyt ti'n meddwl o ddifrif bod gennym ni yma gwch a all ddal dy long di?'

11

'Wn i ddim. Oes yna un?'

Ysgydwodd ei ben eto. 'Mae'n ddrwg gen i, fy mab.'

'Rwy wedi'u colli nhw, felly,' meddai, wedi ysbaid. 'Fe fydd yn rhaid i fi fynd i Benfro hebddyn nhw.'

'Mynd at dy dad, ie fe?'

Nodiodd Anselm, fel petai'r syniad yn rhy erchyll i'w grybwyll yn uchel. Ni allai Gerallt wneud dim ond cydymdeimlo, ac yntau wedi bod yn astudio ystumiau'r yswain ers meitin. Ni welai fawr o gadernid ei dad ynddo. Roedd ganddo wyneb hir, mwyn yr olwg, a thalcen llydan heb yr un crych, ac ambell bloryn ar ei ên. Llygaid llwydion oedd ganddo, yn debyg i'w dad. Ond fyddai Iarll Penfro byth wedi treulio cymaint o'r sgwrs yn syllu ar bapurau Gerallt, neu ar ei ddwylo ei hun, neu allan trwy'r ffenestr.

'Dwy ddim wedi ymweld â Phenfro ers blynyddoedd,' datganodd Gerallt. 'Efallai y dylwn i ddod gyda ti. Fe allwn i geisio ymresymu gyda'r Iarll . . .'

'Fe fyddech yn gwneud hynny i fi? Ond . . . ond *pam?*'

'Oherwydd does dim bai arnat ti dy fod ti wedi sefyll rhwng alltudion a'u cartrefi. Fe all hiraeth roi nerth annisgwyl i ddyn. Ac ar ben hynny . . .' Aeth Gerallt yn ei flaen yn swta, gan ofni ei fod wedi'i heintio gan ddiffuantrwydd y llanc. 'Fe fydd yn gyfle da i fi holi dy dad ynghylch hynt a helynt y llys brenhinol. Rwy'n hen gyfaill i'r Brenin John a'i deulu, wyddost ti.'

Pennod 2

Wedi derbyn ei fod wedi colli ei garcharorion, rhoes Anselm ei fryd ar ddychwelyd i Benfro cyn gynted ag yr oedd modd. Arhosodd yn Nhyddewi yn unig er mwyn newid ei ddillad a chael trefn ar ei fintai, ac erbyn hanner dydd yr oedd yn marchogaeth ar hyd llwybr y pererinion, a Gerallt wrth ei ochr.

Cerddai milwyr Penfro y tu ôl iddynt, i gyd yn flinedig, ond yn ddigon uchel eu sŵn wrth sôn am eu cartrefi. Clywodd Gerallt rai'n canmol gwin yr Iarll, un arall yn traethu ar helaethrwydd ei fwrdd, ac un arall wedyn yn ymffrostio am brydferthwch rhyw ferch oedd yn ei ddisgwyl. Dim ond y rhai hynaf a arhosai'n brudd, a hwythau, fel Anselm ei hun, yn rhag-weld mwy o gosb nag o groeso.

Gwnâi Gerallt ei orau i godi calon yr yswain drwy adrodd ei hanesion difyrraf, pob un wedi'i gysylltu â rhywbeth yn y wlad o'u hamgylch. Siaradodd yn huawdl am y goedwig gynddilywaidd a ddaeth i'r amlwg unwaith ar draeth Niwgwl, ac am hebog gwyllt o'r clogwyni a laddodd hoff hebog y Brenin Harri'r Ail, ac am yr arferiad annuwiol o ddarogan trwy ddarllen esgyrn defaid.

'Ond wedyn,' ychwanegodd, o sylwi mor dawel oedd y llanc o hyd, 'mae'n siŵr dy fod ti 'di clywed storïau tebyg o'r blaen, a tithau wedi cael dy fagu yn yr ardal.'

'Nag ydw, wir, Meistr Gerallt. Dwy ddim yn cofio clywed am bethau felly pan o'n i'n blentyn yng Nghastell Penfro. Ac ers hynny rwy wedi treulio llawer o f'amser gyda 'Nhad yn Lloegr, neu yn Iwerddon.'

'Rwyf innau'n 'nabod Iwerddon yn o dda.'

'Rwy'n gwybod. Wnaethoch chi 'sgrifennu llyfr am y lle, on'd do?'

'Do. Ac un neu ddau am Gymru, hefyd.'

'Ie, fe glywais i.' Ni theimlodd Anselm gywilydd o'r ffaith nad oedd wedi darllen yr un ohonynt. Pethau i eglwyswyr oedd llyfrau, yn ei farn e, ac ni weddai i filwyr ymwneud â nhw. Ond rhag iddo droi trwyn yr hen archddiacon, fe ofynnodd yn waraidd, 'Ydych chi'n 'sgrifennu rhywbeth ar hyn o bryd, Meistr Gerallt?'

'Sawl peth.'

'O . . . gobeithio nad ydw i wedi torri ar draws eich gwaith yn ormodol.'

'Fy syniad i oedd dod gyda ti i Benfro, cofia. Ac yn ffodus, rwy newydd orffen llyfr dim ond ychydig ddyddiau'n ôl—traethawd ar *hawliau a breintiau Tyddewi.*'

'Wedi 'sgrifennu hwnnw ar gyfer yr esgob newydd ŷch chi, felly?'

'Da iawn,' meddai Gerallt, a'r yswain yn ei ganmol ei hun am ei graffter, nes gweld y laswen ar wefusau'r henwr. 'Fe fydda i'n anfon y llyfr at bobl eraill hefyd, wrth reswm, ond yr Esgob Iorwerth a gaiff y copi cyntaf. Rwy'n hyderu y bydd fy nhraethawd bach yn fuddiol iawn iddo.'

'Iddo gael dysgu sut i reoli'r esgobaeth?'

'Ie . . . ac i ddangos iddo faint yw ei gyfrifoldebau, gan ei fod yn dilyn archesgobion mor haeddiannol-enwog â Samson, Asser, Teilo Sant a Dewi Sant ei hun! Nid esgobaeth gyffredin yw esgobaeth Tyddewi, ti'n gweld. Yn hanesyddol gywir, archesgobaeth yw hi.'

'Ie, fe glywais i rywbeth am . . .'

'A wyddost ti fod *pum archesgob ar hugain* wedi bod yn Nhyddewi, wedi'u penodi gan yr Anfeidrol Dduw, ac yn atebol i neb ond y Pab?'

'Rwy'n siŵr eich bod chi'n iawn, Meistr Gerallt, ond mae cymaint â hynny o *esgobion* wedi rheoli ers hynny, on'd oes?'

Crychodd talcen Gerallt o sylweddoli bod yr yswain yn llygad ei le. 'Oes . . . yr Esgob Iorwerth fydd y pumed ar hugain.'

'Rhif lwcus!' chwarddodd Anselm, fel petai'n teimlo cywilydd o fod yn gywir.

'Doeddwn i ddim wedi sylwi ar hynny o'r blaen.' Daeth golwg freuddwydiol i lygaid Gerallt. 'Efallai mai dyma'r amser am newid eto. Efallai y byddwn ni'n cael archesgob tro nesa, os bydd Duw gyda ni . . .'

'Go brin,' meddai'r yswain, ond yn ffodus doedd Gerallt ddim yn gwrando.

'Fe allai pobl y wlad hon gyflawni cymaint, ti'n gweld. Maen nhw'n hael, ac yn ffraeth . . . mae eu cerddoriaeth a'u lletygarwch heb eu hail. Mae ganddyn nhw eu gwendidau hefyd, wrth gwrs, ond yn fy marn i mae'r rheiny'n tarddu o'u diffyg crefydd. Nawr, pe bydden nhw'n cael dyn teilwng yn Nhyddewi i'w harwain ar hyd Llwybr Cyfiawnder, a hwnnw'n ddyn y gallen nhw gredu ynddo fe, heb orfod mynd wrth gynffon Archesgob Caergaint . . .'

Gwyddai Anselm yn union pa *ddyn teilwng* a lenwai feddyliau chwerw Gerallt Gymro. Roedd uchelgeisiau Gerallt mor gyfarwydd iddo â champweithiau'r Brenin Rhisiart Lewgalon, neu lofruddiaeth yr Archesgob Thomas Becket—oll yn hanesion o'r ganrif gynt, yn prysur droi'n chwedloniaeth. Ond fe wyddai hefyd ddiwedd yr hanes, pan siomwyd Gerallt yr eilwaith yn ei ymdrech hir i ennill meitr Tyddewi. Pan ddewiswyd Geoffrey de Henelawe yn esgob yn ei le, fe gyhoeddodd Gerallt ei fod yn ymddeol o'r ymrafael am byth, er mwyn canolbwyntio ar ei waith llenyddol. Roedd bron ddeuddeng mlynedd wedi mynd heibio ers hynny, a Gerallt wedi treulio'r rhan fwyaf o'r rheiny yn Lloegr. Rhyfedd, felly, ei weld e'n ôl yn Nhyddewi, yn aros i groesawu esgob newydd arall.

'Beth am yr esgob sy'n cael ei gysegru heddiw, Meistr Gerallt? Cymro yw e, ontefe?'

'Ie, ond dwy ddim yn disgwyl llawer ganddo.'

'Ond . . . ond fe allwch chi ddylanwadu arno. Rhoi cymorth iddo. Rŷch chi'n gwybod cymaint â neb am Dyddewi erbyn hyn, rwy'n siŵr.'

'Ydw, fy mab.' Edrychodd braidd yn geryddgar ar y llanc, gan beri i hwnnw sylweddoli mor afrosgo fu ei ymdrech i ddyfalu cymelliadau yr hen archddiacon. Tawelodd y ddau.

Syllai Anselm yn galed ar y llwybr o'u blaenau, ac ar glustiau aflonydd ei geffyl benthyg. Dillad benthyg oedd amdano, hefyd, ond roedd y crys yn lân, ac o ddefnydd digon urddasol. Ac ar ddiwrnod poeth fel hyn, roedd crys ysgafn yn well o lawer na'r llurig o haearn a ddygwyd oddi ar ei gefn gan *hwnna*.

Ond ni thâl pendroni dros y sarhad. Ceisiodd fwynhau'r heulwen, a gwerthfawrogi'r awel ysgafn o'r môr. Porfeydd breision oedd o'u hamgylch, a suo'r preiddiau'n cymysgu'n lleddfus â sŵn y tonnau islaw. Wrth droi yn ei gyfrwy ac edrych dros ei ysgwydd, gallai weld traeth Niwgwl fel bwa euraidd, a thrwynau'r clogwyni'n ymestyn i'r môr, ac yno, yn y pellter llwydlas, trwyn yr ynys a elwir yn Ynys Dewi. Rhywle . . . ie, rhywle ar hyd yr arfordir hwn, y cyflawnwyd y drosedd anfaddeuol. Dwyn ei arfwisg a'i gleddyf, ond yn bwysicaf fyth, ei *anrhydedd* . . .

'Mae 'na rywbeth nad ydw i'n ei ddeall, Yswain Anselm,' meddai Gerallt wedyn, ac yntau wedi goddef y tawelwch cyhyd ag y gallai. 'Fe ddywedaist ti fod dy dad yn dy ddisgwyl ym Mhenfro . . .'

'Do . . .'

'Ond beth am y Brenin? Mae dy dad yn un o'i gynghorwyr mwyaf ffyddlon, on'd yw e? Yn fraich dde gref iddo, fel maen nhw'n ei ddweud. Wyt ti ddim yn synnu bod dy dad wedi gadael y Brenin, ac yntau'n dal i wynebu gwrthryfel?'

'Dim ond yswain ydw i. Does gen i ddim hawl i synnu at bethau felly!'

'Dere! Mae gen ti lygaid, a chlustiau, on'd oes? Rhaid dy fod ti 'di sylwi ar rywbeth.'

Ysgydwodd Anselm ei ben yn ystyfnig. 'Yswain ydw i. Fe ofalais i am geffyl 'Nhad, a rhoi sglein ar ei arfwisg, a chario ei negesau. Ches i mo'r fraint o ymgynghori gydag ef a'r Brenin . . . a wnes i ddim clustfeinio chwaith!'

'Serch hynny, mae'n rhaid dy fod ti'n gwybod bod y Cymry'n ymosod ar diroedd dy dad.'

'Beth sydd a wnelo hynny â . . .'

'Onid yw hi'n amlwg bod dy dad wedi gadael y Brenin er mwyn dod adre i amddiffyn ei diroedd ei hun?'

'Dyw hi ddim yn amlwg i fi!'

'Ond meddylia am y peth. Petai e'n credu bod y Brenin ar fin colli ei goron, call iawn fyddai gadael ei ochr, a dechrau gofalu am ei les ei hun. Ai dyna'r rheswm pam ei fod wedi dy anfon di i hebrwng y gwystlon Cymreig i Benfro? Er mwyn iddo gael eu defnyddio nhw at ei amcanion ei hun? Rwy'n gwybod ei fod eisoes yn cadw'r Arglwydd Rhys Gryg yng Nghaerfyrddin . . .'

'Dyw e ddim . . .'

'O? Ym Mhenfro erbyn hyn, yw e?'

'Ydy.' Edrychodd Anselm yn syn ar Gerallt. 'Sut gwyddoch chi?'

'Dim ond bwrw amcan . . . o ystyried bod dy dad wedi ceisio symud y gwystlon eraill o Gastell Corfe i Benfro. Mab Llywelyn, a hefyd Rhys Gryg . . . gwystlon Cymreig o'r Gogledd ac o'r De, wedi'u casglu'n daclus dan gronglwyd yr Iarll. Tybed beth fyddai ymateb y Brenin John i'r fath gynllwyn?'

'Gobeithio . . . gobeithio'n wir na fyddwch chi'n siarad fel hyn yng ngŵydd 'Nhad!'

'Paid ti â phoeni am hynny. Rwy'n 'nabod dy dad.' Arhosodd yn dawel am eiliad, wrth geisio dyfalu faint mwy o bethau y gallai eu gofyn cyn i'r yswain golli amynedd. Neu cyn iddynt gyrraedd tre

Hwlffordd, lle byddent yn treulio'r nos. 'Mae e'n dal yn iach, gobeithio?'

'Ydy, diolch i chi.'

'A beth am dy frodyr?'

Ochneidiodd yr yswain yn flin. 'I gyd yn iawn, hyd y gwn i.'

'Rwy'n cofio dy frawd hynaf . . . Wiliam, ie?'

'Ie.'

'Yn debyg iawn i'w dad, os rwy'n cofio.'

'Ie, heblaw bod 'y mrawd wedi ochri gyda'r gwrthryfelwyr, a 'Nhad yn gadarn o blaid y Brenin. Fel rydych chi'n gwybod yn barod, mae'n siŵr gen i.'

'Dim ond rhyw sibrydion yma ac acw. Rhaid i ti faddeu i fi am gymryd diddordeb yn dy deulu, a hwythau mor bwysig yn yr ardal hon . . . a thu hwnt, hefyd . . .'

Nid oedd Anselm fel petai wedi clywed y weniaith. 'Maen nhw wedi ffraeo cymaint o weithiau. Fe glywais i 'Nhad yn galw Wiliam yn fradwr, unwaith . . . ac yntau'n taeru bod y Brenin ei hun wedi bradychu ei deyrnas.'

'A beth yw dy farn di am y peth?'

'Fi? Rwy'n cytuno gyda 'Nhad.'

'Wrth gwrs. A beth am dy frodyr eraill?'

'Mae Richard yn Ffrainc—dwy ddim wedi ei weld e ers blynyddoedd—a Walter yn dal gyda'r Brenin yn Lloegr. Mae Gilbert yn ffodus am ei fod e yn yr Eglwys, a ddim yn gorfod talu teyrnged i neb ond Duw!'

'Ac rwyt tithau'n teimlo dy fod ti'n *gorfod* talu teyrnged, felly?'

'On'd dyna sut mae pawb yn teimlo?' atebodd, heb aros i feddwl. 'A wyddoch chi fod y Brenin John wedi cymryd gwystlon o blith ei uchelwyr ei hun? Allwch chi gredu bod y Brenin wedi amau 'Nhad hyd yn oed, ac wedi carcharu deuddeg o'i wŷr? Rwy'n ffodus na fues innau yng nghastell Corfe, wrth ochr mab Llywelyn!'

Sylweddolodd Gerallt ei fod wedi taro ar ryw hen destun gofid. Byddai wedi achub ar ei gyfle i'w holi ymhellach, oni bai fod y fintai'n eu dilyn mor agos.

'Ie . . . mab Llywelyn,' meddai wedyn. 'Sut un yw e?'

'O, yn debyg iawn i'w dad,' atebodd yr yswain yn goeglyd.

'Beth rwyt ti'n 'feddwl? Wyt ti wedi *gweld* y Tywysog Llywelyn erioed?'

'Nag ydw. Meddwl am natur y bachgen oeddwn i.'

'Beth am ei natur, dywed?'

'Y ffordd iddo gymryd arno fod yn ddyn anrhydeddus, a siarad â fi fel petai'n gydradd â fi . . . ac wedyn troi arna i a dwyn 'y nghleddyf a 'nillad i, a finnau'n gorfod gwisgo'i garpiau fe . . .'

'Ie . . . ond rwy'n methu â gweld y cysylltiad rhwng hyn oll a'r Tywysog Llywelyn.'

'Fe wnaeth e gymryd arno ei fod e'n gyfaill ffyddlon i'r Brenin John, yn do fe? Fe briododd ei ferch e, hyd yn oed—ond wedyn fe drodd yn ei erbyn heb reswm!'

'Wel, roedd yna *resymau* gan y mab a'r tad fel ei gilydd, fy mab, rhaid i ti gyfaddef.'

'Bradwr yw bradwr,' meddai'n warsyth, fel petai'n dyfynnu athroniaeth ei dad. 'Allwch chi ddim gwadu'r ffaith fod Llywelyn erbyn hyn yn flaengar ymhlith y gwrthryfelwyr. Mae e wedi beiddio ymosod dros y ffin, hyd yn oed!'

'Dros y ffin, ti'n dweud?'

'Ydy, mae e wedi cyrchu'r Amwythig, a'r dref 'di agor ei chlwydi iddo heb esgus o wrthwynebiad!'

Ceisiodd Gerallt guddio ei foddhad o glywed hyn, wrth iddynt agosáu at glwydi Hwlffordd. Nid anghofiai fyth mo'r cymorth a gafodd gan y tywysog ifanc yn ystod ei frwydr hir am Esgobaeth Tyddewi.

Pennod 3

Arhosodd Gerallt gyda'r fintai, gan anesmwytho'n ddiamynedd yn ei gyfrwy wrth i Anselm gyfarch gwylwyr y dre. Byddai'n dda ganddo gael gorffwys heno, ac roedd neuadd Hwlffordd yn enwog am helaethrwydd ei bwyd a'i gwin. Syllodd dros y strydoedd cul tuag at y castell ar y bryn, a'i orthwr sgwâr yn tremio dros y dref i gyd. Roedd yr awel wedi cryfhau gyda'r hwyr, nes bod y baneri ar y rhagfuriau'n dechrau syflyd yn llesg, a bachau ambell glwyd neu ddrws yn gwichian. Roedd sŵn tebyg i'w glywed yn agos iawn. Sŵn haearn rhydlyd yn siglo yn y gwynt. Edrychodd o'i amgylch, yn ofer, cyn codi ei olygon yn araf, ofnus, i edrych uwch ei ben.

Rhaid ei fod wedi tynnu'n ddiarwybod ar yr awenau, oherwydd fe branciodd ei geffyl yn ei ôl, er syndod i'r fintai. Cafodd wedyn olwg well o'r hyn a siglai uwchben clwydi'r dre. Dau gorff marw mewn cadwyni. Roedd un yn ysgerbwd wedi'i grafu'n noeth gan y brain, ond roedd y llall yn ei ddillad o hyd, a digon o groen a chnawd ar ôl i rywun weld pa mor ifanc y bu farw.

'Maen nhw'n dweud ein bod ni'n ffodus iawn, Meistr Gerallt!' meddai Anselm, gan ddod ato'n wên i gyd. 'Mae'r castellydd newydd gyrraedd adre, ac maen nhw'n siŵr y bydd e eisiau rhannu ei swper 'da ni. Maen nhw'n barod i'n hebrwng ni at ei neuadd nawr.'

Nodiodd Gerallt yn ddifater. Doedd ganddo fawr o archwaeth ar ôl.

'Walter Farsial!' Cododd y Castellydd o'i gadair odidog fel arth yn rhuthro o'i ffau, a gwasgu mab yr Iarll yn ei freichiau nerthol. 'Sut wyt ti, 'machgen i? Ro'n i'n meddwl dy fod ti'n dal gyda'r Brenin— rhad Duw arno fe!'

'Y . . . iawn . . . ond Anselm ydy f'enw i . . .'

'Ie, ie,' cytunodd y Castellydd yn wresog, wrth i Anselm lwyddo i ymryddhau o'i goflaid chwyslyd.

Safodd yr yswain yn ei ôl a chyfeirio at Gerallt, 'Ŷch chi'n 'nabod Meistr Gerallt, o Dyddewi?'

'Odw, odw . . . croeso i chithe, archddiacon. Sut mae pethe yn yr Eglwys y dyddie 'ma?'

Ni chafodd ateb, ac yn wir ni fynnodd un. Roedd wedi troi i weiddi ar ei weision i ddod â mwy o fwyd at y byrddau. Eisteddodd Gerallt ac Anselm wrth y bwrdd uchel, wrth i'w mintai nesáu at y byrddau hirion. Roedd milwyr a swyddogion y castell wedi hen orffen bwyta, a rhai'n gadael y neuadd yn barod, ond ymhen amrantiad fe gyrhaeddodd pryd arall o fwyd o'r ceginau.

Diflannodd y cawl, cig mollt a chaws hufen yn fuan. Llowciodd y Castellydd ei ail swper fel dyn ar ei gythlwng, heb oedi ond i annog Gerallt i fwyta mwy, neu ganmol Anselm ar ei archwaeth iach yntau.

Casglwyd y gweddillion prin mewn basgedi, er mwyn eu rhoi i dlodion y dre, a'r rheiny, yn ôl gweniaith foesgar Gerallt, ymhlith y rhai mwyaf ffodus yn y deyrnas. Cytunodd y Castellydd ag ef, a galw am ragor o win i selio'u cytundeb cyn troi o ddifrif i siarad am ei hoff bwnc. Cafodd ei ddau westai wybodaeth fanwl am ei drafferthion wrth amddiffyn y dre, ac am ei deithiau diweddaraf, ac am gymaint y mwynhaodd ryw dwrnamaint a drefnwyd ym Mhenfro . . .

'Yn union fel yr hen ddyddie! Fe gafodd pum gŵr eu hanafu, ar fy ngair, ac un wedi'i ladd yn gelain!'

'Rhaid eich bod chi wrth eich bodd,' atebodd Gerallt yn sychlyd.

'O oeddwn. Mor aml y dyddie 'ma fe welwch chi dwrnamaint sy heb fod yn fwy na chware plant! Heidie o fechgyn llipa'n wfftio'i gilydd a swagro o flaen y merched! Ond ddim yr Iarll Farsial! Fydde fe byth yn caniatáu'r fath lol ym Mhenfro. *Maes y gad* oedd yno ddoe, fy machgen glân i,' meddai, gan daro Anselm ar ei gefn nes iddo dagu ar ei win. 'Maes y gad! A gwobre go iawn hefyd. Fe enillodd y mab ddau geffyl, a chleddyf ac arfwisg hefyd, a dim ond ar y diwrnod cynta oedd hynny! Ond paid â phoeni dy fod ti'n rhy hwyr, 'machgen i! Os ei di oddi yma peth cynta bore 'fory, fe fyddi di'n siŵr o gyrraedd mewn pryd i gystadlu!'

'Beth? Ŷch chi'n dweud bod y twrnamaint hwn ar droed *nawr?*' Edrychodd Anselm arno'n hurt.

'Dwyt ti ddim 'di bod yn gwrando? Wir, Meistr Gerallt, rwy'n credu bod y bachgen 'di bod yn cysgu! Wrth gwrs ei fod ar droed nawr. On'd dyna pam rwyt ti'n brysio adre?' Nid arhosodd am ateb. 'Ie, dyna'r ffordd ore i ddod ymlaen yn y byd—ennill mewn twrnamaint! Yn union fel gwnaeth dy dad, ontefe? Doedd 'da fe ddim byd yn y dechre. Llanc heb yr un ddime goch fuodd e, ond fe aeth i'r cystadlaethe'n Ffrainc ac ymladd fel llew. Enillodd y Brenin ffortiwn drwy fetio arno, ac edrychwch arno nawr! Marsial byddinoedd y Brenin, Iarll Penfro—dyna i chi wir farchog!'

Edrychodd ar Gerallt fel petai'n disgwyl iddo ategu ei farn, ond dal i synfyfyrio a wnâi'r archddiacon. Tybed pam y dewisodd Wiliam Farsial wario ei arian a'i amser gwerthfawr yn trefnu chwaraeon fel hyn, ac yntau newydd ddychwelyd i'r wlad? Ond wedi'r cwbl, efallai ei fod eisiau *hysbysu*'r ffaith hon er mwyn calonogi ei ddeiliaid, ac er mwyn dangos ei rym i'r Cymry dros y ffin.

Ond roedd y Castellydd yn dal i siarad, ac yn canmol ei arwr o hyd: '. . . a rhai'n dweud iddo dynnu sylw rhywun arall hefyd—nid yn unig y *Brenin*, iefe, 'machgen i?' Winciodd ar Anselm, a hwnnw'n cochi at ei glustiau. 'Mae'r bachgen mor dawel â mynach, Meistr Gerallt, ond mae e'n cofio'r stori gystal â fi! Ei dad e, a'r Frenhines ei hunan!'

'Fe ddigwyddodd hynny hanner canrif yn ôl—os y digwyddodd o gwbl,' meddai Gerallt. 'Mae yna ddisgwyl i farchogion ifainc arddel cariad tuag at eu harglwyddesau, on'd oes? A hynny'n fater o *sifalri*, heb olygu dim byd o gwbl.'

Ni ddywedodd Anselm air, ond roedd ei ddiolchgarwch yn dangos ar ei wyneb.

'A beth a wyddoch chi am bethe felly! Llai na'r llanc 'ma!' Chwarddodd y Castellydd yn foliog.

Bu ond y dim i Gerallt godi o'r bwrdd, ond fe ddaeth y Castellydd ato'i hun wedyn, ac ymesgusodi'n ddigon moesgar: 'Ddrwg 'da fi . . . mae'n ddrwg 'da fi, Meistr Gerallt. Chwerthin am ben y bachgen o'n i, wyddoch chi.'

Nodiodd Gerallt yn oeraidd. Ar Anselm y syrthiodd y gwaith o adfywio'r sgwrs. 'Dydych chi ddim wedi esbonio, f'Arglwydd, pam y daethoch chi adre o Benfro, a'r twrnamaint heb orffen eto.'

'O . . . ro'n i'n methu diodde'r cwmni roedd dy dad yn ei gadw,' atebodd, gan droi cefn ar yr archddiacon.

'Pam? Pwy sy 'da 'Nhad? Nid y gwrthryfelwyr?'

'Waeth na hynny, 'machgen i! Mae e'n eistedd i lawr gyda Chymro!'

'Pwy?'

'Paid â gofyn i fi ei enwi fe. Maen nhw i gyd yn edrych yr un fath i fi. Eu llyged du a'u gwallt du—yn mynd gyda'u calonne du, rwy wastad yn 'ddweud. Petawn *i*'n Iarll Penfro, fyddwn i ddim yn gadael i'r diawliaid ddod i mewn drwy'r clwydi, heb sôn am eistedd wrth 'y mwrdd i! Allwn i ddim diodde' gweld y cnaf digywilydd 'na'n eistedd wrth ymyl Wiliam Farsial, yn ymddwyn fel petai'r bwrdd a'r castell a'r dref i gyd yn eiddo iddo.'

'Ond pwy oedd e?' torrodd Gerallt ar ei draws yn ddiamynedd. 'Mae gennych chi ryw fath o syniad, mae'n rhaid!'

'O, un o'r gwystlon oedd e.'

'Nid Rhys Gryg?' cynigiodd Anselm.

'Ie, ti'n iawn. Dyna oedd ei enw.'

'Ydy Wiliam Farsial yn arfer gwahodd ei wystlon i eistedd wrth ei fwrdd?' gofynnodd Gerallt.

'Maen nhw wedi'u rhyddhau, on'd ŷn nhw?' Chwarddodd y Castellydd o weld syndod yr archddiacon. 'Dwyt ti ddim 'di clywed am y Freinlen, felly?'

'Pa freinlen?'

'Ti ddim 'di clywed amdani? Mae Lloegr i gyd wedi'i syfrdanu gan y newyddion, a tithe heb glywed yr un sibrwd! Ond rwy'n siŵr fod mab yr Iarll yn gwybod y cyfan, on'd wyt, 'machgen i?'

'Roeddwn i yng nghwmni'r Brenin John dim ond pythefnos yn ôl,' meddai Anselm. 'Ac rwy'n cofio clywed rhyw hanner gair am freinlen, erbyn meddwl . . .'

Gwenodd y Castellydd wrth bwyso'n ôl yn ei gadair. 'Wel, fe ddywedodd dy dad *bopeth* wrtho' i, 'machgen i, pan fues i ym Mhenfro. Fe ddigwyddodd y cyfan wythnos yn ôl, ar y pymthegfed o Fehefin. Roedd y bradwyr wedi cymryd Llundain, a doedd fawr o obaith ei chael hi'n ôl. Felly bu raid i'r Arglwydd Frenin gytuno i gyfarfod â nhw, a gwrando ar eu cwynion. Fe ddaeth pawb at ei gilydd ger y Tafwys . . . y Brenin, yr uchelwyr—y rhai teyrngar yn ogystal â'r bradwyr—a'r eglwyswyr. Fe roddon nhw restr o'u cwynion a'u hawliau i'r Brenin, a bu raid iddo fe roi ei sêl arni. A dyna beth yw'r Freinlen. Roedd dy dad yno, 'machgen i.'

'A . . . a oedd e'n dal i fod o blaid y Brenin?'

'Y fath gwestiwn!' Cododd y Castellydd ei aeliau trwchus cyn mynd ati i chwerthin yn hwyliog am ben ffolineb y to ifanc. 'Wrth gwrs ei fod e! Ond ar yr un pryd, fe wnaeth gymwynas fawr â'r gwrthryfelwyr.'

'Sut felly?' gofynnodd Gerallt, gan fod dirmyg yr hen filwr wedi rhoi taw ar Anselm.

'Trwy berswadio'r Brenin ei bod hi'n rhaid iddo ildio, os yw am gadw'i goron!'

'Rwy'n gweld . . . A beth am y Cymry? A gawson nhw ran yn y Freinlen?'

'Nhw?' Daeth cwpan y Castellydd i lawr yn swnllyd ar y bwrdd. 'Ysbeilio'n tiroedd ni, dyna eu rhan nhw!'

'Yn wir? Does dim trafferth wedi bod yn Nhyddewi, ond . . .'

'Ond rhaid eich bod chi 'di clywed . . .' Cododd y Castellydd ei gwpan unwaith eto, iddo gael ei ail-lenwi gan un o'i weision parod.

'Dim ond rhyw straeon am dywysogion y De'n dechrau ymgyrchu eto. Dwy'n dal ddim yn siŵr pwy sy'n gyfrifol . . .'

'Brawd Rhys Gryg, a'i nai, dyne pwy—a dyne pam y byddwn i'n crogi Rhys Gryg o orthwr Castell Penfro, petawn inne yn 'sgidie'r Iarll!'

'Yn ôl beth rwyf i wedi'i glywed am dylwyth Rhys Gryg, ni fyddai hynny'n fawr o gosb arnyn nhw,' meddai Gerallt. 'Mae casineb perffaith rhyngddyn nhw i gyd, hyd y gwn i! Ond . . . beth a wnaeth y ddau yma, yn union?'

'Fe ddaethon nhw dros ein ffinie o'r gogledd, on'd do? Ac fe fyddwn i—finne, a holl wŷr yr Iarll—wedi'u gyrru nhw'n syth yn eu hole, pe bydden ni 'di clywed mewn pryd. Ond doedd neb *eisie* i ni glywed, yn nag oedd? Fe dyrrodd y werin felltigedig—ein gwerin ni!—atyn nhw, a'u croesawu nhw â breichie agored! Dyna beth sy'n digwydd o fod yn rhy feddal gyda'r bobl 'ma! Fe ddylen ni fod wedi gyrru pob un Cymro o'r wlad! Pob gŵr a gwraig a phlentyn, yn lle'u gadael nhw i fagu ar y cyrion, a chodi helynt a chroesawu'n gelynion ni!'

Gwnaeth Gerallt ryw sŵn cydymdeimladol yn ei wddf, ond mewn gwirionedd roedd yn cyd-weld yn fwy â'r Cymry yn yr achos hwn. Pan feddiannwyd ardaloedd Penfro a Hwlffordd gan y Normaniaid, roeddynt wedi gyrru'r brodorion o'u cartrefi, ac wedi dod â phobl Fflandrys i'r wlad i drin y tir yn eu lle. Doedd dim rhyfedd, felly, i'r ychydig Gymry oedd ar ôl ger y ffiniau groesawu ymgyrch y tywysogion.

'Pa mor bell ddaethon nhw?' gofynnodd Anselm. 'Os doedd 'na ddim gwrthwynebiad o gwbl . . .'

'Fe safodd Cemais yn eu herbyn, ond dim ond lludw ac esgyrn sydd yno nawr. Fe aethon nhw i'r de-ddwyrain wedyn. O Gaerfyrddin i Abertawe, mae popeth yn eiddo iddyn nhw.'

'Ond beth am y Freinlen? Os ydy'r holl wrthryfelwyr wedi gwneud heddwch â'r Brenin, oni ddylai'r Cymry wneud yr un peth?'

'Rho amser i'r peth, 'machgen i. Does 'na ddim trafferth 'di bod yr wythnos diwetha 'ma . . .'

'Beth yn union sy wedi ei gynnwys yn y Freinlen?' gofynnodd Gerallt.

'O . . . rhagor o ryddid ac awdurdod i'r uchelwyr, mwy fyth o awdurdod i'r Eglwys. Cael gwared â chyfraith fforest. Rhoi'r hawl i dreial gan reithgor, rhoi trefn ar drethi etifeddiant, rhoi'r tiroedd yr oedd y Brenin wedi'u hatafaelu yn ôl . . .'

'Gan gynnwys tiroedd y Cymry?'

'Pa ots sy gan y Cymry am Freinlen a chyfraith, a hwythau wrthi'n dwyn tiroedd 'Nhad drwy rym?' gofynnodd Anselm yn filain.

'Maen nhw'n credu bod y tiroedd yn eiddo iddyn nhw, Yswain Anselm. A sôn am gyfraith, mae ganddyn nhw eu cyfreithiau eu hunain sy gystal, os nad gwell, na . . .'

'Fe fyddwch chi'n dweud fod y barbariaid yn well na ni, nesa!' wfftiodd Anselm, ac yntau wedi yfed gormod i boeni mwyach am dramgwyddo'r archddiacon.

Bu raid i Gerallt frathu ei dafod rhag ymateb yn rhy frwd.

Pennod 4

Penfro
22 Mehefin 1215

Gwelodd y teithwyr orthwr castell Penfro o bell, yn codi fel dwrn dur oddi ar y pentir uwchben yr afon. Hwn oedd cadarnle cryfaf y Normaniaid yng Ngorllewin Cymru, yn gwarchod tiroedd mwyaf ffrwythlon yr ardal. Yn wahanol iawn i goedwigoedd Hwlffordd, neu'r bryniau anial tua'r gogledd, roedd y meysydd yma'n llawn gwenith a haidd, ochr yn ochr â phob math o lysiau.

Enillodd Wiliam Farsial y tiroedd hyn, gan gynnwys Castell Penfro a Chastell Cilgeran, pan briododd etifeddes yr iarllaeth yn ystod teyrnasiad y Brenin Harri'r Ail. Yn ddiweddarach, dim ond ym mis Ionawr 1215, roedd y Brenin John hefyd wedi rhoi gofal cestyll Aberteifi a Chaerfyrddin iddo, a hynny'n golygu mai ef yn unig oedd yn gyfrifol am ddiogelu troedle'r Normaniaid yn Nyfed. Er hynny i gyd, Castell Penfro oedd wedi aros agosaf at galon yr Iarll. Hwn oedd ei gartref pan ddeuai i Gymru, a chartref parhaol ei wraig, a man geni ei blant.

Yn fuan wedi ei briodas fe ddechreuodd gryfhau'r castell drwy godi llenfuriau o gerrig yn lle'r hen glawdd o bren, a phorthdy i warchod y clwydi. Troes ei sylw wedyn at yr adeiladau mewnol, ac fe goronodd ei waith gyda gorthwr mawr, crwn, yn ddigon uchel i gynnwys pum llawr.

Y tro diwethaf i Gerallt ymweld â Phenfro, nid oedd y gorthwr ond cynllun mawr yr hoffai'r Iarll ymffrostio yn ei glych. Fe deimlodd faich y blynyddoedd wrth ei weld y prynhawn hwn a'i feini newydd-naddedig yn disgleirio yn yr heulwen.

Cyn cyrraedd y castell, aethant drwy'r dref oedd wedi tyfu yn ei gysgod dan nawdd yr Iarll a'i ragflaenwyr. Roedd ansawdd y tai ar y ddwy ochr yn amrywio o weithdai simsan y crefftwyr hyd at gartrefi moethus y marchnatwyr, ond heddiw ymddangosai pob adeilad yn ddall ac yn fud, heb na symudiad na sŵn y tu ôl i'r drysau caeedig.

'Mae'n rhaid fod pawb yn y twrnamaint,' meddai Anselm yn amddiffynnol, fel petai'n teimlo'n gyfrifol am olwg ddiflas y lle.

'Mae'n rhaid,' cytunodd Gerallt.

Daeth bloedd enfawr dros lenfuriau'r castell o'u blaenau, fel petai'n gadarnhad o eiriau'r yswain. Gwelodd Gerallt y baneri amryliw yn cyhwfan o'r porthdy, a'r clwydi ar agor, ac yn fuan iawn gallai weld hefyd maes y chwarae, wedi'i sathru'n llaid gan garnau'r cadfeirch. Fel yr oedd Castellydd Hwlffordd wedi ymffrostio, ymddangosai fel maes y gad, a'r marchogion yn ymgiprys heb yr un arlliw o reolau na rheolaeth. Roedd penrhyddid i'r cystadleuwyr heidio ynghyd, pe mynnent, i gosbi hen elyn—neu i gipio arfau drudfawr oddi ar ryw laslanc dibrofiad.

Dechreuodd Gerallt edrych o'i gwmpas am was i warchod eu ceffylau, ond nid oedd cymaint o frys ar Anselm. Roedd yntau'n fodlon aros yng nghysgod y porthdy, a golwg tra hiraethus ar ei wyneb ifanc wrth iddo wylio'r gystadleuaeth. Cydymdeimlodd Gerallt ag ef am nad oeddynt wedi cyrraedd mewn pryd iddo gymryd rhan. Efallai nad oedd Anselm yn ymddangos yn fawr o filwr, ond fel mab ieuengaf yr Iarll byddai'n rhaid iddo ddarganfod rhyw ddull o *ddod ymlaen yn y byd*, chwedl y Castellydd.

'Dacw fe,' meddai'r yswain, ac yntau'n syllu erbyn hyn y tu hwnt i'r maes.

'Dy dad?' Gwelodd Gerallt y bwrdd oedd wedi'i osod ar gefnen isel gyferbyn iddynt, wrth droed y gorthwr mawr. 'Dyw'n llygaid i ddim cystal â . . .'

'A dyna Rhys Gryg yn eistedd wrth ei law dde, fel dywedodd y Castellydd ddoe.'

Nodiodd Gerallt, er na welai yr un ohonynt yn iawn. Ond fe allai ddychmygu pa mor chwithig y teimlai'r yswain, pe byddai'n gorfod dweud ei hanes i gyd yng ngŵydd y cyn-wystl.

'Mae e wedi derbyn pob parch, o'r dechrau cyntaf,' meddai Anselm yn chwerw. 'Wedi bod yn bwyta cystal â ninnau. Ei hoff weision sydd yma'n gweini arno hefyd. Heb sôn am ei wraig.'

'Mae'r Iarll yn gallach na'r Brenin John, felly. Wnest ti ddim dweud bod y gwystlon yng Nghastell Corfe wedi'u cadw mewn daeargell?'

'Mae 'Nhad yn gobeithio cael cymorth Rhys Gryg rywbryd yn y dyfodol.'

'Pa fath o gymorth?'

'Cymorth wrth drin y tywysogion eraill, am wn i. Maen nhw

wastad yn brwydro ymysg ei gilydd . . . dyna sut cafodd Rhys ei ddal yn y lle cynta, ontefe?'

Nid atebodd Gerallt, gan fod rhywun yn dod i'w croesawu o'r diwedd. Cerddodd dyn bach tuag atynt, a'i wisg yn daclus, urddasol, a'i lygaid craff yn sylwi ar bopeth. Hwn oedd John d'Erley, yswain a chyfaill i'r Iarll. Yn nyddiau cynnar rhawd Wiliam Farsial, byddai d'Erley'n gofalu am ei geffyl a'i arfau, a gwneud ei negesau, a thrin clwyfau'r gad a'r twrnamaint. Erbyn hyn, yr oedd dyletswyddau'r yswain wedi newid, ond yr oedd yn dal yr un mor bwysig i'w feistr.

'Meistr Gerallt de Barri, o bawb! Mae'n dda gen i'ch gweld chi'n ôl ym Mhenfro.'

Rhyfeddodd Gerallt fod d'Erley wedi ei adnabod, o ystyried cynifer o flynyddoedd oedd wedi mynd heibio er ei ymweliad diwethaf â Phenfro. Ond ni chafodd mo'r cyfle i ddweud dim wrth i'r gweision gyrraedd i gymryd gofal o'u ceffylau. Anfonodd d'Erley filwyr y fintai ymaith i gael bwyta a gorffwys, cyn troi'n ei ôl at Gerallt. 'A hoffech chi siarad â'r Iarll, Meistr Gerallt?'

'Hoffwn, yn wir . . . ac mae gan Anselm rywbeth i'w ddweud wrtho hefyd.'

Craffodd d'Erley ar yr yswain. 'Ydy, mae e'n disgwyl amdanat ti.'

'Beth . . . *nawr?*'

'Ie. Mae gen ti newyddion iddo . . . on'd oes?'

'Oes.' Edrychai'r yswain ar Gerallt, ac wedyn ar d'Erley eto. Nid am y tro cyntaf yn ei fywyd, fe deimlai fod John d'Erley wedi darllen ei feddyliau, ac wedi gweld ei holl fethiant a'i holl warth.

*   *   *

Moesymgrymodd Anselm o flaen yr Iarll, yr un mor wasaidd ag unrhyw yswain ar y maes. 'F'Arglwydd . . .'

'Croeso, 'machgen i.' Am ennyd, daeth gwên i wyneb sgwâr, cadarn yr Iarll Wiliam Farsial.

Tybiodd Gerallt fod y rhychau ar ei dalcen llydan wedi mynd yn ddyfnach, a'i wallt yn wynnach nag y bu, ond ni fu newid yng nghraffter ei drem na chryfder ei gorff. Er ei fod yn gwisgo crys a mantell o borffor drud, ymddangosai fel petai'n dyheu am wisgo arfwisg ac ymuno â'r marchogion ar y maes.

'A chroeso i chithau, Meistr Gerallt,' meddai'r Iarll wedyn. 'Beth sy'n dod â chi i Benfro?'

'Eich mab, f'Arglwydd. Fe ofynnodd i fi ddod yn gwmni iddo ar y daith, a finnau'n falch o'r cyfle i gael newid cynefin. Ni fydd fawr o'm hangen yn Nhyddewi o hyn ymlaen, gan fod yr esgob newydd ar ei ffordd.'

'Yr Esgob Iorwerth, ie fe? Do, fe glywais i rywbeth amdano . . .'

Gwyddai Gerallt o brofiad nad oedd gan yr Iarll fawr o feddwl o eglwyswyr. Serch hynny, roedd i'w weld yn benderfynol o roi croeso gweddus i'r hen archddiacon, gan ofyn i d'Erley estyn cadair iddo. Ni synnodd Gerallt nad estynnwyd yr un moesgarwch i Anselm.

'Mae'n siŵr eich bod chi'n 'nabod yr Arglwydd Rhys Gryg yn barod, Meistr Gerallt?' meddai'r Iarll wedyn, gan droi at ei westai arall. Roedd yn gawr o ddyn, a'i farf dywyll, anhrefnus yn ymestyn i gymysgu â blew ei fantell croen blaidd. Syllai ar yr archddiacon â'i lygaid bron ynghau, fel petai wedi dathlu ei ryddid gyda gormod o win Penfro.

'Fe gefais i'r fraint o adnabod eich tad yn dda, f'Arglwydd Rhys,' meddai Gerallt.

'A finnau 'di clywed llawer amdanoch chi, Gerallt Gymro,' atebodd, a'i Ffrangeg yn rhugl, er braidd yn aneglur.

'Fe fyddwch chi'n gwybod ein bod ni o'r un hil, felly . . . y ddau ohonon ni'n disgyn o Rhys ap Tewdwr.'

'Ie . . . drwy fy nhad, a thad fy nhad . . . ond rŷch chi'n ŵyr i ryw ferch iddo, on'd ŷch chi? Yr Arglwyddes Nest, ontefe?'

'Y . . . ie.'

'Ac nid chi yw'r unig un o'i disgynyddion hi chwaith, ie fe? Mae 'na lawer ohonyn nhw o gwmpas yng Nghymru a Lloegr . . . a gwledydd eraill, pwy a ŵyr?'

'Efallai . . . ond o leiaf mae ei phlant a'i hwyrion hi wastad wedi aros o dan fendith yr Eglwys Sanctaidd!'

Gwridodd Rhys Gryg o gael ei atgoffa o'i hen gywilydd. Ni ddywedodd air arall, ond ymhen eiliad fe droes i daflu gweddillion ei win dros wyneb y bleiddgi a arhosai'n ffyddlon ger ei gadair.

'Mae fy mab Anselm wedi dod â rhai o'ch cymrodyr yma, f'Arglwydd,' meddai'r Iarll, ac yntau'n falch o weld bod Gerallt a Rhys yn fwy parod i fagu ymrafael nag i geisio cynghrair. 'Fe fuon nhw hefyd yn . . . y . . . westeion i'r Brenin John, ond yng Nghastell Corfe . . .'

Sobrodd yr Arglwydd Rhys, ac eistedd yn syth yn ei gadair. 'Nid y rhai o'r Gogledd?'

'Ie, ac maen nhw erbyn hyn gyda ni ym Mhenfro.' Edrychodd yr Iarll yn ddiamynedd ar Anselm. 'Dere â nhw, 'machgen i. Mae gen i newyddion da iddyn nhw.'

'F'Arglwydd . . . alla i ddim.'

'Beth? Dere â nhw yma ar unwaith!'

Agorodd Anselm ei geg, ond ni ddaeth yr un sŵn allan.

Ni allai Gerallt aros yn dawel wrth weld y fath ddioddef. 'F'Arglwydd Iarll, fe ddylech chi fod yn falch o'ch mab. Rydyn ni i gyd yn gwybod beth yw'ch newyddion da . . . hynny yw, eich bod chi'n mynd i ryddhau'r gwystlon i gyd, yn ôl amodau'r Freinlen newydd . . .'

'Sut clywsoch chi am hynny?'

'Y pwynt yw, f'Arglwydd, mae'ch mab wedi rhag-weld eich ewyllys, ac wedi rhyddhau'r gwystlon yn barod.'

'Beth?' Sylweddolodd yr Iarll ar ei union fod y bachgen ffôl wedi colli ei garcharorion, a Gerallt yn hel esgusion drosto. Ond ni feiddiodd ddangos na chwilfrydedd na dicter, o gofio bod yr Arglwydd Rhys yn gwylio'r cyfan. 'Ai dyna'r gwir, fy machgen i? Rwyt ti wedi rhyddhau'r gwystlon yn ôl ewyllys y Brenin, ac yn ôl amodau ei Freinlen?'

'Y . . . ydw, f'Arglwydd.'

Amneidiodd yr Iarll yn swta. Ymgrymodd Anselm yn isel o'i flaen, a dianc i'r maes heb feiddio edrych unwaith ar Gerallt.

'Felly mae mab Llywelyn yn fyw, ac ar ei ffordd adre,' meddai Rhys Gryg mewn siom. Ni fu erioed fawr o gariad rhyngddo a Thywysog Gwynedd.

'Ydy, mae'n debyg,' atebodd Gerallt.

'Pa ffordd aeth e, tybed? Gwell i fi gadw'n llygaid ar agor amdano, i wneud yn siŵr y caiff fynd yn rhydd drwy diroedd y Deheubarth.'

'Erbyn hyn, fe fydd e'n troedio tir Gwynedd, f'Arglwydd. Does dim rhaid i chi boeni rhagor ynghylch ei ryddid,' meddai Gerallt yn sychlyd.

Cododd yr Iarll ei gwpan i ddymuno iechyd da a rhwydd hynt i'r bachgen. Eiliodd Gerallt y llwncdestun, a bu raid i'r Arglwydd Rhys ymuno â hwy. Wedyn dywedodd Rhys yn sorllyd, 'Peidiwch chi â phoeni amdano, wir. Fe ŵyr e'n iawn sut i ofalu amdano'i hunan.'

'Ydych chi'n gyfarwydd â theulu brenhinol Gwynedd, felly?' gofynnodd Gerallt yn finiog.

'Nag 'w, nid fi . . . ond y fath straeon rwy wedi clywed!'

'Pa fath o straeon?'

'O bryd i'w gilydd mae beirdd o Loegr—clerwyr, ontefe?—yn dod â'u hanesion i Benfro. Ac fe glywais i rai da am genau bach Llywelyn! Mae'n debyg na fu'r crwt yn segur tra oedd e'n y carchar.'

'Yn wir?'

'Fe geisiodd ddianc, fwy nag unwaith, ond ni feiddiodd neb mo'i gosbi . . .'

'Pam? Oherwydd ei fod o dan nawdd y Brenin John?'

'Hwnnw!' Chwarddodd yn ddirmygus. 'Nage, nage . . . beth wnaeth e oedd darbwyllo pawb yn y castell taw fe oedd etifedd Cymru oll, ac addo rhoi ffortiwn iddyn nhw pan ddaw ei ddydd. Ac fe glywais i hefyd, Meistr Gerallt, fod mab Llywelyn yn arfer gwledda yn neuadd y Castellydd, gan adael ei gyfeillion i lwgu yn y carchar.'

'Chreda i'r un gair!' Cofiodd glywed Anselm yn sôn am gyflwr truenus pob un o'r gwystlon, gan gynnwys mab y tywysog. 'Ffolineb yw gwrando ar storïau clerwyr, yn enwedig y rhai Saesneg. Nid ydyn nhw fel eich beirdd chi, yn canu'n ôl yr awen. Arian yw'r unig awen sy ganddyn nhw!'

Torrodd yr Iarll ar eu traws, wedi blino ar eu dadl. 'Beth yw oed mab Llywelyn, f'Arglwydd Rhys?'

'Dwy ddim yn meddwl ei fod dros ei ugain,' meddai Gerallt yn ansicr, pan fethodd Rhys ag ateb.

'Na, Meistr Gerallt, mae e'n llawer iau na hynny.' Dewisodd Rhys Gryg gyfrannu ei farn wedi'r cwbl, pan welodd gyfle i wrth-ddweud yr archddiacon.

'Dim ond bachgen yw e, felly,' meddai'r Iarll.

'Dim ond bachgen?' Ni allai Rhys ganiatáu i Wiliam Farsial siarad felly am fab i dywysog o Gymro . . . hyd yn oed un o Wynedd. 'Ond dim ond deng mlwydd oed oedd ei dad, cofiwch, pan ddaeth hwnnw i rym. Mae'r beirdd yn dal i ganu am y peth . . . *Pendragon, draig yn ddengmlwydd* . . .'

Pallodd ei gof wrth iddo weld llygaid gleision a chorff lluniaidd y forwyn a ddaeth heibio gyda chostrelaid arall o win. Gwenodd hithau arno wrth bwyso ymlaen i lenwi ei gwpan, cyn mynd yn ei hôl i'r ceginau . . . a llygaid blysig Rhys yn ei dilyn hi bob cam.

Ychydig iawn o'r marchogion oedd ar ôl ar y maes. Dim ond y rhai mwyaf uchelgeisiol a ddaliai i ymladd, ynghyd â'r anffodusion a fynnai adennill eu heiddo colledig a'u hunan-barch. Gwenodd Gerallt wrtho'i hun wrth eu gwylio'n chwysu yn eu llurigau trymion, a'u symudiadau'n mynd yn fwy llafurus bob eiliad. Ac eto, hyn oedd hoff ddifyrrwch cynifer o lanciau bonheddig, a chanolbwynt eu delfrydau o sifalri ac anrhydedd. Fe heintiwyd hyd yn oed ei frodyr ei hun, ac yn ifanc iawn . . . cofiai iddynt dreulio ambell ddiwrnod yn chwarae marchogion, ac yn codi cestyll tywod ar draeth Maenorbŷr. A phob tro fe fyddai'r Gerallt ifanc wrthi yn eu hymyl, yn codi eglwysi â llawn cymaint o ddychymyg a brwdfrydedd.

Gwenai'r Iarll yntau, yn fodlon iawn arno'i hun ac ar ei fyd. Dedwyddwch digymysg oedd llywyddu dros dwrnamaint yn ei gartref ei hun, a gwylio'r holl farchogion yn ymladd i ennill clod . . . fel y bu raid iddo yntau ymladd, yn ei laslencyndod. Cododd ar ei draed wrth weld un ohonynt yn ymryddhau o'r ymrafael yng nghanol y maes ac yn carlamu tuag ato. Ar ei darian roedd llew coch ar gefndir gwyrdd ac aur, a throsti arwyddlun y mab hynaf, fel priflythyren E wedi'i throi ar ei hwyneb.

Tybiodd Gerallt mai mab hynaf yr Iarll ydoedd, sef Wiliam Ifanc. Cofiodd glywed Anselm yn sôn am gydymdeimlad hwn â'r gwrthryfelwyr ond, yn ôl pob golwg, roedd bellach wedi newid ei feddwl ac wedi cymodi â'i dad.

Gostyngodd Wiliam Ifanc ei bicell o flaen yr Iarll, a thynnu ei helm. Roedd y ddau yn debyg iawn i'w gilydd, heblaw am y cryfder oedd yn wyneb ac yng nghymeriad yr Iarll na fyddai byth yn perthyn i'w fab.

'Os mynnwch chi, f'Arglwydd Iarll,' datganodd, 'mae'n bryd inni ddod â'r diwrnod i'w ben.'

Pennod 5

Roedd neuadd Penfro yn orlawn y noson honno, a'r meinciau hir yn llwythog gyda'r marchogion a fu'n ymladd mor ffyrnig yn ystod y tridiau diwethaf. Bellach roedd eu bryd wedi troi at gystadlaethau amgenach, megis ceisio bwyta cymaint ag y gallent, ac yfed gormod o ddiodydd gorau'r Iarll. Codai eu sŵn at y trawstiau uwchben, ac arogl eu chwys yn cymysgu ag aroglau melysach y blodau oedd ar wasgar ym mhobman.

Eisteddai'r Iarll wrth y bwrdd uchel yng nghwmni ei westeion pwysicaf, a gwên foddhaus ar ei wyneb wrth iddo wylio rhialtwch y gynulleidfa. Fe deimlai'n llawer mwy cartrefol yn y neuadd hon, ymhlith ei farchogion a'i filwyr, nag yn yr ystafelloedd moethus lle trigai'i wraig a'i morwynion. Yma yr arferai fwyta, a chynnal cyngor, a barnu mewn llys . . . ac fe gysgai yma hefyd, gan amlaf, wedi i'r byrddau a'r meinciau gael eu symud o'r neilltu gyda'r nos.

Gwelodd Gerallt gadair wag wrth law dde'r Iarll Farsial wrth iddo gyrraedd y neuadd, ond ni frysiodd i'w hawlio. Go brin y byddai'r Iarll wedi cadw lle mor anrhydeddus iddo ef . . .

'Eisteddwch gyda ni â chroeso, Meistr Gerallt!' gwahoddodd yr Iarll, gan amneidio arno i ddod draw.

'Diolch yn fawr, f'Arglwydd.' Wedi iddo'i wneud ei hun yn gyfforddus, gwelodd Gerallt fod dynes dlos yn eistedd ar y chwith iddo. Roedd hi'n gwisgo gwisg werdd, geinwych, â'i gwallt du'n llaes dros ei hysgwyddau.

'Yr Arglwyddes Regat, gwraig yr Arglwydd Rhys Gryg,' meddai'r Iarll. 'A hwn, f'Arglwyddes, yw'r enwog Feistr Gerallt de Barri.'

'Rwy wedi clywed llawer am eich ysgrifennu,' meddai mewn Ffrangeg araf. Synnodd Gerallt iddi fentro'r iaith o gwbl, ac fe geisiodd ei chanmol. Ond gostyngodd yr arglwyddes ei golygon yn wylaidd, a throi ei sylw yn ôl at y ddysgl o gocos o'i blaen.

'Ble mae dy ŵr, f'Arglwyddes, os ca' i fod mor ddigywilydd â gofyn?'

'Gofynnwch i forwyn y gegin,' meddai'n dawel, ond yn eglur, a'i llais yn llawn ensyniadau.

'Beth?'

Wrth i'r archddiacon lyncu ei ddicter cyfiawn, meddai'r Iarll yn ddifater: 'Ac rydych chi wedi cwrdd â 'ngwraig o'r blaen, Meistr Gerallt . . .'

Roedd gwisg yr Arglwyddes Isabel o'r un lliw porffor â mantell ei gŵr, a'i gwallt wedi'i guddio o dan benwisg yn ôl y dull Normanaidd. Gwraig fach, denau ydoedd, yn ymddangos yn llai fyth wrth iddi eistedd rhwng ei gŵr a'i mab hynaf.

Gwenodd Isabel yn gynnes ar Gerallt. 'Diolch i chi am fynd i gymaint o drafferth dros fy mab. Mae e wedi dweud ei hanes i gyd wrthon ni. Rwy wedi erfyn arno fe i ymuno â ni heno, ond . . .'

'Mae gormod o gywilydd ar y brawd bach i ddangos ei wyneb yma . . . ac nid heb reswm!' Chwarddodd ei mab Wiliam, ac yntau wedi dechrau meddwi'n barod.

'Dyna ddigon, Wiliam!' meddai'r Iarll. 'Mae Meistr Gerallt wedi blino ar glywed am Anselm a'i drafferthion.'

'I'r gwrthwyneb, f'Arglwydd,' taerodd Gerallt. 'Rwy'n meddwl ei fod e'n llanc hawddgar, ac rwy'n dymuno'n dda iddo.'

'Chi yw'r unig un, felly,' meddai Wiliam drwy ei ddannedd.

Penderfynodd Gerallt newid y pwnc. 'F'Arglwydd Iarll, fe glywais i newyddion diddorol iawn yn Hwlffordd neithiwr.'

'Do?'

'Roedd y Castellydd yn sôn am y freinlen newydd 'ma sydd i ddod â heddwch i Gymru a Lloegr. Roedd e'n dweud fod y Brenin John wedi rhoi ei sêl arni, ac wedi addo rhyddhau ei wystlon, a sicrhau cyfiawnder i'w ddeiliaid, a rhoi hen freintiau'r Eglwys yn ôl, a phethau eraill, mae'n siŵr, nad ydw i wedi clywed amdanyn nhw eto! Mae'n syndod i fi, f'Arglwydd Iarll, nad oes neb wedi anfon copi o'r Freinlen i Dyddewi. Roeddech chi'n bresennol wrth iddi gael ei selio, rwy'n credu?'

'Oeddwn. Mae'n ddrwg gen i os ydy Tyddewi wedi ei hesgeuluso. Fe ddylai fod copi ar gyfer pob un o'r esgobion. Efallai i'r camgymeriad godi am fod Tyddewi heb esgob ar y pryd.'

Troes yr Iarll ei ben, a gweld bod John d'Erley wedi ymddangos wrth ei ysgwydd. 'John, wnei di drefnu i Meistr Gerallt gael copi o'r Freinlen, er mwyn iddo fynd â hi'n ôl i Dyddewi gyda fe?'

'Gwnaf.' Ond roedd gan d'Erley neges arall. 'F'Arglwydd, mae rhywbeth wedi digwydd.'

'Wel?'

'Mae'r cwch olaf wedi dychwelyd . . . un o'r rhai oedd yn pysgota ar gyfer y wledd hon . . . ac mae'n debyg iddyn nhw ddal *dyn*.'

'Beth?'

'Ie, f'Arglwydd. Maen nhw wedi achub dyn o'r môr, tua Thyddewi.' Plygodd d'Erley yn is er mwyn sibrwd yng nghlust ei feistr. 'Dwy ddim yn gwybod yn iawn, ond o gofio hanes Anselm . . .'

'Wyt ti'n meddwl mai un o'r gwystlon o Corfe yw e?'

'Wel, mae'n bosibl, o edrych arno . . .' Cododd d'Erley ei lygaid ac edrych tuag at y sgriniau ger drysau'r neuadd. Roedd un o warchodwyr y castell yn sefyll yno, yn ogystal â thri o bysgotwyr garw eu golwg. Roeddynt eisoes wedi tynnu sylw llawer o'r gwesteion.

Cododd yr Iarll ar ei draed ac amneidio ar y cynulliad bach, ac fe ddaethant yn ddi-oed at y bwrdd uchel. Moesymgrymodd y gwarchodwr yn isel, a dweud: 'Mae'n debyg i'r pysgotwyr 'ma weld y dyn yn boddi, f'Arglwydd, a'i dynnu fe o'r môr.'

'Ymhle?'

'Ger Ynys Dewi, f'Arglwydd, yn gynnar bore ddoe. Rwy wedi ceisio holi'r dyn ei hunan, ond mae e'n gwrthod ateb. Dwy ddim yn meddwl ei fod yn medru'r Ffrangeg.' Cydiodd ym mraich yr anffodusyn, oedd wedi bod yn sefyll y tu ôl i'r pysgotwyr, a'i orfodi i ddod i'r golwg.

Syllodd pawb arno, ac yntau'n dal i syllu ar ei draed ei hun. Carpiau aflan oedd amdano, tebyg i'r rhai roedd Anselm yn eu gwisgo wrth gyrraedd Tyddewi y diwrnod cynt. Ond roedd y dyn hwn yn wahanol iawn ei olwg i'r yswain cydnerth. Gellid gweld ffurf ei asennau drwy'r rhwygau yn ei grys, a sawl clais yn tywyllu'r croen gwelw ar ei hyd.

Gadawodd yr Iarll y pysgotwyr a'r gwarchodwr i fynd, fel mai'r gwystl, neu pwy bynnag ydoedd, yn unig a safai o'i flaen. Wedyn fe droes at Gerallt.

'Meistr Gerallt, rŷch chi'n medru'r Gymraeg gystal â neb arall yma, on'd ŷch chi?'

'Wel, mae'n siŵr bod 'na bobl eraill . . .' atebodd Gerallt yn ansicr. Fel arfer ni fyddai'n hoff o siarad Cymraeg yng ngŵydd uchelwyr Normanaidd, ond fe fu ei chwilfrydedd yn drech nag ef y tro yma. 'Beth hoffech chi ei ddweud wrtho?'

'Gofyn iddo pwy yw e, i ddechrau.'

'O'r gorau. *Paid ag ofni, fy mab* . . .' Pwysodd Gerallt yn ei flaen dros y bwrdd, ond petrusodd wrth weld y creithiau ar arddyrnau'r dyn—olion rhaffau, neu olion cadwyni. Llyncodd ei boer. 'Beth yw dy enw di, fy mab?'

Cododd y dyn ei ben yn ddisymwth, ac edrych yn syth i fyw llygaid Gerallt. Roedd ei lygaid yntau'n ddu, ac yn disgleirio'n loyw yn erbyn croen llwydaidd ei wyneb.

'Elidir.' Roedd ei lais yn isel ac yn gryg, ond roedd pawb yn y neuadd wedi ei glywed.

'Ai dyna ei enw?' meddai'r Iarll wrth Gerallt, a hwnnw'n nodio'i ben. 'Gofynnwch iddo a oedd e'n un o'r gwystlon. Gofynnwch iddo beth sy wedi digwydd i'r lleill.'

'Ddylwn i ddim dweud wrtho'n gyntaf fod yr holl wystlon wedi'u rhyddhau gan y Freinlen?'

'Does dim angen. Dim eto. Tân arni, Meistr Gerallt!'

'Fy mab . . . Elidir. Roeddet ti'n wystl yng nghastell Corfe, on'd oeddet? Rydyn ni'n gwybod am y llong oedd i ddod â chi i gyd i Benfro. Beth sy wedi digwydd? Ble mae'r lleill?'

'Wedi mynd . . . wedi mynd y tu hwnt i'ch gafael chi!' Poerodd y geiriau fel gwenwyn, a'i lais egwan ar dorri.

'Wedi . . . wedi dianc, felly?'

Arhosodd Elidir yn fud, wrth i'r sibrydion ymledu trwy'r neuadd.

Cododd yr Arglwyddes Regat o'i chadair a mynd ato, gan daflu golwg ddirmygus tuag at yr archddiacon. 'Regat ydi f'enw i. O'r un genedl â tithau, ac yn gyfnither i'r Tywysog Llywelyn.'

Synnodd Gerallt ati, ac yntau heb sylweddoli o'r blaen ei bod yn hanu o Wynedd. Ond wrth wrando arni, gallai daeru fod ei hacen yn mynd yn fwyfwy gogleddol gyda phob gair o'i genau.

'A dwi'n addo i ti, ni cheith neb godi llaw yn dy erbyn di tra bydda i yma.'

Syfrdanwyd Elidir bron cymaint â phetai duwies wedi ymrithio o weddillion y wledd i'w amddiffyn. Ac yn wir, ymddangosai'r Arglwyddes Regat yn hynod o brydferth yr eiliad honno, a'i llygaid yn serennu o gyffro, yn wahanol iawn i'w gwyleidd-dra cynt.

'Gwranda,' meddai hi. 'Y dyn oedd yn siarad efo ti ydi Meistr Gerallt de Barri, yr hwn maen nhw'n ei alw'n *Gerallt Gymro*. A dyna Iarll Penfro wrth ei ymyl, ac mae hwnnw—y diawl dauwynebog— newydd ddweud na cheith neb ddweud wrthot ti fod y gwystlon i gyd wedi'u rhyddhau.'

'Beth?'

'Maen nhw wedi eu rhyddhau, wir i ti! Mae'r Brenin John wedi rhoi ei sêl ar ryw freinlen fawr, ac mae o wedi cytuno i ryddhau'r holl wystlon sy ganddo fo.'

Dihangodd sŵn o'i wddf oedd rhwng chwerthin a chrio, ac yntau fel petai wedi ei dagu ganddo. Cydiodd Regat yn ei ddwylo wrth iddo ymladd i gael ei wynt ato, a'r rhai wrth y bwrdd uchel yn gwylio'r cyfan yn syn.

'Beth sy'n bod arnat ti?' Gafaelodd yn dynnach yn ei ddwylo nes i'w hewinedd ei frifo. *Beth sy?*'

'Maen nhw 'di marw . . .'

Rhyddhaodd Regat ef, a sefyll yn ei hôl. Gwyddai nad oedd neb arall wedi clywed ei eiriau toredig. 'Beth ddywedaist ti?'

'Maen nhw wedi marw.' Cododd ei ên wrth wynebu'r bwrdd uchel, ac ychwanegu'n benderfynol, 'Mi gaethon nhw eu llofruddio.'

'Llofruddio, do fe?' meddai Gerallt yn bwyllog. 'Mae hwnna'n air cryf! Pwy wyt ti'n ei gyhuddo?'

'Y sawl ddaeth â ni o Gastell Corfe.'

Bu raid i'r archddiacon fynd ati'n fuan i gyfieithu dros yr Iarll.

'Anselm . . . wedi eu lladd nhw? Fe fyddai'n well gen i *petai* e wedi'u lladd nhw, yn lle gadael iddyn nhw ddianc . . . ond chreda i byth fod y llipryn hwn yn dweud y gwir!' Tawelodd llais yr Iarll ryw ychydig wrth iddo droi at ei wraig Isabel. 'A ei di, f'Arglwyddes, i nôl Anselm? Rhaid iddo fe ddod yma i daflu'r celwyddau i ddannedd *hwnna!*' Syllodd ar Elidir â chas perffaith wrth i Isabel adael, ac ni sylwodd ar ei dagrau hi.

Am ysbaid ni chlywid ond sŵn bysedd yr Iarll yn curo ar y bwrdd.

'Rhaid eich bod chi wedi blino'n lân, f'Arglwyddes Regat,' meddai ymhen ychydig. 'On'd yw hi'n hen bryd i chi fynd i chwilio am eich gŵr?'

'Mae'n rhaid i rywun aros i wneud yn siŵr na fydd y dyn hwn yn cael cam!'

'Ond gyda phob parch, f'Arglwyddes . . .'

'Parch! A faint o barch rydych chi wedi'i ddangos iddo *fo*, ac yntau'n ddyn rhydd ac yn westai yn eich neuadd?'

'Beth?'

'Fe ddylech chi adael iddo eistedd, o leiaf, a chynnig bwyd iddo. Heb sôn am rywbeth i'w wisgo. Edrychwch arno fo! Dydi hi ddim yn deg, nac yn weddus chwaith . . . ei orfodi i aros mor hir cyn dweud ei hanes, ac yntau'n hanner noeth!'

'Mae e'n bell o fod yn hanner noeth, f'Arglwyddes, waeth pa mor wylaidd ydych chi'r gwragedd,' ochneidiodd yr Iarll yn flinedig. Ni fynnai ddadlau â hi'n gyhoeddus, er bod digon o sail i'w chwynion . . . ac eto roedd y syniad o roi lletygarwch i Elidir yn wrthun iddo. Nid oedd ond un ateb. 'Gadewch iddo orffen ei hanes, 'te. Fe fydd y mab yma yn y man.'

Aeth Regat yn ei hôl i eistedd wrth y bwrdd, ond nid cyn iddi sibrwd rhywbeth wrth Elidir.

Pan ddechreuodd siarad, ati hi yr anelodd ei eiriau. 'Elidir ab Idwal ab Owain ydi f'enw i. Mae 'ngheraint i'n amaethu tir Nant Gwynant, wrth ymyl Dinas Emrys . . .'

'Dyna un o gestyll mwyaf hynafol Gwynedd,' meddai Gerallt wrth yr Iarll, wedi cyfieithu geiriau Elidir er ei fwyn. 'Mae 'na hen chwedl am ddraig . . .'

'Gawn ni glywed chwedloniaeth *hwn* yn gyntaf, Meistr Gerallt?' atebodd yr Iarll, gan amneidio at Elidir.

Arhosodd Elidir am eiliad cyn ailddechrau. 'Bedair blynedd yn ôl, mi ddigwyddais fod yng Nghastell Deganwy pan gwympodd i'r Normaniaid. Mi aethon nhw â fi i Loegr, i gastell o'r enw Corfe . . . fi, a'r lleill oedd yn werthfawr fel gwystlon. Mynd drwy'r wlad mewn cadwynï oeddan ni, a phobl y trefi'n syllu arnon ni, a rhai'n taflu pethau ac yn poeri arnon ni . . .'

'Ie, ond eisiau gwybod ydyn ni beth ddigwyddodd i fab y Tywysog Llywelyn, a gweddill y gwystlon. Beth ddigwyddodd yn *ddiweddarach*, 'te?' Tybiodd Gerallt fod y dyn o'i flaen yn ormod o Gymro i ddweud ei hanes heb ei addurno. Beirdd oeddynt i gyd, o dan yr wyneb . . .

'Wna i ddim sôn, 'lly, am y misoedd a'r blynyddoedd yn y tywyllwch, yn crafu am damaid ym mudreddi'r carchardy . . .'

'Ie, fy mab . . .' Meddyliodd Gerallt fod ganddo ffordd ryfedd iawn o *beidio* sôn am y carchardy. 'Ond beth am y diwrnod pan ddaeth Anselm i Corfe?'

'Mi aethpwyd â ni i fyny i'r awyr iach—y rheiny ohonon ni oedd yn dal yn fyw. Wedyn mynd i lawr i ryw borthladd, ac o dan fwrdd llong. Dwn i'm faint o amser fuon ni ar y môr. Roedd hi'n dywyll i lawr fan'na, ac fe aeth rhai ohonon ni'n sâl. Ond roedd y llongwyr yn glên wrthon ni. Cernywiaid oeddan nhw, ac yn dallt ein hiaith.'

'Felly roedd hi'n hawdd i ti eu perswadio nhw i droi yn erbyn y milwyr?'

'Fi? Nid y fi ddaru eu troi nhw o'n plaid ni, yn naci! Gruffydd wnaeth y cyfan.'

'Pwy?'

'Mab f'Arglwydd Llywelyn.'

'Ie . . . wrth gwrs.' Sylweddolodd Gerallt mai dyma'r tro cyntaf iddo glywed enw'r bachgen. 'Ac felly, fe gawsoch chi'ch rhyddhau gan y llongwyr, a chithau'n trechu'r Normaniaid a'u gollwng nhw ar y lan . . . heb wneud niwed iddyn nhw, chwarae teg i chi. Wyt ti'n cadarnhau hyn i gyd?'

'Yndw.'

'Sut, felly, elli di honni bod mab yr Iarll wedi llofruddio mab Llywelyn a'r lleill, os oeddech chi i gyd yn fyw ac yn iach wrth hwylio bant?'

'Dwi ddim 'di gorffen eto,' meddai heb oedi, a heb ei gynhyrfu gan eiriau ymosodol Gerallt. 'Cyn i ni gael gwared ohonyn nhw, roedd angen i ni eu cadw o dan y bwrdd. Yn y twll o le lle roeddan nhw wedi'n cadw ni, yndê? Ond mae'n rhaid bod un ohonyn nhw 'di cynnau tân yno, yr eiliad ola' cyn iddyn nhw adael.'

'Cer ymlaen, fy mab.'

'Roeddan ni ymhell o'r tir cyn i ni sylweddoli fod rhywbeth o'i le. Mi roeson ni gynnig ar ddiffodd y fflamiau ond doedd dim gobaith achub y llong . . . mi neidiodd y llongwyr i'r heli a gweiddi arnon ninnau i wneud 'run peth. A dyna be' wnes i. Dwi'n cofio'r hwylbren yn syrthio wedyn, a'r hwyl ar dân . . .'

'Beth am y lleill, fy mab?'

'Welais i mohonyn nhw. Maen nhw wedi boddi, neu wedi'u llosgi'n fyw. A phan glywith f'Arglwydd Llywelyn am hyn, mi fydd Cymru gyfan ar dân!' Cododd Elidir ei lais yn herfeiddiol. 'Canys bwriad Anselm oedd lladd ei unig fab o, a'n lladd ni i gyd!'

'Dyna ddigon!' Ni fynnai'r Iarll glywed yr un gair yn rhagor. 'John, cer i weld beth sy wedi digwydd i fy mab, ac i'r Arglwyddes Isabel!'

Aeth d'Erley ar ei berwyl, yn falch o gael dianc o'r neuadd am ysbaid. Daeth yn ei ôl ymhen amrantiad, gan ymgrymu wrth ochr yr Iarll, a sibrwd yn ei glust.

'Beth?' Safodd yr Iarll, a gorfodi d'Erley i ailadrodd ei newyddion i bawb gael clywed.

'Mae'n ddrwg gen i, f'Arglwydd, ond fe'i gwelwyd e gan un o'r gwarchodwyr. Mae e wedi ffoi o'r castell.'

'Mae'n rhaid i ni ei gael e'n ôl, felly.' Troes yr Iarll i annerch y neuadd i gyd. 'Fe roddaf gan ceiniog i'r dyn a ddaw ag e adref—yn fyw, cofiwch, ac yn ddi-nam!'

Gweision Rhys Gryg oedd y rhai cyntaf i frysio o'r neuadd, ond ni fu'r Normaniaid yn araf i'w dilyn. Ac ymhlith y rheiny roedd Wiliam, brawd Anselm.

Pennod 6

Roedd mwy na hanner y gwesteion wedi gadael y neuadd, ond aros yn ei unfan a wnaeth yr Iarll. Safodd dan bwyso ar y bwrdd uchel, tra crwydrai ei feddyliau ymhell o'r fan honno ac yn ôl i'r meysydd gwyrddion ger glannau Tafwys. Cofiodd unwaith eto'r darlun o'r Brenin yn plygu i roi ei sêl ar y Freinlen fawr, a'r holl uchelwyr yn ei wylio'n fodlon. Ni fu'r Iarll erioed o blaid y gwrthryfelwyr, ac yn wir fe'i clywid yn aml yn difenwi'r holl *'fradwyr a dihirod'* a feiddiai herio awdurdod y Goron . . . ac eto, ei gyngor ef a ddarbwyllodd y Brenin i ildio iddynt.

Roedd yr Iarll wedi disgwyl pethau mawr gan y Freinlen. Bu'n gobeithio y byddai'n cyfannu'r rhwyg rhwng y Brenin a'i uchelwyr, fel y dychwelai heddwch a threfn eto i'r wlad. Ond sut y gallai'r gobaith hwnnw ddwyn ffrwyth, yn nannedd y cyhuddiad i fab Iarll Penfro lofruddio mab y Tywysog Llywelyn? Ofnai'r Iarll bellach mai ofer fu'r holl ymdrechion, a chynlluniau cynifer o wŷr dawnus wedi'u chwalu am byth gan y dyn a godwyd o'r môr ger Ynys Dewi.

'F'Arglwydd Iarll . . .' Yr Arglwyddes Regat a dorrodd ar fyfyrdod yr Iarll. 'Onid dyma'r amser i adael i Elidir fynd?'

'Chaiff e ddim mynd o Benfro hyd nes iddo wynebu fy mab i!'

'Nid dyna oeddwn i'n 'feddwl.' Syllai ar Elidir, ac yntau wedi ymgilio i gwmanu ar un o'r meinciau gwag. 'Mae angen gorffwys arno, a meddyg.'

'Na, dim eto. Nid cyn iddo fynd ar ei lw.' Troes yr Iarll at yr archddiacon.

'Ond dyw Anselm ddim wedi cyrraedd eto. Dyw hyn ddim yn brawf ffurfiol . . .' Brathodd Gerallt ei dafod, a sefyll i fynd at Elidir. Sylwodd fod ganddo garrai ledr am ei wddf, a'i fod yn cydio yn rhywbeth oedd yn hongian arni. 'Beth sy gen ti yn fan'na?'

Cododd Elidir ei ben, gan ollwng gafael ar ei drysor, ac fe welodd Gerallt mai croes ydoedd. Croes fechan, ddiaddurn, wedi'i gwneud o efydd. 'Ydy hon yn annwyl i ti?'

'Yr unig beth o'm heiddo sydd yn dal gen i.'

'Ond a wyt ti'n *gredadun*?'

'Yndw, siŵr Dduw!'

'Cydia ynddi hi eto, 'te, â'th law dde.'

Roedd Elidir yn hir iawn yn ufuddhau, ond tybiodd Gerallt mai balchder ystyfnig oedd ar fai am hynny, ac nid ofn na diffyg awydd.

'A wyt ti wedi dweud y gwir wrthon ni heno, Elidir ab Idwal ab Owain?'

'Do. Do, yn enw Duw a Dewi, dwi wedi deud y gwir.'

Mynnodd yr Iarll holi Elidir ymhellach, hyd yn oed wedi iddo fynd ar ei lw, ond ni allai wrthsefyll ewyllys Gerallt a Regat ill dau. Yn fuan wedi i'r gwarchodwyr hebrwng Elidir at y meddyg, fe adawodd Regat hithau gan ddatgan ei bod yn mynd i chwilio am ei gŵr.

'Trueni nad aeth hi awr yn ôl,' meddai'r Iarll, wrth dywallt rhagor o win i Gerallt.

'Pam felly, f'Arglwydd? Dwy ddim yn credu y byddai Elidir byth wedi ymwroli i fynegi ei hanes, oni bai am ei charedigrwydd hi.'

'Yn union.'

'Ond os oes rhywbeth wedi digwydd i'r gwystlon, f'Arglwydd, waeth i ni wybod y gwir . . .'

'Y *gwir*, chi'n dweud?'

'Mae'r dyn newydd dyngu llw!'

'Ie, i lwyth o gelwyddau!'

'Os celwydd oedd y cyfan, pam ddylai'ch mab redeg i ffwrdd?'

'Oherwydd mai ffŵl yw e.' Ochneidiodd Wiliam Farsial yn flinedig, ei lais a'i wedd wedi heneiddio ddeng mlynedd yn ystod y noson. 'Ond wir nawr, Meistr Gerallt. Does bosibl eich bod chi'n rhoi coel ar gyhuddiadau o'r fath?'

'Dwy ddim yn gwybod. Does arna i ddim *eisiau* credu, wrth gwrs.' Llymeitiodd Gerallt ragor o'i win. 'Beth sy'n mynd i ddigwydd i Elidir nawr?'

'Fe fydd e'n aros fan hyn, nes i Anselm ddychwelyd i ateb ei gyhuddiadau.'

'Yn garcharor, felly?'

'Os bydd angen.'

'Ydych chi ddim yn meddwl bod Elidir wedi gweld digon o garchar?'

'Beth yw hynny i fi? Mae e wedi cyhuddo fy mab ar gam!'

'Oes ots gennych chi os af i'w weld e'n nes ymlaen?'

'Er mwyn gwrando ar ei gyffes, ie fe?'

Chwarddodd Gerallt yn isel, gan godi ar ei draed. 'Fe ddylech chi wybod yn well, f'Arglwydd Iarll!'

* * *

Lle tywyll ac aroglus oedd ffau meddyg Penfro, a bwndeli o lysiau'n hongian o'r trawstiau ochr yn ochr â phlu adar a chroen anifeiliaid, a nadroedd a llyffaint sychedig, a rhai pethau na hoffai Gerallt feddwl amdanynt o gwbl. Gwthiodd dyn crwca, carpiog heibio iddo, a dyma feddyg Penfro yn dianc o'i olwg dan fwmian wrtho'i hun. Roedd Gerallt yn dra diolchgar o weld ei gefn.

Mentrodd i mewn i'r gell, a tharo ei ben-glin yn erbyn bwrdd isel cyn i'w lygaid gynefino â'r tywyllwch. Gwelodd wedyn, ger y mur gyferbyn, y gwely cul lle gorweddai Elidir, mor llonydd â'r burgunod llwydaidd uwch eu pennau.

Edrychodd yn fanwl ar wyneb y gogleddwr am y tro cyntaf, yng ngolau anwadal y ffaglau o'r tu allan. Roedd yn ddyn ifanc, yn ei ddau-ddegau, efallai, ac yn ddigon dymunol ei wedd. Tybiodd y byddai esgyrn ei fochau a'i ên yn dal i fod yr un mor gryf, hyd yn oed pe na bai ar lwgu. Roedd ei wallt wedi'i docio'n gwta iawn—gan ei geidwaid, fwy na thebyg, y diwrnod iddynt ei lusgo allan o ddaeargell Castell Corfe.

Roedd Gerallt ar droi'n ôl, am nad oedd â'r galon i'w ddeffro, pan agorodd Elidir ei lygaid.

'Mae'n ddrwg gen i 'mod i wedi dy ddeffro, fy mab.'

'Do'n i ddim yn cysgu. Ydach chi'n meddwl y medar unrhyw un gysgu yn y fath le afiach?'

'Duw a roddo orffwys i ti . . .'

'Gorffwys tragwyddol, ia? Mi fasa'r Iarll wrth ei fodd wedyn, yn basa? Ia, ar ôl y meddyg, dyma nhw'n anfon offeiriad . . . ydach chi 'di dŵad i roi'r eneiniad ola?'

'Rwy wedi dod i siarad.'

'Oes 'na'm digon o siarad 'di bod?'

'Dwy ddim yn credu i Anselm lofruddio dy gyfeillion.'

Caeodd Elidir ei lygaid am eiliad, fel petai'n ffarwelio â'r syniad o orffwys, yna cododd ar ei eistedd. Lapiodd ei flanced amdano wrth wneud hynny, ond fe welodd Gerallt ei fod yn dal i wisgo'r un carpiau oddi tani.

'Roddodd neb ddillad i ti?'

'Naddo, wchi.'

'Ond rwyt ti 'di cael bwyd?'

'Do, do . . .' Estynnodd ei law at y ddysgl ar y bwrdd. 'A rhoi hwn i mi. Wyddoch chi be' 'di hwn?'

Ysgydwodd Gerallt ei ben gan edrych yn ufudd ar yr ennaint trwchus.

'Mi wnaeth y meddyg o imi. Mi welais i fo wrthi . . . chwifio penglog llyffant dros y lle . . .'

'Beth?'

'Mae angen, debyg. Mi roedd o'n ceisio'n achub i.'

'Rhag beth, yn enw'r Arglwydd?'

'Mi ddwedodd fod llyffant yn byw y tu mewn i mi, a bod hwnnw'n cnoi 'nghalon i ac yn peri i mi ddeud c'lwydda.' Craffodd ar yr archddiacon yn ddisgwylgar, ond roedd hwnnw'n hir yn ymateb.

'Roedd e'n gallu siarad Cymraeg, oedd e?'

'Oedd, rhyw ychydig. Digon i godi ofn ar ddyn.'

'Mae'n debyg fod y meddyg yn gadarn o blaid ei feistr, felly . . .' Ysgubodd Gerallt y ddysgl a'i chynnwys cas oddi ar y bwrdd wrth glirio lle i'w hun i eistedd.

'A be' amdanoch chi, Gerallt Gymro? Ydach chi'n meddwl 'run fath â nhw?'

'Nag ydw, fy mab. Ond mae mor anodd gen i gredu fod mab yr Iarll yn llofrudd . . .'

Gwnaeth y llall ystum diamynedd. 'Sant ydi o, siŵr gen i.'

Cymerodd Gerallt eiliad i roi trefn ar ei feddyliau. 'Rwy'n cofio i ti sôn am gwymp Castell Deganwy . . . a wnest ti gymryd rhan yn yr ymladd?'

'Mi fydd pob Cymro'n barod i frwydro dros ei wlad. Petha fel 'na ydach chi'n 'sgwennu yn eich llyfra, yndê?'

Syllodd Gerallt arno. 'Faint wyddost ti am fy llyfrau?'

'Digon i wbod eich bod chi 'di mynd yn enwog drwy ledaenu chwedla ffôl amdanon ni! Ai dyna be' 'dach chi isio gen i? Chwedl ar gyfer rhyw lyfr newydd?'

'Rwy eisiau'r gwir, Elidir ab Idwal, dyna'r cwbl. Ac fe ddylet ti wybod fod yr Iarll yn benderfynol o'th gadw di ym Mhenfro nes daw ei fab yn ôl i'th wynebu.' Tawodd Gerallt am eiliad, i roi cyfle i'w eiriau daro Elidir i'r byw. 'Nawr. Sut wyt ti'n gallu bod mor bendant fod y gwystlon eraill wedi marw? Rwyt *ti* wedi dianc o'r trychineb yn fyw, wedi'r cwbl.'

'Mi fu'r pysgotwyr yn chwilio am oria ar ôl 'yn achub i, ond yn ofer.'

'Do, ond wedi dweud hynny, does dim *sicrwydd* bod y lleill wedi marw, yn nag oes?'

'Mi welais i'r llong yn taro'r creigiau! Mi welais i hi'n mynd i lawr yn wenfflam!'

'Do, do . . . ond ble mae'r prawf mai Anselm a gyneuodd y tân? Neu unrhyw un arall? Fe allai fod yn ddamwain!'

'Mi ddechreuodd y tân o dan y bwrdd. Pwy oedd yno ond y Normaniaid? Pwy oedd yn eu harwain nhw? Pwy oedd ar fai os nad Anselm?'

'Felly ddywedaist ti wrth adrodd dy hanes yn y neuadd. Felly ddywedaist ti, yn llawn casineb, a mynnu dial ar y Normaniaid . . . unrhyw Norman.'

'Nid dial! Cyfiawnder!'

'Ond rwy'n dal i feddwl . . . Wyt ti'n cyhuddo Anselm oherwydd ei weithred, neu oherwydd ei genedl?'

'Dwi'm yn dallt . . .'

'Fy mab, all neb wadu gymaint rwyt ti wedi dioddef. Ond nid yw hynny'n cyfiawnhau dial yn erbyn dyn dieuog!'

'Beth? Rydach chi'n rhoi'r bai arna i rŵan? Dyma fi'n garcharor eto, a chitha'n poeni am Anselm druan! Mae o 'di rhedeg i ffwrdd, 'neno'r Tad! Faint mwy o brawf 'dach chi isio?'

'Wnes i ddim dweud wrthot ti fod Anselm wedi mynd. Sut gwyddost ti?'

'Ella nad oes gen i fawr o Ffrangeg, ond dwi'm yn llo cors chwaith! Mi roedd hi'n ddigon amlwg be' oedd yn digwydd.'

'Ac mae'n ddigon amlwg i fi, Elidir ab Idwal ab Owain, nad oes gen ti fymryn o brawf fod Anselm wedi llofruddio neb. Onid yw'n wir dy fod ti wedi cynllunio'r cyfan i gael dial arno fe?'

Bwriad Gerallt oedd gwylltio Elidir ymhellach, ond tawelu a wnaeth y gogleddwr. Dechreuodd Gerallt gredu geiriau Elidir ei hun—nid ynfytyn mohono.

'Nid 'y newis i oedd dŵad i Benfro. Y pysgotwyr ddaeth â fi, yndê? Ydach chi'n meddwl y baswn i wedi dŵad ar gyfyl y lle 'ma o 'ngwirfodd?'

'Wel, nag ydw . . .'

''Dach chi'n gwbod be' wnes i, pan welais i'r castell hwn o'r cwch?'

'Beth?'

'Neidio i'r môr. Roedd hi'n well gen i foddi na mynd i mewn i gastell Normanaidd eto. Ro'n i'n rhag-weld mwy o garchar. A dyma fi.' Ymdawelodd am eiliad, ond pan gododd ei olygon eto roedd ei lais yn llawn taerineb newydd. 'Ai meddwl ydach chi 'mod i'n malio dim am Anselm? Dydi o'n golygu *dim* i mi! Ond wedi i'r pysgotwyr 'y nhynnu fi eilwaith o'r dŵr a'n llusgo fi i'r neuadd, y *chi* oedd yn mynnu sôn am y gwystlon! Doedd gen i fawr o ddewis ond ateb. Ac wrth ateb, roedd rhaid i mi ddeud y gwir.'

'A'r gwir yw bod y gwystlon wedi marw, ac mai Anselm a'u lladdodd nhw?' Wrth edrych ar Elidir yr eiliad honno, nid amheuai Gerallt nad dyna a gredai'r gogleddwr â'i holl galon. Ond ai dyna oedd y gwir? Cofiodd glywed Anselm yn sôn am y gwystlon yn trafod Dewi Sant . . . sut y byddai Elidir yn ymateb i'r enw? 'Felly ni allai hyd yn oed Dewi Sant mo'u harbed nhw.'

'Pam 'dach chi'n deud hynny?' meddai, a'i lais mor ddidaro nes i Gerallt amau ei lygaid ei hun. Roedd bron yn sicr iddo weld fflach o ofn yn gwibio dros wyneb Elidir pan ynganodd yntau'r enw *Dewi Sant.*

'Wel, mae gen i ddiddordeb arbennig ynddo, a finnau wedi cysegru cymaint o 'mywyd i iddo fe ac i Dyddewi. Roeddwn wedi cael yr argraff dy fod tithau hefyd yn ymddiddori . . .'

'Pam felly?'

'Mae'n debyg dy fod ti'n sôn amdano byth a beunydd ar y llong.'

'Nid fi oedd yr unig un,' meddai'n amddiffynnol.

'O?'

'Gweddïo oeddan ni i gyd ar Dduw a Dewi a'r holl seintiau eraill, i'n harbed ni o'n caethiwed. Fel yr Iddewon ger glannau afonydd Babilon, yndê?'

Am y tro cyntaf, fe glywodd Gerallt dinc chwareus yn llais y gogleddwr. Ond fe glywodd hefyd gymaint o flinder yn ei lais nes iddo benderfynu rhoi'r gorau i'w holi. Fe'i gadawodd yn fuan wedyn, a chanddo lai o atebion, a mwy o amheuon, nag o'r blaen.

Pennod 7

Fe gysgodd Gerallt ar lawr y neuadd y noson honno, wedi ei lapio yn ei fantell. Deffrodd gyda phoen yn ei gefn, ac atgofion rhyw hunllef erchyll yn ei feddwl. Cofiai weld llong yn hwylio'r môr, a honno'n dechrau llosgi . . . ond yn lle suddo o dan y tonnau roedd wedi tyfu adenydd, ac wedi codi'n rhith o ddraig danllyd i ehedeg dros y wlad ac ysbeilio popeth.

'O, dyna chi. Bore da i chi, Meistr Gerallt.'

Cododd ar ei draed mor gyflym ac mor urddasol ag y gallai wrth weld yr Arglwyddes Regat yn agosáu tuag ato. Roedd ei gwallt heb ei gribo, a'i hwyneb yn flinedig, llygatgoch.

'Bore da. Wyt ti wedi bod ar dy draed trwy'r nos, f'Arglwyddes?'

'Efo Elidir o'n i.'

'O . . .'

'Yn ei warchod o, Meistr Gerallt. Mi es i weld a oedd o'n iawn, wedi i chi adael, ac mi ofynnodd i mi aros. Mi arhosodd 'y morwyn i efo ni, hefyd.'

'Wrth gwrs.'

'Roedd arno ofn bod ar ei ben ei hun, wyddoch chi. Mae o wedi byw cyhyd yn y carchar efo'i gyd-wystlon, mae'n chwith ganddo fod hebddyn nhw bellach.'

'Rwy'n siŵr. Roedd e'n ceisio ennill dy gydymdeimlad drwy'r nos, oedd e, gyda'r fath ddwli?'

'Nid dwli ydi o! A phe basech chi'n wir Gristion mi fasech chithau'n . . .'

'O'r gorau, f'Arglwyddes. Ddyweda i ddim gair yn rhagor yn erbyn dy ffefryn di. Ond ga' i ofyn un peth? A newidiodd e ei stori ynglŷn ag Anselm?'

'Naddo. A dwi'n ei goelio fo'n fwy nag erioed.'

'Does bosibl . . .' meddai'n goeglyd. 'Ond tybed, beth yw barn dy ŵr am hyn oll?'

'Mae o'n teimlo'r un fath â fi. Mae o'n dadlau gyda'r Iarll ar hyn o bryd, yn cadw ochr Elidir.'

'Maddeuwch i mi, f'Arglwyddes, ond rwy'n methu deall pam ddylai'r Arglwydd Rhys o'r *Deheubarth* ymddiddori cymaint yn nhynged dyn o'r Gogledd!'

'Rydyn ni i gyd yn Gymry, Meistr Gerallt. Mae Rhys am iddo gael chwarae teg, dyna'r cyfan. Ond mae'r Iarll yn benderfynol o gadw Elidir druan dan glo . . . a bellach mae o wedi dweud ei bod hi'n hen bryd i Rhys a minnau adael Penfro!'

'Fe fyddwn i'n meddwl y byddech chi'n falch o gael mynd!'

'Nid fel hyn! Mae o eisiau cael gwared ohonon ni er mwyn iddo fo gael gwneud beth a fynno gydag Elidir! Rhaid i chi ddeall, Meistr Gerallt, does gan yr Iarll 'r un bwriad o gosbi ei fab, er iddo lofruddio mab Tywysog Gwynedd!'

'Beth rydych chi am 'wneud gydag Elidir, felly? Mynd ag ef i'r Deheubarth gyda chi?'

'Naci, Meistr Gerallt . . . rhoi cymorth iddo fo ddychwelyd i Wynedd, a gadael iddo fo ddweud ei hanes wrth y Tywysog Llywelyn. Ydych chi ddim yn cytuno mai dyna'r peth gorau i'w wneud?'

'Wel . . .'

'Wnewch chi siarad â'r Iarll, felly? Mi fedrwch chi ddylanwadu arno, mae'n siŵr gen i.'

Ochneidiodd yr archddiacon. 'Ond rwy'n dal i gredu mai'r peth callaf i'w wneud yw aros fan hyn, nes y daw Anselm yn ei ôl. Ac os bydd rhaid i ti a'th ŵr fynd, wel, fe fydda innau'n fodlon aros yma i sicrhau na fydd Elidir yn cael cam.'

'Fedrwch chi mo'i warchod o ddydd a nos!'

'Rwy'n meddwl dy fod ti'n gorliwio pethau dipyn bach, fy merch. Mae'r Iarll yn ŵr anrhydeddus, ac os bydd e'n rhoi ei air i gadw Elidir yn ddiogel . . .'

'Does gen i ddim gymaint o ffydd ynddo fo, Meistr Gerallt. Dyna pam dwi angen eich cymorth. Dewch efo mi rŵan—yn y gorthwr maen nhw. Dim ond i chi wneud eich gorau, dyna'r cyfan dwi'n ei ofyn.'

'A pherswadio Iarll Penfro i newid ei feddwl?' Ysgydwodd Gerallt ei ben, gan amau fod y peth yn amhosibl. 'Wel, o'r gorau. Fe wna i drio, er dy fwyn di.'

*   *   *

Y tu allan i'r neuadd roedd yr wybren mor llwyd â cherrig y gorthwr o'u blaenau, a'r glaw newydd ddechrau curo ar laswellt sych y clos. Rhedodd Regat, a Gerallt yn brasgamu ar ei ôl, nes bod y ddau'n dringo'r grisiau i fyny at ddrws y tŵr mawr, crwn. Y tu mewn roedd drws arall, a grisiau troellog yn arwain i fyny ac i lawr.

Clywsant sŵn traed oddi uchod, a gweld yr Arglwyddes Isabel yn brysio i lawr y grisiau dan snwffian crio.

'Beth sy'n bod, f'Arglwyddes?' gofynnodd Regat.

'Mae'r Iarll yn trafod fy mab, ac eto mae e'n dweud na chaf i aros i wrando!'

'Ond mae'n rhaid i ni wragedd dderbyn ein rhan mewn bywyd . . .'

'A fyddech chi'n dweud hynny petai'ch gŵr *chi* yn cynllwynio i grogi'ch mab?' meddai'n orffwyll, a gwthio heibio iddynt er mwyn dianc i'r glaw.

Edrychodd Regat ar ei hôl am eiliad, wedyn cydio ym mraich yr archddiacon. 'Meistr Gerallt, fe ddylech chi wybod . . . mae'n debyg mai ei chyngor *hi* a wnaeth i Anselm ffoi o'r castell neithiwr.'

'Sut wyt ti'n gwybod hynny?'

'Mae'r holl weision yn clebran am y peth.'

'Mae'n siŵr eu bod nhw . . .'

'A pham ddylai hi ei ddarbwyllo i redeg i ffwrdd, oni bai iddi goelio ei fod o'n euog? Synnwn i fawr na chyffesodd o'r cyfan wrthi!'

'Wel . . .'

'Dwi'n deall yn iawn, Meistr Gerallt. Well i ni beidio â dweud dim rhagor am y tro. Mi wna i'ch gadael chi rŵan—ond diolch yn fawr i chi.'

'Dwy ddim wedi gwneud llawer eto, fy merch!'

'O, mi wnewch chi, Meistr Gerallt. Mi wnewch chi!' Aeth o'i olwg dan chwerthin, a gallai glywed ei chamre ysgafn wrth iddi redeg i lawr y grisiau at y clos.

Pan gyrhaeddodd Gerallt ystafell y cyngor, gwelodd yr Iarll Farsial a'r Arglwydd Rhys Gryg yn wynebu'i gilydd dros fwrdd crwn. Safai John d'Erley y tu ôl i'w feistr, yn dyst mud i'w hymryson.

'Beth a fynnwch chi, Meistr Gerallt?' gofynnodd yr Iarll yn flin.

'Mae'n ddrwg gen i dorri ar eich traws, f'Arglwydd— f'Arglwyddi—ond os caf i gynnig 'y nghyngor i, i'ch helpu i ddod i gytundeb . . .'

'Fydd yna ddim cyfaddawd o'm rhan i!' meddai'r Iarll ar ei union. 'Oni bai i chi ddyfeisio rhyw gynllun i gadw'r dihiryn dan warchodaeth Gymreig a Normanaidd ar yr un pryd.'

'Cymreig a Normanaidd? Ond rydych chi'n fy nisgrifio i'n berffaith!'

'Chi?'

'Fi, a 'nheulu i. Mae fy nai Wiliam de Barri yn arglwydd Maenorbŷr, ac mae ei wraig yn Gymraes o'r un dras â chi, f'Arglwydd Rhys. Maen nhw ill dau yn bobl dda, anrhydeddus, ac fe ellwch chi fod yn siŵr y byddai Elidir yn ddiogel gyda nhw.'

'Mae hynny'n iawn 'da fi,' meddai'r Arglwydd Rhys. 'Rwy'n cofio'r fenyw . . . Angharad, ie fe?'

'Ie, f'Arglwydd.' Troes Gerallt at yr Iarll, ac yntau'n dal i fyfyrio.

Ni fynnai'r Iarll Farsial weld Elidir yn gadael Penfro, ac yntau'n disgwyl cael y pleser o'i gosbi am anudoniaeth cyn bo hir. Ac eto, roedd Maenorbŷr yn ddigon agos, a Wiliam de Barri'n farchog teyrngar o dras Normanaidd dda. 'O'r gorau, Meistr Gerallt. Fe gaiff y dyn fynd gyda chi i Faenorbŷr, ac aros yno dan ofal eich nai Wiliam.'

Pennod 8

Roedd Gerallt ar ben ei ddigon wrth arwain y fintai fach tuag at ei hen gartref. Cofiai'r tirlun megis ddoe . . . y cwm yn arwain at y môr, a'r ddau fryn isel ar y ddwy ochr. Safai eglwys fechan ar ystlys y bryn i'r chwith, a'r faenor ei hun ar gopa'r llall, yn ddarlun perffaith o lonyddwch cartrefol a glesni'r môr yn gefndir.

Ganed Gerallt ym Maenorbŷr, ac yno y treuliodd flynyddoedd dedwydd ei febyd. Syllodd o'i gwmpas fel petai'n blentyn eto, a'i feddyliau ar ddisberod. Wrth farchogaeth heibio i'r berllan, ceisiodd gofio pa rai o'r coed afalau roedd ef a'i frodyr wedi'u dringo. A dyna'r pyllau pysgod, lle bu bron iddo foddi yn ddeng mlwydd oed . . .

Rhedai ffos ddofn o flaen mynedfa'r faenor, ond roedd y bont godi i lawr drosti, a'r clwydi'n agored o dan y porthdy—a hwnnw'n adeilad sylweddol o gerrig, nad oedd eto wedi'i gwblhau. Syllai'r seiri maen i lawr o'u hysgaffaldiau, wrth i Gerallt geisio dygymod â gwedd newydd ei hen gartref.

'Meistr Gerallt?'

Gwelodd ddynes ifanc yn dod i'w chroesawu, a gwisg lwyd, syml amdani. Roedd ei gwallt tywyll yn llaes, i lawr hyd at ei hysgwyddau, a'i hwyneb braidd yn brudd nes y byddai gwên swynol yn ei drawsffurfio'n llwyr. 'Croeso i chi, f'annwyl Ewyrth!'

'Diolch, fy merch. Mae'n braf dy weld di eto.' Disgynnodd oddi ar ei geffyl a rhoi'r awenau i un o'r gweision oedd wedi dod o'r stablau. Roedd Angharad wedi ei gyfarch yn y Gymraeg, fel y gwnâi hi bob cynnig, ac yntau wedi ateb yn yr iaith. Ond fe droes i'r Ffrangeg wedyn, wrth gofio d'Erley a'r lleill. 'Mae Yswain d'Erley wedi dod ar berwyl pwysig . . .'

'Bore da, f'Arglwyddes Angharad.' Disgynnodd d'Erley yntau, ac ymgrymu'n ffurfiol. 'Mae gen i fusnes i'w drafod gyda'ch gŵr, os byddwch chi gystal â mynd â fi ato.'

'Mae'r Arglwydd de Barri yn glaf yn ei wely—fel y dylech chi wybod! Dim ond ddoe y daeth e adre o'r twrnamaint!'

'A gafodd e niwed ym Mhenfro?' gofynnodd Gerallt yn syn.

'Mae'n ddrwg calon gen i glywed, fy merch . . . gobeithio nad yw'n ddifrifol iawn?'

'Mae angen gofal arno—a gorffwys!'

'Ond mae hyn yn bwysig iawn, fy merch . . .' Wrth siarad, taflodd Gerallt gipolwg ystyrlon ar filwyr Penfro a'u carcharor.

Gwelodd hi Elidir am y tro cyntaf, ac yntau wedi disgyn oddi ar ei geffyl yn ôl gorchymyn ei warchodwyr. Yn lle rhoi sylw i'w sgwrs, roedd yn edrych heibio iddynt, trwy glwydi'r faenor a heibio i holl adeiladau bychain y clos. Gellid tybio ei fod yn anwybyddu popeth, hyd yn oed y neuadd fawreddog, gastellaidd, er mwyn syllu dros y cloddiau terfyn tuag at y môr.

'Pwy yw e?' gofynnodd Angharad, gan ddal i syllu arno. Gwisgai'r un carpiau o hyd, ac roedd olion carchardy Corfe i'w gweld yn eglurach nag erioed yng ngolau'r haul. 'Be' sy wedi digwydd iddo?'

'Fe fydda i'n esbonio yn y man, Angharad, ond yr hyn sy ei angen nawr yw paratoi llety iddo . . .'

'Rhywle â chlo ar y drws,' ychwanegodd d'Erley yn benderfynol. 'Fe glywais i chi a'r Iarll yn cytuno ar hynny, Meistr Gerallt.'

'Dwy ddim wedi anghofio,' meddai'n flin, cyn troi at Angharad. 'Oes yna rywle o'r fath, fy merch?'

'Nag oes. Dŷn ni ddim yn arfer cadw'n gwesteion ni dan glo!'

'Fy merch, os na wnei di roi lloches iddo ym Maenorbŷr, fe fydd rhaid i d'Erley fynd ag e'n ôl i Benfro. Beth am . . . beth am yr ystorfa o dan y neuadd? Mae honno'n gell fach glyd.'

'Fyddwn i ddim yn gadael i gi fyw yn fan'na!'

'Er hynny, fy merch, mae'n llawer gwell na daeargell Penfro.'

Edrychodd hi ar Elidir eto. 'Pwy yw e, Meistr Gerallt? Allwch chi ddim disgwyl i fi benderfynu os nad ydw i'n gwybod dim byd amdano. Mae plant 'da fi . . .'

'Dyw e ddim yn droseddwr, os dyna beth sy'n dy boeni. Tyst yw e, mewn achos o lofruddiaeth. Mae'n rhaid ei gadw'n ddiogel hyd nes iddo gael rhoi tystiolaeth.'

'O'r gore.' Troes Angharad at y gweision oedd wedi ymgasglu i glywed hynt a helynt yr ymwelwyr. 'Chi! Ewch â hwn i'r gegin, a gofalwch ei fod yn cael bwyd. Ond arhoswch 'da fe, nes i'r ystorfa gael ei baratoi iddo. A chithe . . . ewch â'r arfau mas o'r ystorfa a'i ysgubo'n lân, a rhowch wellt ffres ar y llawr, a blancedi.'

Aeth Elidir gyda gweision Maenorbŷr yn dawel, a golwg bell, hiraethus arno o hyd. Bu Angharad yn eu gwylio nes iddynt gyrraedd y gegin.

Pesychodd d'Erley. 'Y . . . os ydy popeth wedi'i drefnu, f'Arglwyddes, fe ddylen ni fynd. Mae'r Iarll yn ein disgwyl.'

'Gwell i chi frysio, felly.'

* * *

'Wel,' meddai Angharad wrth Gerallt, wedi iddi lwyddo i gael gwared o holl wŷr Penfro o'i chartref. 'Dyna ffordd fythgofiadwy o ddychwelyd aton ni! Fe fydde ymweliad bach tawel wedi bod yn ddigonol . . .'

'Mae'n wir y dylwn i fod wedi ymweld â chi cyn hyn . . .'

'Ond roedd hi'n well 'da chi ymddeol i Loegr na byw gyda'ch teulu yn fan hyn!'

'Mae gen i 'ngwaith i, fy merch . . . ac mae llyfrgell Lincoln ymhlith y rhai gorau yn y byd.'

'Chi a'ch llyfrau! Oes 'na rywbeth ar y gweill ar y funud?'

'Oes, oes . . . rwy newydd orffen traethawd ar freintiau a hawliau Tyddewi, ac wedyn mae gen i un arall sy wedi'i seilio ar 'y mhrofiadau yn llys brenhinoedd Lloegr. Ond rwyt ti'n ferch ddrwg i adael i fi ddechrau siarad am fy llyfrau! Rwy eisiau gweld fy nai . . . os nad ydw innau wedi 'ngwahardd o'i ŵydd e?'

'Dewch gyda fi, 'te. Rŷch chi'n 'nabod y ffordd!'

Wrth gerdded am y neuadd fe welsant y gweision o gwmpas y gegin yn gwneud môr a mynydd o hel bwyd i Elidir, a hwnnw fel delw o hyd.

'Beth yw ei hanes e?' gofynnodd Angharad, gan arafu ei chamau dipyn.

'Gogleddwr yw e . . . un o'r gwŷr 'na o Wynedd sy wedi bod yn wystlon cyhyd.'

'Gŵr bonheddig, felly?'

'Wel, fe fuodd e'n rhannu'r un gell â mab Llywelyn . . .'

'A beth sy 'di digwydd i hwnnw?'

'Dyna'r newydd ofnadwy, fy merch. Mae'n gwestai ni—Elidir yw ei enw—yn honni iddo gael ei lofruddio. Gan fab Wiliam Farsial, o bawb!'

'Na! Pa fab?'

'Yr ieuengaf—Anselm.'

'Anselm! Ond rwy 'di cwrdd ag e sawl gwaith . . . ro'n i'n meddwl ei fod e'n llanc dymunol iawn!'

'A finnau,' cytunodd Gerallt.

'Odych chi'n meddwl bod Elidir yn dweud celwydde, felly?'

Nid atebodd Gerallt wrth iddynt ddringo'r rhes o risiau a arweiniai at ddrws y neuadd. Roedd yn brysur yn ei sicrhau ei hun *fod* yna dri ar ddeg ohonynt, yn union fel yr oedd wedi cofio. Ac wedi iddo orffen â'r grisiau, bu raid iddo aros eiliad ar ben y drws a syllu i mewn i'r neuadd, gan dybied y byddai honno wedi newid. Ond tawelodd ei feddwl yn fuan iawn, gan ei bod yr un mor urddasol a chlyd a golau ag erioed, gydag un ffenestr lydan yn edrych dros y gilfach tuag at y môr a'r clogwyni, a'r llall yn sbio i lawr dros y clos. A dyna'r aelwyd ger y drws, a'r bwrdd hir, a'r cadeiriau a'r meinciau wedi'u gwthio'n daclus oddi tano . . . yn rhy daclus, erbyn meddwl . . .

Dyna beth oedd ar goll. Syllodd Gerallt i fyny i'r dde, a gweld y ffenestr gul a edrychai i lawr o'r oruwch-ystafell, ac wedyn fe gofiodd. 'Wnest ti ddweud bod fy nai yn ei wely?'

'Do, ac roedd e'n cysgu, ond . . .'

Troes Gerallt am y grisiau troellog oedd wedi'u hadeiladu y tu mewn i'r mur gerllaw'r drws, a dringo'n araf. Teimlodd yn chwithig wrth groesi'r trothwy a gweld yr holl ddodrefn cain, cynefin—y gwelyau, a'r cadeiriau, a'r gist fawr ger yr aelwyd, a'r brithlenni gyda'u lluniau wedi'u codi o chwedlau Arthur. Ond sylwodd ar nifer o newidiadau hefyd, fel y byddid yn disgwyl, gan fod cenhedlaeth newydd yn byw yno bellach.

Aeth yn agosach at y gwely, i gael gweld wyneb salw ei hoff nai'n eglurach. Ymddangosai'n debycach nag erioed i'w dad, hoff frawd Gerallt, gyda'i wyneb hir, a gwallt brown trwchus a fyddai wastad yn syrthio dros ei dalcen. Ond er ei fod fel arfer yn gymeriad didaro a hynaws, fe ddychrynodd wrth weld Gerallt yn plygu drosto.

'F'Ewythr! Beth . . . beth ŷch chi'n 'wneud yma?'

'Paid â chyffroi! Dwy ddim 'di dod i roi'r eneiniad olaf!' meddai wrth eistedd ar erchwyn y gwely. 'Wyt ti'n teimlo'n well, fy mab? Oes rhywun wedi edrych ar y clwyf?'

'Fe gafodd y meddyg ym Mhenfro olwg arno . . . ond mae'r meddyg sy gen i fan hyn yn llawer gwell.' Gwenodd Wiliam yn serchus ar ei wraig. 'Dim ond clwyf arwynebol yw e—mab Iarll Caersallog achosodd e. A finnau ar fin ei drechu pan dorrodd y warthol felltith 'na . . . Ond does gan f'Ewythr fawr o ddiddordeb mewn pethau felly, os rwy'n cofio!'

'Rwy newydd ddod o Benfro, fy mab, a chyn hynny fe dreuliais i noson yn Hwlffordd . . .'

'O . . .' Synhwyrodd Wiliam lawer yng ngeiriau ffug-oddefgar ei ewythr. 'Gwell i mi beidio â dweud gair yn rhagor am y twrnamaint, felly, a chithau wedi hen syrffedu ar y testun!'

Un hawddgar, tringar fu Wiliam erioed, cofiodd Gerallt. Hyd yn oed yn ddeuddeng mlwydd oed, pan deithiodd gyda Gerallt ac Archesgob Caergaint ar eu hymgyrch i ennill milwyr at y Groesgad, roedd Wiliam wedi dangos mwy o ddeallusrwydd nag a ddisgwylid am ei oed. Yn wir, roedd Gerallt wedi defnyddio llawer o sylwadau'r bachgen wrth ysgrifennu *Hanes y Daith Trwy Gymru*.

'A beth am eich hanes chithau ym Mhenfro, f'Ewythr?'

'O . . . wel, mae gen i neges oddi wrth yr Iarll, mae arna i ofn.'

'Pa fath o neges? Ydy gwŷr yr Iarll yma nawr? Fe ddylwn i eu cyfarch nhw . . .'

'Paid ti â symud!' Aeth Angharad ato, wrth ei weld yn ceisio codi ar ei eistedd. 'Ni ddaeth yr Iarll ei hunan. Fe anfonodd John d'Erley.'

'D'Erley! Rwyt ti 'di gadael i *John d'Erley* aros y tu allan wrth i ni . . .'

'Mae e wedi mynd, cariad. Roedd rhaid iddo fynd.'

'Paid â phoeni am y peth, fy mab,' meddai Gerallt. 'Neges ddigon seml oedd hi. Mae'r Iarll yn gofyn i ti roi lloches i rywun am ychydig ddyddiau.'

'Pwy?'

'Tyst yw e . . . tyst mewn achos pwysig.'

'Pa fath o achos?'

'Rhaid i ti orffwys nawr.' Torrodd Angharad ar eu traws yn benderfynol. 'Fe fydda i a Meistr Gerallt yn gofalu am bopeth.'

*   *   *

'*Cofiwch eiriau Taliesin! Lluman Glan Dewi a ddyrchafant . . . dyna'r arwydd . . . wedyn mi ddaw pawb o blaid Llywelyn. Y Cymry i gyd . . . o'r Deheubarth, o Bowys, ac o Wynedd. Dyna dynged Llywelyn! I'n huno ni, ac i'n harwain . . . i'n harwain o dan faner Dewi Sant!*'

'*Rhowch daw arno, rhywun . . .*'

'*Dyna dynged Llywelyn, f'Arglwydd Gruffydd, ac un diwrnod ti a etifeddi'r cyfan!*'

'A gwele! Wele fy nheyrnas!'

Atseiniodd chwerthin afreolus rhwng y pedwar mur o gerrig llaith. Dyna oedd teyrnas Gruffydd ap Llywelyn a'i lys o wystlon. Cell fudr yng ngwaelod twr mwyaf Castell Corfe.

'Mi gewch chi weld . . . mi ddaw'r arwydd . . . mi ddaw'r dydd . . .'

'Y dydd i beth? I gael gwared o'r Normaniaid? Wyt ti 'di anghofio bod f'annwyl dad Llywelyn wedi priodi â Normanes? Gwell ganddo fo gysgu efo nhw na brwydro yn eu herbyn!'

Mwy o chwerthin. Tawodd Elidir ab Idwal ab Owain, a syllu'n fud i'r fagddu o'i amgylch. Ers blynyddoedd yr oeddynt wedi rhannu'r gell hon. Byddai rhai gwystlon newydd yn cyrraedd, yn y misoedd cynnar. Wedyn byddai rhai'n gadael a byth yn dychwelyd. Byddai rhai'n marw yn eu plith.

Dylent fod bellach mor agos â brodyr, ac eto unigrwydd oedd y peth mwyaf erchyll am y lle. Uchelwyr oedd y lleill, i gyd yn perthyn i linach Llywelyn, neu i linach aelodau pwysig o'i lys, ac yn adnabod ei gilydd ers eu mebyd. Nid felly Elidir, er ei fod yn rhydd-anedig, ac o deulu digon adnabyddus yn ardal yr Wyddfa, ac o bosibl â diferyn neu ddau o waed y tywysogion ynddo yntau hefyd—ond dim byd i'w gymharu â'r afonydd breision ohono a ruthrai trwy wythiennau ei gyd-wystlon. A digon o'r gwaed hwnnw wedi'i dywallt dros wellt budr y gell hon, ac o flaen ei lygaid annheilwng ef . . .

Daeth curo ysgafn ar y drws.

Cododd Elidir ei ben, gan ddisgwyl gweld y milwyr wedi dod i'w nôl.

Mwy o guro, a llais ifanc: 'Odych chi'n gallu 'nghlywed i?'

'Yndw . . .' Synnodd Elidir at sŵn cryg, egwan ei lais ei hun, a siglwyd ei hunanhyder yn fwy fyth pan glywodd bwl o chwerthin plentynnaidd o'r tu allan. 'Pwy 'dach chi?'

Clywodd yr un llais eto, ond roedd yn siarad Ffrangeg y tro hwn. Daeth llais arall i ymuno â'r cyntaf, a dyma'r ddau'n ymroi i glebran fel petaent wedi anghofio am y carcharor yn gyfan gwbl.

Aeth at y drws, gan obeithio y byddent yn ei glywed yn well. *'Pwy 'dach chi?'*

Rhoes hynny daw arnynt. 'Pwy ydach chi?' gofynnodd eto, yn fwy gwaraidd. 'Rydach chi'n siarad 'r un fath â'r archddiacon . . . ydach chi'n perthyn iddo? Lle mae o?'

'Yn cael ei ginio yn y neuadd.'

'Cael ei ginio, ydi o? A minnau'n llwgu yn y twll lle 'ma . . .'

'Odych chi'n garcharor? Beth rŷch chi wedi ei wneud?'

'Dim! Dwi'm 'di gneud dim byd! Dos i nôl yr archddiacon, hogan, imi gael siarad efo fo.'

'Dyw Meistr Gerallt ddim yn arglwydd ar y faenor. Ein tad ni sydd.'

'Tyd â fo yma, 'ta!'

'Pam? Beth fyddech chi'n 'ddweud wrtho fe?'

'Mi faswn i'n deud 'mod i'n ddyn rhydd sy heb droseddu yn erbyn neb, ac yn ddeiliad ffyddlon i'r Tywysog Llywelyn o Wynedd. Ac mi fydd hwnnw'n gandryll pan glywith am hyn! Ia, pan fydd f'Arglwydd Llywelyn wedi cipio Castell Penfro er mwyn dial 'y ngham i, mi fydd eich tad yn difaru ei enaid wedyn!'

Tawelwch.

'Ydach chi'n dal yna?'

*　　*　　*

Roedd Gerallt newydd orffen adrodd hanes y digwyddiadau ym Mhenfro wrth Angharad, a hwythau'n eistedd ar ben bwrdd mawr y neuadd, pan welodd ddagrau'n cronni yn ei llygaid. 'Beth sy'n bod, f'annwyl ferch?'

'Wiliam! Mae e wedi cael sawl clwyf o'r blaen, ond erioed cynddrwg â hwn . . .'

'Ond rwyt ti 'di dweud dy hun ei fod e'n dechrau gwella'n barod, ac rwy'n siŵr y bydd e'n holliach ymhen wythnos.'

'Ond dyna beth sy'n 'y mecso i! Cyn gynted ag y bydd e'n codi o wely'r claf, fe fydd yr Iarll Farsial yn galw amdano i ymladd eto!'

'Fydd yna ddim twrnamaint eto ym Mhenfro am fisoedd, fy merch. Roedd John d'Erley yn sôn wrtho' i ar y ffordd yma pa mor gostus oedd yr un diwethaf.'

'Nid am dwrnameintie 'wy'n poeni, ond am ryfel! Os yw'n wir fod mab yr Iarll wedi llofruddio mab y Tywysog Llywelyn . . .'

'Paid â meddwl am hynny eto, fy merch. Does neb yn hollol siŵr beth sy 'di digwydd i Gruffydd ap Llywelyn. Mae Elidir ab Idwal wedi drysu'n lân, yn fy marn i, a synnwn i fawr na fydd Gruffydd yn ymddangos yn rhywle cyn hir, yn fyw ac yn iach.'

'Ac os na fydd e'n ymddangos? Beth wnâi Llywelyn wedyn?'

'Fydd e ddim yn dwyn arfau, fe gei di fod yn siŵr o hynny! Rwy'n gwybod bod ysgarmes neu ddwy wedi digwydd yn ddiweddar, ond mae Llywelyn yn rhy gall i fentro dechrau rhyfel go iawn. Mae e'n llawer mwy tebygol o hawlio iawndal gan yr Iarll—neu gan y Brenin.'

'Odych chi'n credu o ddifrif y bydde Wiliam Farsial yn ildio cymaint ag un erw o dir i Llywelyn o'i wirfodd?'

'Ond mae Llywelyn mor gryf y dyddiau hyn, fe fyddai'n rhaid i hyd yn oed Iarll Penfro feddwl ddwywaith cyn codi cynnen 'da fe . . . y peth olaf mae e'n moyn ar hyn o bryd yw rhyfel gyda'r Cymry! Mae'r Brenin yn dibynnu gymaint arno, a phawb yn aros i weld beth a ddaw o'r Freinlen 'ma . . . Pan adewais i Benfro, doedd neb yn gwybod am ba hyd y câi'r Iarll aros yno cyn cael ei alw'n ôl i Loegr.'

'Wel, os dyna beth rŷch chi wir yn 'gredu . . .' Sychodd Angharad ei llygaid â'i chadach, wrth weld y gweision yn dod â bwyd at y bwrdd.

Gerallt oedd yr unig westai ym Maenorbŷr heddiw, ac eto fe welodd fod y gogyddes wedi gweithio'n galed i'w fodloni. Gosodwyd cawl o gregyn glas, cocos a chrancod o'i flaen, a phastai o gig colomen i ddilyn. Adroddodd yr archddiacon y gras bwyd yn gyflym, ond yn wresog.

Roedd y cawl wedi'i orffen, a Gerallt ar dorri'r bastai, pan sylwodd ar y ddau'n sefyll yn y drws.

'A ble rŷch chi 'di bod, dywedwch?' gofynnodd Angharad yn oddefgar. Wrth i'r plant edrych ar ei gilydd, fe droes hi at Gerallt. 'Mae'n flin 'da fi . . . maen nhw'n arfer bod yn fwy cwrtais. Dere mewn, 'te, Nest . . . Dafydd. Dyma'ch hen-ewyrth, Meistr Gerallt.'

'Croeso i Faenorbŷr, Meistr Gerallt,' meddai Nest, gan foesymgrymu'n dlws. Ymgrymodd ei brawd yntau, wedi iddi roi pwt i'w benelin. Roedd hi'n ddeuddeg oed, ddwy flynedd yn hŷn na'i brawd, ond fe ymddangosai'n hŷn fyth gyda'r chwilfrydedd yn goleuo ei hwyneb. 'Odych chi wedi bod yn y twrnamaint ym Mhenfro, Meistr Gerallt?'

'Ydw.'

'Ody'r Tywysog Llywelyn yn mynd i ymosod ar Benfro?' gofynnodd Dafydd yn sydyn, a bu bron i Gerallt dorri'i fys wrth dorri'r bastai.

'Beth?' Angharad a atebodd, ar ôl gorchymyn i'w phlant eistedd a dechrau bwyta'u cawl. 'Ble glywest ti'r fath syniade twp?'

'Y gŵr i lawr yn . . .'

Taflodd Nest gipolwg llawn cerydd ar ei brawd siaradus, ond roedd y drwg wedi'i wneud.

'Rŷch chi wedi bod yn siarad 'da'r dyn yn y storfa, odych chi?' holodd Angharad yn llym.

'Dim ond trwy'r drws,' meddai Nest yn amddiffynnol. 'Roedd e'n swnio mor drist . . .'

'Fe ddywedodd ei fod e'n ffrind mawr i'r Tywysog Llywelyn,' cyfrannodd Dafydd.

'Do fe? A beth arall ddywedodd e?'

'Dim byd, Mam,' atebodd Nest, cyn i'w brawd fedru agor ei geg.

'Wel . . .' Edrychodd Angharad yn hir ar y ddau. 'Paid â siarad 'da fe eto, ti'n deall? A tithe hefyd, Dafydd. Mae'r dyn druan wedi dioddef digon yn barod—on'd yw e, Meistr Gerallt?—heb gael ei blagio gan blant difeddwl byth a beunydd.'

Nodiodd y ddau'n ufudd, ac fe gymerodd Gerallt fantais o'r tawelwch i rannu'r bastai.

Pennod 9

'*Johannes dei gracia rex Anglie, dominus Hibernie, dux Normannie, Aquitannie et comes Andegavie, archiepiscopis, episcopis, abbatibus, comitibus, baronibus, justiciariis, forestariis, vicecomitibus, prepositis, ministris et omnibus ballivis et fidelibus suis salutem . . .*'

'O . . . ai dyma'r Freinlen 'naethoch chi sôn amdani? Be' mae hi'n 'ddweud, Meistr Gerallt?' Daeth Angharad i sefyll yn ei ymyl, a phwyso ymlaen i edrych ar y llawysgrifen. Roedd Gerallt wedi codi'n gynnar er mwyn cael llonydd i'w darllen, ond fe roes y gorau i'r gobaith hwnnw wrth weld maint ei chwilfrydedd hi.

'Mae hi'n dechrau gyda'r Brenin John yn cyfarch ei holl archesgobion, esgobion, uchelwyr a swyddogion, a'i holl ddeiliaid ffyddlon.'

'Tybed faint o'r rheiny sydd ar ôl? Deiliaid ffyddlon, 'wy'n meddwl.' Gwenodd Angharad, ond nid felly'r archddiacon. 'Wel, beth sy'n dod wedyn?'

'Anodd dweud . . . mae hi wedi'i hysgrifennu ar gymaint o frys . . .' Cododd y llawysgrif a'i dal yn erbyn golau'r ffenestr. 'Dyma ni. Dywed y Brenin ei fod e'n cytuno i'r pwyntiau canlynol er lles ei enaid, ac i fawrygu'r Eglwys, ac i sicrhau llywodraeth dda i'w deyrnas. Wedyn mae'n cadarnhau ei deyrngarwch i'r Eglwys Sanctaidd, ac yn ategu'r breintiau a'r hawliau sy'n ddyledus iddi. Ie, rhaid bod y Brenin yn awyddus i gadw ffafr y Pab, wedi'r esgymuniad, a'r Gwaharddiad ar yr Eglwys . . .'

'Oni ddarfu'r Gwaharddiad ddou fis yn ôl?'

'Do, do, fy merch . . . ond cyn hynny bu'n rhaid i'r Brenin dalu teyrngarwch gostyngedig i'r Pab, a rhoi'i deyrnas yn gyfan gwbl o dan awdurdod Rhufain. Ac felly y mae pethau'n parhau, a dyna pam y datganodd ei deyrngarwch i'r Eglwys cyn dweud dim byd arall yn y Freinlen.'

'Ond ro'n i'n meddwl taw rhestr o gwynion y gwrthryfelwyr oedd y Freinlen, a'r Brenin wedyn yn rhoi ei sêl arni.'

'Fe gafodd y Brenin a'i ffrindiau olwg drosti sawl gwaith cyn ei selio, fe elli di fod yn siŵr! Fyddai rhywbeth mor bwysig â hon ddim yn cael ei lunio dros nos.'

'Pwysig iawn, yw hi?'

'O, ydy, yn fy marn i.' Edrychodd Gerallt eto ar y Freinlen. 'Mae'n dechrau trwy drafod pethau fel trethi, dyled, etifeddiaeth a phrawf. Dyma ni . . . rwy'n cofio clywed Castellydd Hwlffordd yn sôn am hyn. *Ni fydd neb yn cael ei ddal na'i garcharu oni bai iddo gael ei farnu'n gyfreithlon gan ei gydraddolion, neu gan gyfraith y wlad.*'

'Ond . . .'

'Wedyn mae hi'n sôn am roi'r tiroedd a'r arian sydd wedi'u hatafaelu gan y Brenin yn ôl. O . . . a fan hyn mae'n dweud, *Byddwn ni ar unwaith yn rhyddhau mab Llywelyn a'r holl wystlon o Gymru.* Dyna un o gyfraniadau Llywelyn ei hun i'r Freinlen, mae'n siŵr.'

Syllodd Angharad arno gan ysgwyd ei phen. 'Odych chi ddim yn sylweddoli, Meistr Gerallt?'

'Sylweddoli beth?'

'Chi! Chi a Iarll Penfro'n ymffrostio yn eich breinlen a'i holl addewidion am *gyfraith* a *chyfiawnder.* A dyma'r ddou ohonoch chi'n cynghreirio i gadw dyn dieuog dan glo! Dyn heb gael prawf, a heb dorri'r un gyfraith—gwystl wedi'i ryddhau gan hon!' Tarodd y Freinlen â'i llaw agored.

Rhythodd Gerallt arni, gan fethu ag ynganu gair.

*   *   *

'Elidir? Elidir ab Idwal?' Sibrydodd Dafydd de Barri mor uchel ag y meiddiodd, wrth benlinio ymhlith y picellau, bwâu a saethau a symudwyd o'r ystorfa i wneud lle i'r carcharor.

'Pwy sy 'na?'

'Roeddwn i yma neithiwr, gyda'n chwaer. Dafydd odw i.'

'Dy dad . . . ddaru chdi siarad efo fo?'

'Y . . . naddo.'

'Beth am yr archddiacon? Be' mae o'n ei wneud y bore 'ma?'

'Darllen.'

'*Darllen!*'

'Ie. Mae e'n hoffi darllen. Dyw e ddim yn moyn i ni siarad 'da chi. Odych chi'n un o'r gwrthryfelwyr yn erbyn y Brenin John?'

'Nac 'dw, siŵr Dduw!'

'Rhaid bod 'da fe ryw reswm dros eich cadw chi dan glo.'

'O, mi roedd gynno fo reswm, decini. Cymro ydw i.'

'Rwy'n Gymro hefyd.'

'O, ia?'

'Mae 'da fi enw Cymraeg . . . a'n chwaer hefyd.'

'Be' 'di enw dy chwaer, 'lly?'

'Nest.'

'Nest? O, da iawn . . .'

'Beth? Pam rŷch chi'n chwerthin?'

'Meddwl o'n i . . . a gafodd hi ei henwi ar ôl rhywun yn arbennig?'

'O, do . . . mam-gu 'Nhad, rwy'n meddwl, neu . . .'

'Ia, rhywun yn y teulu, siŵr. Dim yr un roeddwn i'n meddwl amdani.'

'Pwy oedd honno?'

'Y ferch brydferthaf yng Nghymru gyfan. Roedd hi'n ferch i'r Tywysog Rhys ap Tewdwr o'r Deheubarth, ond mi briododd efo Norman. Gerallt de Windsor oedd ei enw fo—castellydd Penfro, flynyddoedd cyn amser Wiliam Farsial. Roedd o wedi gwirioni arni, ond roedd sawl dyn arall hefyd . . . hyd yn oed y Brenin Harri o Loegr ar un adeg! Ond dim ond un dyn roedd hithau'n ei garu go iawn, a hwnnw oedd yr Arglwydd Owain ap Cadwgan. Mi benderfynodd redeg i ffwrdd efo fo, ac mi drefnwyd iddo'i chipio hi o gastell Cilgeran. Yn y sgarmes, bu raid i Gerallt ddringo i lawr y garthffos er mwyn dianc o'i gastell ei hun!'

Chwarddodd Dafydd. Efallai ei fod yn dychmygu Gerallt *arall* yn chwarae rhan y priod anffodus.

'Yn y diwedd mi aeth Nest yn ôl at ei gŵr, ond anghofiodd hwnnw fyth mo'r sarhad. Mi gafodd o gyfle i ddial saith mlynedd yn ddiweddarach, gan aros am Owain un tro a'i ladd drwy dwyll. Ac mi ddinistriodd hynny unrhyw obaith o heddwch rhwng y Cymry a'r Normaniaid. A dyna pam y byddan nhw'n galw Nest ferch Rhys ap Tewdwr yn Elen Cymru. Fatha Elen o Droea, yndê? Wyt ti 'di clywad am Ryfel Troea?' Clywodd sŵn rhywun yn symud y tu allan i'r drws. 'Ti'n dal yna, wasi?'

Troes allwedd yn y clo, ac fe fu raid iddo gau ei lygaid rhag y llif o heulwen. Gyda'r golau daeth awel oer braf, a sŵn lleisiau'r gweision, a rhuglo adenydd y colomennod . . . ac aroglau cawl ar ferwi a bara'n cael ei bobi. Tynnodd sawl anadl o'r awyr bêr, cyn meiddio agor ei lygaid i weld ffurf hirfain yr archddiacon yn plygu i ddod i mewn drwy'r drws isel.

'Meistr Gerallt . . .' Ni fedrai Elidir weld ei wyneb yn eglur, ond fe synhwyrodd ei fod yn gandryll. 'Meistr Gerallt, do'n i ddim yn meddwl dim drwg, siarad efo'r hogyn . . .'

'Wyt ti'n arfer adrodd y fath straeon cywilyddus wrth blant diniwed? Wyt ti ddim yn gwybod pwy oedd yr Arglwyddes Nest?' Ni roes gyfle iddo ateb yr un o'r cwestiynau. 'Fy mam-gu oedd hi!'

'O . . . ond do'n i ddim yn meddwl . . . mae'n ddrwg calon gen i, Meistr Gerallt. Doeddwn i ddim yn meddwl dim drwg. Isio clywad llais o'n i, hyd yn oed 'yn llais 'yn hun, a'r hogyn 'na heb fawr o eiria yn ei ben . . .'

'Fe fyddi di'n hapus iawn i wrando arna i, felly. Fe ddes i yma i gynnig mwy o ryddid i ti, ond erbyn hyn rwy'n dechrau amau'n fawr . . .'

'Peidiwch â newid eich meddwl o'n achos i.' Safodd i wynebu'r archddiacon. 'Ylwch, nid fi sy'n bwysig, ond f'Arglwydd Llywelyn, a'i fab oedd yn gyfaill i mi. Gadwch imi fynd at f'Arglwydd i ddeud wrtho fo be' ddigwyddodd.'

'Fe fydd e'n gwybod cyn bo hir, paid â phoeni. Wyt ti'n cofio'r Arglwyddes Regat?'

'Yndw . . .'

'Wel, mae hithau wedi addo anfon gair at Llywelyn. Y . . . fe ddylwn i fod wedi dweud wrthot ti cyn hyn, efallai,' ychwanegodd, o weld ymateb Elidir.

'Dylech! Ond serch hynny, mi ddylwn i gael mynd 'yn hun. Fi ydi'r unig dyst, cofiwch!'

'Rwy'n gwybod hynny, a dyna pam rŷn ni wedi trefnu i ti aros yma'n ddiogel hyd nes y daw Anselm yn ei ôl.'

'Ac wedyn be' wnewch chi? Mynd â fi'n ôl i Benfro, er mwyn i'r Iarll wthio cyllell yn 'y nghefn i liw nos? Mae pawb yn gwbod eich bod chi'n ddyn duwiol, ac yn gyfaill da i ni'r Cymry . . . pam 'dach chi 'di dewis ochri efo Iarll Penfro? Pam, a chitha'n gwbod yn dda pa mor awyddus fyddai f'arglwydd i glywad 'yn hanes i, a pha mor ddiolchgar basa fo . . .'

'Does arna i ddim angen *diolchgarwch* dy Arglwydd Llywelyn. Rydyn ni'n hen gyfeillion.'

'Mwy o reswm fyth i chi ddangos eich ochr rŵan!'

'Ond fe addewais i'r Iarll dy gadw di ym Maenorbŷr. Does gen i ddim dewis.'

'A dyma chi'n eich galw'ch hun yn *Gerallt Gymro* ac yn esgus bod yn gyfaill i Llywelyn, ac eto'n mynnu cadw un o'i ddeiliaid mewn carchar budr, tywyll, oer, dim ond oherwydd iddo weld llofruddiaeth!'

'Dwy ddim yn dweud bod rhaid i ti aros yn y gell hon.'

'Be' 'dach chi *yn* ei ddeud, 'ta?'

'Rwy eisiau i ti addo aros ym Maenorbŷr. Wedyn, fe gei di fynd lle y mynni di yn y faenor trwy'r dydd—dim ond i ti gadw draw o'r clwydi, a'r cloddiau, a'r neuadd, a dychwelyd fan hyn bob nos.'

'A chael 'y nghloi i mewn eto, ia? Ond taswn i'n rhoi fy ngair i chi, fasa ddim angen 'y nghloi i mewn eto bob gyda'r nos, yn na fasa? 'Dach chi ddim yn fodlon derbyn gair Cymro? Taswn i'n Norman mi fasa petha'n wahanol iawn, mae'n siŵr gen i . . .'

'Rwyt ti 'di clywed y cwbl sydd gen i i'w ddweud.' Troes Gerallt am y drws.

''Rhoswch funud!'

'Wel? Wedi newid dy feddwl, wyt ti?' Petrusodd Gerallt ar ben y drws a syllu arno'n ddigynnwrf, er bod ei amynedd bron ar ben.

'Yndw. Mi gewch chi f'addewid i. Ond yn gynta rhaid i chitha addo na fyddwch chi'n ceisio 'nghadw i yma os daw hi'n amlwg bod Anselm 'di diflannu am byth, neu os bydd yr Iarll yn gwrthod ei ddwyn i brawf.'

'Wel . . . o'r gorau.'

'A hefyd, os bydda i'n gorfod mynd yn f'ôl i Benfro, rhaid i mi gael rhywun yno i siarad drosta i.'

'Ac i afael yn dy law di?'

'Fasach chi ddim yn gofyn am yr un peth, tasach chi yn 'yn lle i?'

Ochneidiodd Gerallt, wedi blino'n fwy gan yr ychydig funudau hyn gydag Elidir na chan holl holi Dafydd a Nest y noson cynt. 'O'r gorau, fy mab.'

Pennod 10

Gorweddai Elidir ab Idwal ar wastad ei gefn ar y llethr welltog ger y gegin. Gorffwysai ei fraich chwith dros ei wyneb er mwyn arbed ei lygaid rhag heulwen danbaid canol dydd, a'i fraich dde'n llonydd wrth ei ochr. Roedd yn dal i gydio yng ngweddillion sych y bastai a gafodd i frecwast.

Syrthiodd cysgod drosto. Cododd ei ben a gweld merch yn syllu i lawr arno, a'r haul yn goleuo ei gwallt melyn megis corongylch angyles.

'Bore da i chi!'

Adnabu lais yr eneth a dorrodd ar ei hunllefau'r noson cynt. A'r bachgen bach wrth ei hochr, a mantell a chrys yswain amdano . . . rhaid mai dyma'r hogyn a ddaeth at ddrws y storfa y bore hwnnw. 'Nest a Dafydd, yndê? Diolch i chi.'

Ni fu raid iddo ddweud am beth. Credai ef, ac fe gredai'r plant, mai eu cwynion hwy'n unig a ddarbwyllodd yr archddiacon i'w ryddhau, ac i roi dillad mor raenus eu golwg iddo. Ar ben hynny, roedd wedi cael cyfle i ymolchi ac i eillio, nes ei fod yn edrych yn hollol wahanol i'r truan a ddaeth i Faenorbŷr y diwrnod cynt.

'Hen grys 'Nhad yw hwnna,' datganodd Dafydd, ar ôl syllu'n hir.

'Ia?' Cododd Elidir ar ei benelinoedd ac edrych i lawr ar y crys, fel petai'n gwerthfawrogi ei ddefnydd cain o'r newydd. Roedd yn rhy fawr iddo, ond fe wnâi'r tro efo'r gwregys 'na i'w dynnu'n daclus . . . tybed a ddaeth hwnnw o'r un lle? 'Mae'ch tad chi'n hael dros ben. Diolchwch iddo drosta i.'

Edrychodd Nest a Dafydd ar ei gilydd heb gynnig gair.

Roedd llygaid Elidir yn dechrau brifo o edrych i fyny arnynt. ''Dach chi isio ista?'

'Beth?'

'*Eistedd.* Ydach chi isio eistedd?'

'Diolch.'

Eisteddasant wrth ei ochr, ac yntau'n codi'n anystwyth ar ei eistedd. Teimlodd y darn sych o bastai yn dal yn ei law a thaflodd ef i'r brithgi oedd wedi dilyn y plant. Llyncodd hwnnw'r tamaid yn awchus, ac wedyn dangosodd ei holl ddannedd mewn gwên ddidwyll cyn syrthio'n swp i orwedd ger traed ei gyfaill newydd. Estynnodd Elidir ei law i'w anwesu.

'Fe ddylech *chi* fwyta mwy,' meddai Dafydd.

'Wedi bod yn byw ar wellt 'y ngwely, fel maen nhw'n 'ddeud . . .'

'Oedd yna lygod mawr?' gofynnodd y bachgen wedyn.

'Llygod mawr? Oedd . . . ond mi fyddai'r rhai bach yn blasu'n well, wsti.'

'Tynnu dy goes di mae e,' meddai Nest wrth ei brawd, ond eto doedd hi ddim yn swnio'n hollol siŵr. Troes wedyn at Elidir, 'Mae'n flin 'da fi . . . mae Dafydd wedi bod yn gwrando ar ormod o straeon. Chi'n gwybod sut mae bechgyn.'

'Ia, mae gen i ryw frith gof . . . dwi'm mor hen â hynny.' Gwenodd Elidir ar y ddau'n amyneddgar. Byddai'n gofyn llawer mwy na chwilfrydedd diniwed plentyn i'w wylltio heddiw. Gofynnodd ymhen ychydig, ''Dach chi'ch dau'n hoffi straeon, 'ta?'

Nodiodd Dafydd ei ben, ac meddai Nest, 'Mae Mam yn arfer dweud rhai Cymreig wrthon ni.'

'Ydi hi?' Gwenodd Elidir wrtho'i hun am ryw reswm dirgel. 'Tybed . . . ydi hi 'di sôn am yr adeg pan gerddodd y Cymry drwy'r môr i Iwerddon . . .?'

*   *   *

Wrth sefyll ger ffenestr y neuadd, gallai Angharad weld holl adeiladau'r clos, o'r gegin a'r becws hyd at y porthdy. Gwyliodd ei phlant yn eistedd yng nghwmni Elidir ac yn gwrando arno'n adrodd rhyw hanes. Ac wrth wylio, gwenai wrthi'i hun o sylweddoli cymaint y bu'r newid yn y gogleddwr, ac yntau'n ymddangos bellach mor fywiog a ffraeth ag unrhyw glerwr mewn ffair . . .

'Oes rhywbeth yn bod, fy merch?'

Gwingodd wrth glywed llais yr archddiacon, ac yntau wedi codi ei olwg oddi wrth ei ysgrifennu. 'Nag oes, Meistr Gerallt. Dim ond edmygu'r diwrnod y tu fas o'n i.'

'Fe ddylet ti fynd â'r plant am dro ar hyd y clogwyni. Rwy'n cofio pan o'n i'n grwtyn ro'n i'n arfer mynd . . .' Daeth i sefyll yn ei hymyl, ac edrych trwy'r ffenestr. 'O . . . mae'n debyg bod yna rywbeth arall i ddifyrru'r plant y pnawn 'ma. Wyt ti'n fodlon gadael iddyn nhw wrando arno fe fel'na?'

'Wrth gwrs 'ny! 'Wy wedi gweld digon ohono fe i fod yn siŵr na fydden nhw mewn perygl 'da fe, os dyna beth rŷch chi'n ei awgrymu.'

'Ond beth am Wiliam, fy merch? Beth fydd ei farn e?'

'Y cwbl mae Elidir yn 'neud yw siarad . . . dyn siaradus yw e, mae'n debyg! Fe weles i fe'n sgwrsio gyda'r gweision sawl gwaith y bore 'ma.'

'Ie, fy merch, ond gŵr o'r gogledd yw e, ac yn ddeiliad i'r Tywysog Llywelyn, ac yn un sydd â mwy o reswm na neb i gasáu'r Normaniaid!'

Nid atebodd Angharad, ond troi i syllu eto trwy'r ffenestr.

'Ystyria, fy merch . . . fe ddaw Dafydd yn arglwydd ar Faenorbŷr un diwrnod. Yn farchog da fel ei dad. Fe fydd e'n ddeiliad i Iarll Penfro ac i Frenin Lloegr . . .'

'Beth!' Taflodd gipolwg diamynedd arno. 'Chi'n meddwl fod pnawn yng nghwmni Elidir yn mynd i droi Dafydd yn Gymro glân?'

'Ond mae mor hawdd gwneud argraff ar blant ifanc . . .'

'Wiliam Farsial yw arwr Dafydd ar hyn o bryd, Meistr Gerallt. Ody hynny'n tawelu'ch meddwl chi?'

Ysgydwodd Gerallt ei ben, dan wenu. Ni fynnai ddadlau gyda hi ymhellach. 'Cofia, fy merch, dim ond poeni oherwydd dy ŵr oeddwn i. Fi ddaeth ag Elidir yma, a fyddwn i byth eisiau achosi ffrwgwd rhyngot ti a fy nai.'

'Does yna ddim perygl o hynny, wir i chi.' Gafaelodd Angharad yn dyner ym mraich yr henwr. 'Ac rwy'n gwybod y bydde fe wrth ei fodd—a finne a'r plant hefyd—pe byddech chi'n dewis *aros* fan hyn.'

'Dod yma i fyw, wyt ti'n 'feddwl?'

'Pam lai? Roeddech chi'n sôn am yr esgob newydd . . . wedi iddo fe gyrraedd Tyddewi, fydd 'na ddim cymaint o'ch eisiau yno, bydd?'

'Rhaid i fi ddweud, fe fyddai'n braf cael llonydd i weithio, heb gael 'y mhlagio gan fusnes yr Eglwys byth a beunydd. Ac rwy eisoes wedi cael f'ysbrydoli i 'sgrifennu . . .'

'Yn gwmws! Rŷch chi 'di bod yn gweithio trwy'r bore ar . . . y . . . beth oedd e?'

'Fy llyfr newydd—*Ynghylch Addysg Tywysogion*. Traethawd ar y Brenin Harri'r Ail a'i feibion.'

'O! Mae'n debyg taw ym Mhenfro y cawsoch chi'ch ysbrydoli felly, ac nid ym Maenorbŷr!'

*   *   *

'Agor y drws a wnaethant ac edrych ar Gernyw ac ar aber Henfeleu. A phan edrychasant, yd oedd yn gyn hysbysed ganddynt y gynifer colled a gollasant, a'r gynifer câr a chydymdaith a gollasant, a'r gynifer drwg a ddaethai iddynt, a chyd bei yno y cyfarfodai ag wynt. Ac ym mhennaf oll am eu harglwydd. Ac o'r awr honno ni allant offwys, namyn cyrchu â'r pen parth at Lundein . . .'

'Peidiwch â stopio!' gorchmynnodd Dafydd yn ddiamynedd, ond yn ofer. Roedd Elidir wedi gweld Angharad a Gerallt yn cerdded i lawr y grisiau o'r neuadd, ac wedyn yn dynesu tuag atynt.

Safodd Elidir, gan fethu â phenderfynu a ddylai foesymgrymu ai peidio, nes ei bod yn rhy hwyr.

'Meistr Gerallt . . . Arglwyddes Angharad.' Penderfynodd ymgrymu wedi'r cwbl, ond ni phylodd gwg yr archddiacon.

Anelodd yntau ei eiriau at y plant. 'Ydych chi wedi anghofio beth ddywedodd eich mam wrthoch chi ddoe?'

'Ewch i fyny i weld eich tad,' meddai Angharad. 'Mae e'n gofyn amdanoch chi.' Fe'u gwyliodd yn dringo'r grisiau a diflannu trwy ddrws y neuadd, cyn troi'n ôl i edrych ar Elidir. 'Gobeithio nad ŷn nhw ddim wedi bod yn drafferth i chi.'

'Naddo, 'neno'r Tad. A dwi isio diolch i chi—i chi'ch dau—am bopeth . . .'

'Croeso, ar bob cyfrif,' meddai Angharad, gan fwrw cipolwg disgwylgar ar Gerallt. Pan fethodd hwnnw ag eilio ei geiriau, ychwanegodd yn gynnes, 'Mae'n braf cael gwestai o Gymro am newid—yn enwedig un sy'n gallu adrodd stori cystal â chi.'

'Ia . . . diolch i chi. Mae'n debyg 'mod i'n gallu adrodd,' meddai Elidir, â rhyw chwerwder tywyll yn ei lais.

'Fe glywes i dipyn . . . hanes Branwen, ontefe?'

'Ia . . .'

'Dyna fy hoff hanes inne o'r Mabinogi, er ei fod mor drist. Cymaint o ymladd, a phawb bron yn cael eu lladd . . . a'r ychydig rai'n dod adre a gweld fod popeth wedi newid. Eitha tebyg i'ch profedigaeth chi, on'd yw e?' Ceisiodd Angharad edrych ym myw ei lygaid, ond gostyngodd yntau ei olygon.

'Pwy ydach chi, f'Arglwyddes?'

'Mae 'nheulu'n hanu o dywysogion Deheubarth a Gwynedd . . . 'wy'n disgyn o Gwenllïan ferch Gruffydd ap Cynan, gwraig Rhys ap Tewdwr.'

'Fyddwch chi'n dal i 'mwneud â thywysogion y De o gwbl?'

'Gwraig Wiliam de Barri ydw i erbyn hyn,' atebodd Angharad yn ofalus, gan gofio bod Gerallt yn dal wrth ei hochr. 'Ond beth amdanoch chi? Odych chi'n perthyn i Llywelyn ap Iorwerth, yn ogystal â bod yn ddeiliad iddo?'

'Fi? Tydw i'n neb . . .'

'Neb, ie fe?' Torrodd Gerallt ar eu traws yn bigog. Gwyddai na fyddai'r Brenin John wedi cadw Elidir ab Idwal yn wystl am bedair blynedd, petai mor ddibwys â hynny.

'. . . neb o gymharu â f'arglwydd, hynny ydi,' fe'i cywirodd ei hun yn llithrig. 'Mi ges i 'ngeni mewn hendre yn Nant Gwynant, a phrin i mi adael y lle nes i mi . . .' Petrusodd Elidir, ond fe fu tawelwch Gerallt ac Angharad yn ormod o ysbardun iddo. '. . . nes i mi ddilyn afon Conwy i lawr i'r môr, i ysgol y beirdd.'

'Aethoch chi i Ddeganwy, felly!' meddai Angharad yn frwd. ''Wy'n ffaelu cofio'r tro diwetha i fi siarad â bardd!'

'Ond nid bardd go iawn mohono' i, f'Arglwyddes. Dim ond pedair blynedd ges i yn Neganwy, cyn i'r Normaniaid ddinistrio popeth. Mi dreuliais i'r pedair blynedd nesa'n llwgu yn naeargell Castell Corfe, yn lle gorffen 'yn addysg i, a chystadlu yn yr ymryson, a chlodfori f'arglwydd mewn awdl ac englyn . . .'

'Ond fe ddaw hynny i gyd, 'wy'n siŵr, wedi i ti fynd adre i'r Gogledd.'

'Dwn i'm, f'Arglwyddes . . . mi fydda i'n amau weithia a oes defnydd bardd yno' fi o gwbl. Mi ddysgais gymaint yn Neganwy— gwaith pob bardd ers amser Taliesin, a holl ganghennau'r Mabinogi, a llinach f'Arglwydd Llywelyn yn ôl at Adda. Dwi'n gwybod mesurau'r awdl a'r englyn, a sut i lunio llinellau sy'n clecian, a sut i'w canu nhw gyda'r delyn. Ond does gen i mo'r ddawn i farddoni. Fydd yr awen byth yn dŵad yn agos ata i . . .'

'Pa ryfedd, a tithe yn y carchar cyhyd!'

'Fasa hynny ddim yn rhwystro bardd go iawn. Mi roedd Aneirin yn garcharor pan luniodd y *Gododdin*, yn doedd? A *cyn gwawr dydd dilyn*, hefyd.'

'Rwyt ti'n 'nabod dy bethe!'

'Mi *roeddwn* i yn Neganwy!'

'Does neb yn gweud fel arall . . . yn nag oes, Meistr Gerallt?' Troes i edrych ar yr archddiacon am y tro cyntaf ers meitin, a hwnnw'n dal i wrando'n astud.

'Fe dybiais i ym Mhenfro,' atebodd yn bwyllog, 'mai bardd oeddet ti, Elidir.'

'Diolch i chi, Meistr Gerallt!'

Chwarddodd Angharad yn isel wrth weld crechwen yr archddiacon, cyn iddo droi a'u gadael yn ddisymwth.

'Be' oedd hynny i gyd?' gofynnodd Elidir, wrth wylio'r henwr yn camu tuag at y clwydi.

'O, dim ond . . . mae'n debyg nad wyt ti erioed 'di clywed barn f'Ewyrth ar feirdd . . .'

'Nac 'dw . . .' Edrychodd arni'n ddisgwylgar, a'u llygaid yn cyfarfod am y tro cyntaf. Gwenodd y ddau ar yr un eiliad, ond yr eiliad nesaf fe ostyngodd Angharad ei golygon a cherdded am y neuadd heb yngan yr un gair arall.

Pennod 11

Roedd Gerallt wedi anghofio pa mor serth a charegog oedd llwybrau'r clogwyni. Eisteddodd ar un o'r meini am eiliad i gymryd ei wynt, a syllu'n ei ôl dros y traeth a'r morfeydd, tuag at y faenor ar y bryn. Gallai weld y neuadd yn eglur, a phluen gul o fwg cartrefol yn esgyn o'r gegin gerllaw . . . tybed a oedd Elidir yn dal i hamddena yno? Ond roedd yn well ganddo beidio â meddwl am hwnnw, ac fe droes ei ben eto i werthfawrogi'r môr glas a'r clogwyni cochion, a'r grug a'r gwyddfid a dyfai ymhlith y rhedyn a'r ysgall o ddeutu'r llwybr.

Roedd yr haul yn boeth iawn, a'r llwybr dan ei draed yn sych. Fe dynnodd ei fantell a'i thaenu o'i flaen, gan resymu y byddai'n llawer mwy cyfforddus pe byddai'n eistedd ar honno. Fe wnaeth hynny, ond cyn hir tybiodd y byddai'n fwy cyfforddus fyth pe gorweddai yn ei hyd. Wedyn, fe gaeodd ei lygaid rhag yr haul, a llenwi ei ysgyfaint â'r awel a chwythai'n syth dros y môr o Iwerddon. Ie, dyma'r awyr buraf yn y byd . . .

'Taw! Mae e'n cysgu . . .'

Agorodd Gerallt ei lygaid, a gweld Dafydd a Nest yn edrych i lawr arno. Gwelodd hefyd fod yr haul wedi cyrchu ymhell dros yr wybren. 'Rhaid . . . rhaid 'mod i 'di cau'n llygaid am eiliad . . .'

'Mae hi bron yn amser swper,' meddai Nest. 'Roedd Mam yn dechrau poeni amdanoch chi.'

'A sut mae dy dad?'

'O, mae e'n llawer gwell nawr. Ond mae e wedi blino, ac wedi mynd i gysgu eto.'

'A ddywedodd e lawer wrthoch chi?'

'Naddo . . .' Edrychodd Nest arno'n graff. 'Pam?'

'Ddywedodd e rywbeth am Elidir?'

'Naddo.'

''Wy'n meddwl ei fod e wedi anghofio amdano,' meddai Dafydd.

'Wel . . . dyw Elidir ddim yn gwneud dim drwg, yw e? Dim ond eistedd ger y gegin a mwynhau'r haul . . .' Roedd Gerallt fel petai'n siarad ag ef ei hun, ond wedyn fe gofiodd am ei swper, a chodi ar ei draed. 'Mae'n bryd i ni ei throi hi tuag adre, rwy'n meddwl.'

Cerddasant yn dawel am ychydig gan wrando ar y môr yn brathu'r cerrig wrth waelod y clogwyni, a'r gwylanod yn chwarae uwchben. Tynnodd Nest flodeuyn o wyddfid, a'i dorri i flasu'r neithdar. Cofiodd Gerallt fel yr oedd yntau wedi gwneud yr un peth yn ei febyd, ond chwalwyd yr atgofion melys pan welodd y ferch yn casglu rhagor o flodau a'u lapio'n ddiogel yn ei chadach. Teimlai'n siŵr ei bod hi'n eu cadw fel anrheg i'w chyfaill newydd.

'Wrth gwrs,' meddai Gerallt, a hwythau wedi cerdded ganllath ymhellach, 'fe fydd Elidir ab Idwal yn gadael Maenorbŷr ymhen diwrnod neu ddau.'

'Mae e'n moyn mynd *nawr*,' meddai Nest yn wrthryfelgar.

'O? Ddywedodd e hynny wrthot ti?'

'Naddo, ond mae'n ddigon amlwg. Mae e 'di bod yn y carchar cyhyd . . . ers ei fod yn ddeunaw oed. Roedd e'n dweud wrthon ni . . .'

'Mae e wedi dweud hen ddigon wrthoch chi, yn fy marn i! Ceisio ennill eich cydymdeimlad chi . . . ie, ac wedyn eich anfon chi ata i i ddadlau drosto!'

'Mae e'n hoffi siarad, dyna'r cwbl! Ac roedd e'n moyn siarad am ei gartref a'i deulu. Mae e'n hiraethu amdanyn nhw'n ofnadwy. A wyddoch chi fod 'da fe dri o frodyr?'

'Wel, rwy'n gwybod nawr . . .'

'Fe yw'r ieuengaf. Ac roedden nhw'n arfer byw yn y cwm prydferthaf yng Nghymru gyfan, a chastell ar yr un ochr a llyn ar yr ochr arall, ac roedden nhw'n arfer nofio yn y llyn yn yr haf . . .'

'Diddorol iawn . . . oedd yna dad i'r teulu dedwydd 'ma?'

'Wnaeth e ddim sôn am ei dad.'

'Idwal ab Owain . . .' meddai'n fyfyrgar, gan gofio eto ei amheuon am gefndir Elidir, ac am resymau'r Brenin dros ei gadw'n wystl. 'Nid un o deulu Llywelyn, mae'n siŵr gen i, nac un o'i swyddogion chwaith . . .'

'Un o'i feirdd, efalle?' cynigiodd Nest. 'Fyddech chi ddim yn 'nabod y beirdd, na fyddech?'

Gwgodd Gerallt arni. 'Roedd e'n sôn am ei *uchelgeisiau* hefyd, oedd e?'

'Tipyn bach.'

'A beth arall ddywedodd e?'

'Dim llawer, Meistr Gerallt. Fe ofynnodd Dafydd iddo orffen hanes

Branwen, wedyn.' Roedd Nest wedi sylwi ar soriant ei hen-ewythr, ond fe siaradai o hyd yn agored a heb ofn.

'A sut mae'r stori honno'n gorffen, tybed?' mynnodd Gerallt wybod.

'Mae Manawydan, Pryderi a'r lleill yn mynd â phen Bendigeidfran i Dŵr Llundain, a'i gladdu fe gyda'i wyneb tuag at y Dwyrain, i sicrhau na fydde ddim gelyn yn dod i Ynys Prydain dros y môr,' atebodd Nest yn amyneddgar.

'Ac wrth gwrs ni ddaeth neb, byth wedyn,' wfftiodd Gerallt. 'Neb, ond y Saeson, a'r Normaniaid . . .'

'Dyna be' ddywedes inne!' meddai Dafydd, ac yntau wedi bod yn llusgo'i draed y tu ôl iddynt.

'Ond roedd ateb gydag Elidir, on'd oedd!' meddai Nest, a her yn ei llygaid. 'Fe ddywedodd i'r Brenin Arthur symud pen Bendigeidfran o'r fan, achos doedd e ddim eisiau i neb ond fe'i hunan gael yr anrhydedd o amddiffyn Ynys Prydain. Ac wedyn fe chwarddodd Dafydd a gweud bod Arthur yn dwp i wneud hynny, achos fe ddaeth y Saeson a'r Normaniaid wedi i Arthur farw.'

'A beth oedd ateb Elidir i hynny? Rwy'n siŵr fod ganddo un da . . .'

'Oedd, Meistr Gerallt. Wel, rhyw fath o ateb . . .' Gwenodd Nest, wrth daflu cipolwg ar ei brawd. 'Fe hawliodd fod Arthur yn *dal* i warchod y wlad, yn rhith cigfran!'

Gwenodd Gerallt yntau, yn fodlon iawn o weld ei bod hi'n gwatwar y fath syniad. 'Ie, rwy wedi clywed y goel honno o'r blaen. Pechod mawr yw lladd cigfran, yn ôl rhai.'

'Ac fe ddywedodd taw dim ond aros y mae Arthur. Aros am yr adeg iawn i ddychwelyd—i ddilyn eilwaith yn ôl troed Dewi Sant!' gorffennodd Nest dan chwerthin, ond roedd Gerallt wedi dechrau ymddiddori yn y testun. Er ei fod yn dirmygu ofergoelion ar bob gafael, roedd wedi bod yn eu casglu a'u cofnodi ers ei febyd.

'Arthur yn dilyn Dewi? Wel, mae 'na ryw fath o synnwyr yn y peth, am wn i. Mae Dewi'n arweinydd ysbrydol i'r Cymry, ac Arthur yn arwr milwrol iddyn nhw. Ac roedd Arthur yn nai i Ddewi, wrth gwrs, felly does ryfedd . . .' Cofiodd ymateb Elidir i enw Dewi Sant, a hwythau'n eistedd yn ffau meddyg Penfro. 'Ie, mae'n amlwg bod Elidir wedi treulio misoedd—blynyddoedd—yn breuddwydio am y ddau ohonyn nhw.'

'Ac yn dweud storïau amdanyn nhw,' meddai Dafydd.

'Ie, fe fedraf ddychmygu. Mae'n rhaid ei bod yn fendith i'r lleill, cael chwedleuwr da i'w diddanu . . .'

'O, oedd!' Ni sylwodd Dafydd ar y coegni yn llais yr hen archddiacon. 'Ac fe adroddodd ei hoff stori wrthon ni hefyd!'

'Do?'

'Do—stori ganmlwydd oed, medde fe. Am y Llychlynwyr yn ysbeilio Tyddewi.'

'Tyddewi?' Crychodd talcen yr archddiacon. Tybed pam oedd Elidir wedi dewis testun mor agos at ei galon ef, ac yntau'n gwybod fod y plant yn debygol o ailadrodd popeth wrth eu hen-ewythr?

'Ie, ac fe ddygon nhw lawer o bethe . . .'

'Wnaeth dy ffrind sôn am unrhyw beth yn arbennig?'

'O, do . . . am goffr mawr, crand. Roedd y Llychlynwyr yn meddwl bod 'na arian neu dlysau neu rywbeth ynddo fe, ac fe aethon nhw'n wyllt ar ôl iddyn nhw agor y gist, a gweld nad oedd 'na ddim byd yno heblaw *esgyrn*.'

'Esgyrn dyn?' Edrychodd Gerallt ar Nest, a hithau'n nodio. Sylweddolodd ei bod hi wedi mynd yn dawedog iawn, o gymharu â'i brawd. 'Wel? Beth ddigwyddodd wedyn, Dafydd?'

'Creiriau Dewi Sant oedd yr esgyrn! Ac roedd Duw yn ddig iawn wrth y Llychlynwyr, ac fe anfonodd Ef storm enfawr i'w cosbi nhw. Roedd yn rhaid iddyn nhw fynd i Ynys Dewi i gael lloches, mewn ogof yn y clogwyni. Pan ddaeth y storm i ben fe aethon nhw i'r môr eto, ond fe adawon nhw'r esgyrn ar ôl am eu bod nhw'n meddwl bod melltith arnyn nhw. Doedden nhw ddim yn deall dim byd am Dduw, wrth gwrs . . .'

'Wnaeth Elidir ddweud pa ogof?'

'Naddo.' Edrychodd Dafydd arno'n syn, ond yn falch bod ei hanes yn cael cymaint o sylw ei hen-ewythr. 'Dim ond stori oedd hi. Mae Elidir yn gwybod cannoedd o storïau tebyg, medde fe.'

'Ie. Dwy'n amau dim.'

*   *   *

Roedd Elidir ab Idwal yn dal i eistedd y tu allan i gwt y gegin pan aethant heibio. Tro morwyn y gegin ydoedd i gadw cwmni iddo yn awr, a hithau'n gwneud traed moch o bluo colomennod wrth wrando arno'n siarad. Neidiodd ef ar ei draed wrth weld Gerallt a'r plant, gan adael i'r forwyn redeg i'r gegin mewn cwmwl o blu.

'Mwy o straeon am y Brenin Arthur?' gofynnodd yr archddiacon yn ddigon hawddgar, er bod golwg euog iawn ar y gogleddwr. Nid oedd gwahaniaeth ganddo ef petai Elidir am ganlyn y forwyn, dim ond iddi hi beidio ag esgeuluso ei gwaith.

'Naci, Meistr Gerallt.'

'Straeon am ei ewyrth, felly?'

'Beth?'

'Ewyrth Arthur. Dy hoff sant, Elidir.'

'Pwy ydi hwnnw, dwedwch?'

'Dewi Sant, wrth gwrs! Oni fuest ti'n dweud storïau amdano beunydd yn y carchar? On'd yw e'n dal i fod yn hoff destun siarad gen ti?'

Syllodd Elidir arno'n dawel, ddifynegiant. Ni wyddai Gerallt ei hun *pam* yr oedd wedi gohirio ei swper er mwyn pryfocio'r gogleddwr, ond fe deimlodd yn chwithig bellach. 'Wel, Nest, Dafydd . . . mae'n bryd i ni fynd at y bwrdd, rwy'n meddwl. Gwell i chi ddweud "nos da" wrth ein gwestai.'

'Mi allwn i . . .' Cymerodd Elidir gam tuag atynt. 'Mi allwn i ganu am fy mwyd.'

'Beth?' Synnodd Gerallt at eiriau'r bardd, ac at ei wedd newydd, hynaws . . . bron y gellid ei alw'n daeogaidd.

''Dach chi'n gwbod bellach 'mod i wedi'n hyfforddi fel bardd. Mi allwn i ganu, neu ganu telyn, neu adrodd stori. Rhywbeth.'

Gwelodd Gerallt gapten y gwarchodwyr yn camu'n benderfynol tuag atynt, ac fe sylweddolodd pam roedd Elidir â'i fryd ar ganu.

'Ylwch, 'dach chi heb fardd na chlerwr yma, mi wn. Pam na cha' i dreulio'r noswaith yn eich neuadd, os nad y nos? Dydi hi ddim yn dywyll eto, hyd yn oed, fedrwch chi ddim 'y ngorfodi i fynd yn ôl i'r twll lle 'na rŵan. 'Dach chi 'di 'ngweld i yma drwy'r dydd, yn ymddwyn yn ôl eich ewyllys, heb achosi dim trafferth i neb. 'Dach chi wedi siarad yn gyfeillgar efo mi, 'dach chi 'di gneud i mi deimlo mor gartrefol . . . sut allwch chi 'nghloi fi mewn eto? 'Dach chi'n gwbod nad ydw i'n mynd i redeg i ffwrdd—dwi 'di rhoi 'ngair, yn do?'

'Do . . . ond rwyt ti hefyd wedi rhoi dy air i ddychwelyd i'r storfa gyda'r nos, on'd wyt?'

'Do, ond . . .'

'Dwyt ti ddim yn awgrymu dy fod ti am *dorri dy air*, wyt? A tithau'n Gymro ac yn ddyn anrhydeddus ac yn ddeiliad i'r Tywysog Llywelyn?'

Gostyngodd Elidir ei olygon, gan fethu â chynnig yr un ateb i resymeg yr archddiacon. Aeth yn dawel i'r storfa, a chapten y gwarchodwyr yn ei ddilyn a'r allwedd yn ei law.

Pennod 12

Aeth dau ddiwrnod arall heibio, a'r tywydd wedi newid fel na fynnai neb fentro'n bell o'r faenor. Roedd curlaw wedi diffodd y tân coginio, gan orfodi'r colomennod i lochesu yn eu blychau, ac fe chwythai gwynt oer drwy ffenestr y neuadd i siffrwd tudalennau llyfr newydd Gerallt. Heb feddwl, fe roes ei flwch ysgrifbinnau a'i bot-inc ifori yn bwysau ar y papurau afradlon. Petrusodd wrth estyn i lenwi'i gwilsen, wedyn symud y pot gan wenu'n euog. Petai'r inc wedi tywallt drosodd—y fath drychineb! Hwn oedd yr unig gopi mewn bodolaeth o'i gampwaith diweddaraf.

'Meistr Gerallt?' Daeth y llais isel o gyfeiriad y drws.

Gorffennodd Gerallt ei frawddeg, a llenwi ei gwilsen ddwywaith yn rhagor cyn edrych i fyny. 'Fe roddaist ti dy air i gadw draw o fan hyn, Elidir.'

'Dwi'n gwbod, ond . . .'

'Os wyt ti'n moyn lloches a thân, mae'r ddau ar gael yn y gegin. Rwy'n siŵr y bydd y forwyn yn croesawu dy gwmni di.' Edrychodd Gerallt i fyny ar ffenestr yr oruwch-ystafell wrth gofio bod Angharad a'r plant yn eistedd yno gyda Wiliam. Yr oedd hwnnw wedi gwella cymaint bellach nes yr oedd yn bygwth dod i lawr y grisiau rywbryd heddiw.

Sylweddolodd Elidir beth oedd yn poeni'r archddiacon, ond y cwbl a wnaeth oedd cau'r drws a dod i sefyll wrth ei gadair. Casglodd Gerallt ei bapurau ar frys i'w hymochel rhag y dŵr glaw a ddiferai oddi ar ei ddillad.

'Ddrwg gen i . . .' meddai Elidir, gan symud yn ôl gam. 'Ond rhaid i mi ofyn . . . ydach chi 'di clywad sôn am fab yr Iarll eto?'

'Amynedd, fy mab! Dwyt ti ddim yma ond ers tri diwrnod.'

'Ia, a thri diwrnod arall wedyn, a thrigain wedi hynny! Dwi bron â marw isio mynd adra, Meistr Gerallt.'

'Rwy'n deall hynny, fy mab, ond fe fydd y daith yn ôl i Wynedd yn llafurus, ac yn beryglus. Mae'n well i ti aros yma am ychydig nes cael dy nerth yn ôl.'

'Peidiwch â smalio'ch bod chi'n 'y nghadw i yma er mwyn 'yn iechyd i!'

'Ti sy'n iawn, wrth gwrs . . .' Gwenodd Gerallt, o'i anfodd. 'Ond rwyt ti'n deall sut mae pethau'n sefyll, on'd wyt? Rhaid i ti fod yn amyneddgar. Cyn hir fe fyddan nhw'n dod o hyd i Anselm. Ac yn y cyfamser, mae'r Arglwydd Rhys Gryg wedi addo anfon neges i Wynedd . . .'

'Rhys Gryg?'

'Ie . . . fe ddywedais i hynny'n barod, on'd do?'

'Mi ddwedsoch chi mai'r Arglwyddes Regat oedd yn mynd i anfon at Llywelyn!'

'Wel, beth yw'r gwahaniaeth? Rhys Gryg yw ei gŵr hi.'

'*Beth?*' Roedd wyneb Elidir, oedd eisoes mor welw, bellach fel y galchen.

'Beth sy'n bod? Wnaeth hi ddim sôn amdano?'

'Naddo!'

'Pa esboniad roddodd hi i ti am ei phresenoldeb ym Mhenfro, felly?'

'Mi dybiais ei bod hi'n wystl, fath â minnau.'

'Ai dyna beth ddywedodd hi?'

'Ia, decini . . . dwi'm yn cofio'n iawn. Ro'n i'n synnu dipyn bod golwg gystal arni, a hitha wedi bod yn y carchar. Ond mi fasa rhywun yn disgwyl i'r Normaniaid fod yn fwy caredig tuag at wragedd, gan eu bod nhw'n rhoi pris mawr ar *sifalri*, yndê?' Ymdawelodd, ac eisted heb wahoddiad yn y gadair agosaf at Gerallt. 'Mae hi 'di deud c'lwydda wrtha i, yn tydi?'

'Mae'n debyg ei bod hi.'

'A hitha'n wraig i'r Arglwydd Rhys . . . Rhys Gryg, o bawb! Beth yn y byd a barodd i ddynas fel Regat briodi un fel Rhys Gryg? Mae hi'n hanu o'r gogledd 'r un fath â fi, mae hi'n gyfnither i f'arglwydd i . . . ynteu celwydd oedd hynny hefyd?'

'Nage, nid celwydd yw e,' meddai llais newydd, wrth i Angharad ddod i lawr y grisiau troellog i ymuno â hwy. 'Mae'n flin 'da fi dorri ar eich traws chi, ond fe glywes i chi'n siarad am Regat, ac rwy'n ei 'nabod hi dipyn. Roedd hi'n dweud y gwir pan ddywedodd ei bod hi'n gyfnither i Llywelyn. Merch i Rhodri ab Owain Gwynedd yw hi.'

'Ie, fe ddylwn i fod wedi sylweddoli,' meddai Gerallt. 'Rwy'n cofio'r Tywysog Rhodri ab Owain Gwynedd yn dda. Fe drechwyd ef a'i frawd Dafydd gan Llywelyn, pan ddaeth hwnnw i rym. Bu farw Dafydd, ond fe dreuliodd Rhodri lawer o flynyddoedd yn alltud yn Lloegr . . .'

'Chi'n deud y dylech *chi* fod wedi sylweddoli?' meddai Elidir yn chwerw. 'Be' amdana *i*? Mi rydw i'n ddeiliad i Llywelyn, mi fydda i'n cogio bod yn fardd . . . mi ddylwn i fod wedi cofio hanes Regat cyn gynted ag iddi grybwyll ei henw. Ond na, mi goeliais i bob gair o'i phen, gan feddwl bod pawb o Wynedd yn sicr o fod yn gyfaill i mi!'

'Wel, roedd hynny'n ddigon naturiol, a tithe wedi bod bant cyhyd!' Ceisiodd Angharad ei gysuro. 'Pam wyt ti'n cynhyrfu cymaint, Elidir?'

'F'Arglwyddes . . . Meistr Gerallt . . . mi ddwedais i rywbeth wrth Regat na ddylwn i fod wedi'i ddeud wrth elynion f'Arglwydd Llywelyn. Dwi'n erfyn arnoch chi, Meistr Gerallt, er mwyn y cyfeillgarwch rhyngoch chi a Llywelyn . . . *rhaid* i chi'n rhyddhau i, imi geisio dadwneud y drwg dwi wedi 'neud.'

'Ti'n gwybod bod hynny'n amhosibl. Ond, os wyt ti'n poeni cymaint, fe allwn innau anfon negesydd at Llywelyn i ddweud beth bynnag rwyt ti'n moyn.'

'Fedra i ddim rhoi neges i neb, mae'n rhy bwysig.'

'O? Ond roeddet ti'n ddigon parod i drafod yr un testun gyda Regat, os ydw i'n deall yn iawn!'

'Roedd hynny'n wahanol . . .'

'Pam? Achos ei bod hi'n dod o Wynedd? Neu achos ei bod hi'n ddynes ddel?'

'Mi wnes i gamgymeriad, dyna'r cyfan!'

'Ac rwyt ti'n gwneud un arall yr eiliad hon! Pam oeddet ti mor barod i ymddiried ynddi hi, ac eto'n gwrthod dweud gair wrtho' i? A finnau'n archddiacon ac wedi bod yn Esgob Etholedig Tyddewi! Rwyt ti'n dangos dewis rhyfedd o gyffeswr . . .' Chwaraeodd Gerallt â'i ysgrifell. 'Neu efallai nad yw e mor rhyfedd. Mae yna rywbeth ynglŷn â Thyddewi sy'n dy gorddi di . . . ai Tyddewi, neu Dewi Sant ei hun . . .?'

''Dach chi'n dychmygu petha. 'Dach chi 'di bod yn breuddwydio cyhyd am Esgobaeth Dyddewi, rydach chi'n dechra coelio bod pawb 'r un fath! Un o Wynedd ydw i, a Deiniol sy'n nawddsant i mi, nid Dewi.'

'Pam felly mae ei enw'n codi cymaint o ofn arnat ti? Beth yw'r cysylltiad, tybed? *Rhywbeth mewn ogof ar Ynys Dewi, ie fe?'* Cododd Gerallt ar ei draed a gorffen dan weiddi, gan fod Elidir wedi ffoi i'r glaw a'r gwynt, a'r drws yn cau'n glep ar ei ôl.

'Oedd rhaid i chi fod mor gas wrtho?' Eisteddodd Angharad gerllaw'r archddiacon.

'Fe ddylwn i fynd ar ei ôl . . .'

'Peidiwch. Fydd e byth yn ymddiried ynoch chi.'

'O, wir?'

'Os meddyliwch chi am y ffordd rŷch chi wedi ei drin . . .'

'Rwy wedi bod yn hollol deg ag ef, o ystyried f'addewid i'r Iarll.'

'O, wrth gwrs, *rhaid* i ni ystyried eich addewid i'r Iarll. Mae hwnnw'n llawer pwysicach na holl ddefodau lletygarwch, 'wy'n siŵr.'

Ni hoffai Gerallt glywed cymaint o watwar yn ei llais. 'Ydy e wedi bod yn cwyno wrthot ti nawr?'

'Does dim rhaid iddo! Odych chi'n meddwl 'mod i'n hoffi gweld dyn wedi'i garcharu yn 'y nghartre i'n hunan?'

'Dim ond nes i'r Iarll Farsial ddod o hyd i'w fab . . .'

'A'i ddwyn i brawf, fel y caiff Elidir roi tystiolaeth yn ei erbyn? Fydd hynny byth yn digwydd. Byth! Chi'n gwybod hynny cystal â fi!'

'Fe fydd Anselm yn dychwelyd i Benfro rywbryd, gei di weld. A'r unig beth i ni'i wneud yn y cyfamser yw aros. Ac fe ddylen ni fod yn ddiolchgar am yr aros, hefyd . . .' Gwenodd Gerallt yn araf, dan droi ei ysgrifell rhwng ei fysedd. 'On'd oedd hi'n amlwg i ti, fy merch, fod Elidir yn celu rhywbeth?'

'Wrth gwrs ei bod hi'n amlwg!'

'Rhywbeth sydd yn gysylltiedig â chreiriau Dewi Sant, rwy'n siŵr . . .'

'Felly rŷch chi *yn* dal i freuddwydio am y creiriau? Ai dyna pam rŷch chi mor benderfynol o gadw Elidir fan hyn? Nid oherwydd Anselm, ac nid oherwydd i chi roi'ch gair. Rŷch chi'n moyn ei gadw nes cael y gwir mas ohono!'

Pennod 13

'Wedi marw? Carcharor Iarll Penfro, wedi marw?' Atseiniodd llais Wiliam de Barri drwy bob maen o'r faenor, a'i wyneb yn troi'n gochliw wrth iddo rythu ar ei wraig. 'Sut, yn enw Duw?'

Eisteddodd Angharad ar erchwyn ei wely. 'Paid â chyffroi, cariad . . .'

Troes Wiliam at Gerallt. 'Wel? Ydw i'n mynd i gael ateb call oddi wrthoch chi?'

Ysgydwodd Gerallt ei ben yn anniddig. Ni wyddai fawr mwy na'i nai am dynged Elidir, heblaw am yr esboniad cwta a glywodd gan Angharad cyn gynted ag iddo ddeffro'r bore hwnnw. Ond roedd y dystiolaeth yn ddigon amlwg ym mhobman erbyn hyn. Roedd y plant yn anghyffredin o dawel, a'r gwarchodwyr allan yn y clos yn cael eu ceryddu'n llym gan eu capten. Ac roedd morwyn y gegin wedi torri'i chalon cymaint nes iddi anghofio dechrau pobi'r bara, ac anghofio gorffen berwi'r wyau. Roedd brecwast wedi bod yn achlysur diflas ym mhob ystyr.

'Mae'n flin 'da fi dy drafferthu gyda hyn oll . . .' dechreuodd Angharad.

'Petait ti wedi fy nhrafferthu i yn y lle cyntaf, efallai byddai'r dihiryn yn dal yn ddiogel dan glo! Nawr wnei di ddweud wrtho' i beth yn union ddigwyddodd?'

'Fe geisiodd e ddianc ar hyd llwybr y clogwyni. Ro'n i'n ffaelu cysgu neithiwr, ac fe godes i cyn y wawr a mynd i eistedd ger y ffenestr 'na, i gael tipyn o awyr iach. A dyna pryd weles i rywun yn rhedeg . . . rwy bron yn siŵr taw Elidir oedd e. Ond roedd e'n rhedeg mor gyflym, a'r clogwyni mor serth . . .'

'Welaist ti fe'n syrthio? Ai dyna beth rwyt ti'n ei ddweud?'

Plygodd Angharad ei phen a sychu ei llygaid â'i chadach.

'Fe ddylet ti fod wedi 'y neffro i ar unwaith!'

'Ond roedd hi'n rhy hwyr i wneud dim . . .'

'Fe allen ni fod wedi chwilio'r traeth am ei gorff, fenyw! Rhaid cael rhywbeth i'w ddangos i'r Iarll.'

'Ei gorff?' Edrychodd Angharad yn flin ar ei gŵr. 'Mae dyn wedi marw, a'r cwbl rwyt ti'n poeni amdano yw ymateb yr Iarll!'

'*Gwaed ac esgyrn Duw*, fenyw, mae'n rhaid i rywun boeni! Fi sy'n gorfod wynebu'r Iarll, a cheisio esbonio pam na allwn i gadw rhyw genau bach o Gymro'n ddiogel. Nawr wnei di ddweud wrtho' i sut llwyddodd y dyn 'ma i ddianc o storfa gloëdig? Oes 'na ryw fath o ddewiniaeth Cymreig, fy nghariad i, sy'n galluogi dyn i fynd trwy ddrws solet?'

'Y fi sydd ar fai, Wiliam,' esboniodd Gerallt, rhag i'r ddau ddechrau ffraeo o ddifrif. 'Doedd e ddim dan glo yr holl amser. Fi ddewisodd ei ryddhau yn ystod oriau'r dydd.'

'Beth?'

'Fe roddodd ei air i fi . . . roeddwn i'n siŵr y byddai'n cadw ato . . .'

'Duw a'n gwaredo!'

'Arna i mae'r bai i gyd,' haerodd Gerallt eto. 'Ro'n i wedi camfarnu'r dyn yn llwyr, ac fe fydda i'n dweud hynny wrth yr Iarll. Fydd e ddim yn dy feio di.'

'Ond beth am y gwarchodwyr? Beth am y gweision i gyd?'

'Fe gafodd e ormod o ryddid i wneud ffrindiau gyda nhw, mae arna i ofn . . .'

'Os dyna beth ddigwyddodd, fe gaiff rhywun ei fflangellu erbyn heno!'

'F'annwyl fab!' Cododd Gerallt ei ddwylo mewn braw. Roedd e'n amau'n fawr mai Angharad oedd wedi cynorthwyo Elidir i ddianc, ac ni fynnai weld y gweision yn cael eu cosbi oherwydd ei ffolineb hi. 'Nid castell rhyfel yw Maenorbŷr, ac nid carchardy chwaith! Os yw e wedi dianc, ac wedi marw, mae'n fwy gweddus i ni alaru drosto na . . .'

'Ond os ydy'r gweision wedi helpu'r dyn 'ma . . .'

'Doedd ganddo fe ddim byd i'w gynnig i neb, fy mab. Dim aur, dim arian, dim byd o gwbl a wnâi'r tro fel cil-dwrn. Pwy bynnag a'i helpodd e . . .' Ni allai ond bwrw cipolwg ar Angharad wrth siarad, '. . . roedden nhw'n gweithredu oherwydd tosturi, neu garedigrwydd, neu hoffter ohono. Ac os yw e bellach wedi marw . . . wel, on'd yw hynny'n ddigon o gosb iddyn nhw?'

Tawodd pawb, wrth glywed sŵn traed ar y grisiau. Daeth capten y gwarchodlu i sefyll yn y drws, ac ymgrymu o flaen ei feistr.

'Mae neges wedi dod o Benfro, f'Arglwydd.'

'Wel? Ydyn nhw wedi dod o hyd i fab yr Iarll?'

81

'Doedd yna ddim sôn amdano fe, f'Arglwydd. Dim ond bod gofyn i chi fynd ar eich union i'r castell.'

'O'r gorau. Cer ati i baratoi 'ngheffyl, a mintai . . .'

'Elli di ddim!' torrodd Angharad ar ei draws yn daer. 'Rwy'n dy wahardd rhag mynd!'

'Rwy eisoes wedi gadael i garcharor yr Iarll ddianc. Wyt ti eisiau i fi wrthod ufuddhau i'w gais e hefyd, a mentro colli'i ffafr yn llwyr?'

'Rhaid i ti ddweud wrth y negesydd dy fod ti'n rhy sâl i fynd.'

'Y . . . mae'n ddrwg gyda fi, f'Arglwyddes,' meddai'r capten, 'ond mae'r negesydd wedi hen fynd. Fe ddywedodd fod rhaid iddo fynd i sawl lle eto. Mae'r Iarll yn galw'r holl uchelwyr i Benfro.'

'Rhaid bod rhyw gyngor arbennig yn digwydd heno,' meddai Wiliam dan ei wynt, cyn dweud wrth y capten, 'Cer i ddechrau'r paratoadau, felly.'

'Rwyt ti'n wallgof i sôn am y fath beth!' meddai Angharad ar ôl i'r capten ymgilio'n ddiolchgar. 'On'd yw e, Meistr Gerallt? *Chaiff* e ddim mynd, yn na chaiff?'

'Nid 'y musnes i yw e,' atebodd yntau. 'Ond os wyt ti'n benderfynol o fynd, Wiliam, fe af i gyda ti.'

Pennod 14

'*Pwy sy 'na?*'

Gwaeddodd y llais Ffrengig o borthdy Castell Penfro. Edrychodd wynebau llym i fyny ar Gerallt a'i nai, a dyrnau dur yn cydio yn awenau eu ceffylau.

'Ydyn ni'n edrych fel Cymry? Wiliam de Barri ydw i, a dyma f'ewythr . . .'

'Rydych chi'n hwyr, f'Arglwydd,' oedd yr unig ateb.

Wedi gadael eu mintai a'u ceffylau ger y clwydi, fe gychwynnodd y ddau hwyrddyfodiad am y neuadd. Sylwodd Wiliam ar gynifer o filwyr oedd wedi codi eu pebyll, a hynny ar y maes lle bu'r marchogion yn cystadlu lai nag wythnos ynghynt.

'Rhaid ei fod e wedi'u casglu nhw o bob cwr o'i diroedd!'

'Rhaid,' cytunodd Gerallt. 'Mae'n ymddangos bod yr Iarll yn paratoi ar gyfer rhyfel, nid ar gyfer prawf.'

'Gorau'n y byd, a ninnau wedi gadael i'w garcharor ddianc.'

'*Dianc*, ddywedaist ti? *Marw* yn hytrach!'

'Peidiwch â chymryd arnoch eich bod *chi*'n credu hanes y wraig! Ni fyddai Dafydd hyd yn oed yn llyncu stori mor blentynnaidd!'

'Ond . . . ond os nad oeddet ti'n credu'r hanes, pam na ddywedaist ti rywbeth?'

'Fyddech chi'n disgwyl i fi alw Angharad yn gelwyddwraig yn ei hwyneb?'

'Ond . . .'

'Rydyn ni'n dau—ni'n *tri*—yn gwybod yn ddigon da beth ddigwyddodd, on'd ydyn ni?'

'Ydyn ni?'

Chwarddodd Wiliam. 'O, ydyn!'

'F'annwyl fab! Alla i mo'th ddeall di o gwbl weithiau!'

'Mae'n ddigon syml, f'annwyl ewythr! Rwy'n caru fy ngwraig.'

'O . . . wrth gwrs.' Ni ddywedodd Gerallt air yn rhagor, a hwythau'n agosáu at y neuadd fawr.

Roedd John d'Erley wedi bod yn sefyll yn y drws ers awr yn cyfarch pawb wrth iddynt gyrraedd, ond fe gerddodd hanner ffordd i lawr y grisiau pan welodd Gerallt a'i nai. Roedd golwg anghyffredin o gynhyrfus arno, a'i eiriau'n dod yn isel ac ar frys.

'Rwy'n falch iawn o'ch gweld chi'ch dau,' meddai. 'Roedd arna i ofn y byddech chi'n dal yn wael wedi'r twrnamaint, f'Arglwydd de Barri.'

'Mae fy nai wedi gwneud ymdrech arbennig i ddod yma,' atebodd Gerallt cyn i Wiliam gael agor ei geg. 'Yn groes i gyngor ei deulu.'

'Wel, da iawn . . . A beth am eich . . . y . . . *gwestai*?'

'Oeddech chi'n disgwyl i ni ddod ag ef? Fe ddylech chi fod wedi dweud yn eich neges . . .'

'Doedd dim angen, Meistr Gerallt. Fydd yna ddim prawf.'

'Na fydd?'

'Does neb wedi cael hyd i Anselm. Ond ta waeth, mae pethau wedi symud ymlaen ers hynny. Mae'r Iarll wedi holi pawb o'r fintai ynglŷn â beth ddigwyddodd ar y llong, ac mae e'n eithaf sicr erbyn hyn nad Anselm oedd ar fai.'

'O?'

'Mae sawl un o'r fintai'n cofio clywed y gwystlon yn dadlau ymysg ei gilydd . . . bron yn ffraeo. A dyna beth ddigwyddodd, mae'n siŵr— rhyw fath o sgarmes yn dechrau wedi i Anselm a'r lleill adael y llong, a rhywun yn bwrw ffagl i lawr. A dyna i chi'r esboniad am y tân.'

'Mae hynny'n swnio'n rhesymol iawn,' meddai Wiliam, cyn edrych ar Gerallt am gadarnhad.

'Rwy'n cytuno y bydd hi'n anodd i neb brofi fel arall . . . o dan yr amgylchiadau.'

'Pa amgylchiadau, Meistr Gerallt?' gofynnodd d'Erley.

'Mae arna i ofn fod yr unig dyst wedi marw, wrth geisio dianc o'n gwarchodaeth ni.'

Ochneidiodd d'Erley mewn rhyddhad. 'Wel, dyna ddiwedd ar y broblem honno!'

*   *   *

Roedd y neuadd dan ei sang unwaith eto, a chymysgedd o farchogion, swyddogion a chastellyddion yn eistedd ochr yn ochr wrth y byrddau. Ond heno doedd dim bwyd na diod o'u blaenau, na'r un atsain ar ôl i atgoffa neb o rialtwch y twrnamaint. Arhosai pawb yn barchus o dawel, gan wrando ar lais soniarus yr Iarll.

Tybiodd Gerallt fod yr Iarll wedi bod yn siarad ers peth amser. Rhaid ei fod eisoes wedi esbonio, er mwyn y rhai na fuont yn y twrnamaint, sut y daeth Elidir i'r castell i leisio ei gyhuddiad anghredadwy. Dechreuodd wrando'n fwy astud wedi iddo grefu am le i eistedd ar ben un o'r meinciau, er mwyn, fel y dywedodd wrth y cyn-berchennog, *hen ŵr a dyn claf.*

'O Ddyddewi i Gaerfyrddin, o Ddinbych-y-Pysgod i Lawhaden, mae yn agos i gant o ddynion wedi cribinio'r wlad. Maen nhw wedi holi ym mhobman, ond yn ofer. Mae'n debyg fod Anselm wedi mynd y tu hwnt i'n tiroedd ni. Efallai ei fod wedi gadael y wlad . . . neu wedi marw, hyd yn oed.'

'Eich pardwn, f'Arglwydd.' Cododd Castellydd Caeriw ar ei draed, ac yntau wedi bod yn eistedd yn agos at law dde'r Iarll. Dyn tal, barfog ydoedd, wedi'i wisgo'n foethus ac urddasol, ac fe hawliodd sylw pawb yn syth. 'Ond fe ddylai rhywun ddweud . . . mae pob un ohonon ni'n gweddïo bod eich mab yn ddiogel. Ac am fab Llywelyn . . . does neb yn credu iddo gael ei lofruddio gan Yswain Anselm. Y fath syniad, erlyn mab Iarll Penfro oherwydd celwyddau rhyw wirionyn bach o Gymro!'

'Diolch i chi, f'Arglwydd,' atebodd yr Iarll yn oeraidd. Ni hoffai gynffonwyr. 'Ond hyd yn oed os ydy mab Llywelyn yn fyw, mae'n bosibl y bydd e'n dal i guddio rhag y byd. Yn wir, yn ôl beth rwyf i wedi'i glywed amdano, ni synnwn i fawr petai e'n cuddio *er mwyn* meithrin y cyhuddiadau hyn yn erbyn fy mab! Ac er mwyn creu cynnen rhyngon ni a'r Cymry.'

'Mae hynny'n annheg . . .' sibrydodd Gerallt wrth ei nai, ond roedd hwnnw'n brysur yn gwrando ar yr Iarll.

'Ond yr hyn sy'n bwysig i ni, f'Arglwyddi, yw ymateb y Tywysog Llywelyn. Fe wnâi ddefnydd da o ddiflaniad ei fab, mae hynny'n sicr. Fe allai hawlio tiroedd a chestyll fel iawndal . . .' Arhosodd nes y gostegodd grwgnach anfodlon ei gastellyddion a'i farchogion, perchenogion presennol tiroedd a chestyll Penfro. 'Dyna beth fydd yn digwydd, f'Arglwyddi, a dim ond os y byddwn ni'n *ffodus*! Cofiwch fod holl dywysogion Cymru erbyn hyn yn edrych i Wynedd am arweiniaddiaeth. Mae tywysogion y De wedi bod yn aflonydd ers sawl blwyddyn . . . dychmygwch beth allai ddigwydd petai Llywelyn a holl wŷr y Gogledd yn sefyll mewn cadres gyda nhw!'

'Fyddai e byth yn meiddio!' oedd un cri allan o ddegau.

'Ystyriwch! Petai Llywelyn yn credu o ddifrif fod Anselm wedi llofruddio'i fab, pwy allai ei argyhoeddi nad fi oedd y tu ôl i'r peth? Ac os dyna beth fydd e'n dewis ei gredu, fydd yna ddim diwedd ar ei ddial, ac rwy'n siŵr y bydd y tywysogion eraill yn barod iawn i ymuno ag ef. Ni fyddai amodau'r Freinlen newydd yn eu rhwystro wedyn. Fe fydden ni'n wynebu Cymru gyfan, wedi'i huno dan un gŵr cryf. Dyna fygythiad rydyn ni wedi llwyddo i'w osgoi hyd yn hyn, ond mae'n rhywbeth rwy wedi bod yn ei ofni ar hyd y blynyddoedd. A dyna'r ffordd—yr *unig* ffordd—y gallai Castell Penfro fyth syrthio i'r Cymry.'

Oedodd Wiliam Farsial am eiliad, gan syllu ar wynebau'r gynulleidfa. 'Ond er cymaint ein pryderon fan hyn, rhaid i ni gofio ein bod ni oll yn ddeiliaid i'r Brenin, ac mae ei drafferthion yntau'n gwaethygu bob dydd.' Cododd rolyn o femrwn er mwyn i bawb ei weld. 'Fe ges i'r neges hon oddi wrth ein harglwydd y Brenin John. Mae'r Arglwydd Frenin yn credu na fydd heddwch y Freinlen yn parhau, ac yn ofni bod ei uchelwyr yn dal â'u bryd ar ddymchwel y Goron. Yn wir, mae'n ymddangos bod rhai o'r cyn-wrthryfelwyr wedi mynd yn ôl at eu hen ffyrdd, gan anwybyddu amodau'r Freinlen—*eu breinlen nhw'u hunain!*'

Atseiniodd rhu ufudd o ddicter hunangyfiawn o amgylch y neuadd.

'Ond mae'r Brenin wedi dewis bod yn haelfrydig wrth y bradwyr hyn. Mae e wedi rhoi cyfle iddyn nhw gwrdd ag e, er mwyn trafod yr amodau sy'n eu poeni.' Taflodd gipolwg eto ar y rholyn yn ei law. 'Fe gynhelir cyngor y mis nesa yn Rhydychen, ac mae'r Brenin yn disgwyl i Wiliam Farsial fod yn bresennol.'

Bu raid i'r Iarll aros am ddistawrwydd unwaith eto.

'F'Arglwyddi, rŷch chi i gyd yn cofio beth ddigwyddodd y tro diwethaf i mi esgeuluso fy nhiroedd Cymreig er mwyn ateb galwad y Brenin. Pan fues i gydag ef yn Lloegr, yn yr wythnosau cyn i'r Freinlen gael ei selio, fe gymerodd ein gelynion bob mantais o'm habsenoldeb. Fe gipiodd Giles Brewys Y Fenni, Ynysgynwraidd a Chastell Gwyn—yr holl gestyll yr oedd y Brenin wedi'u hatafaelu oddi wrth ei dad. Ac ar yr un pryd, roedd e wrthi'n cynghreirio gyda'r tywysogion Cymreig. Fe ymdeithion nhw dros y ffin a chymryd Maenclochog, Cemais, Y Gŵyr . . . faint o gestyll a gollon ni? Faint o erwau o dir? Faint o fywydau? Fe fydd blynyddoedd yn mynd heibio cyn i ni adennill y cwbl rydyn ni wedi'i golli. Ac yn awr, mae'r

Brenin yn fy ngalw i eto i Loegr! Beth yw'ch barn chi, f'Arglwyddi? A ddylwn i fynd i Rydychen, i fod yn llaw dde i'r Arglwydd Frenin? Ynteu ddylwn i aros ym Mhenfro, er mwyn i ni fod yn barod yn erbyn y Cymry a'r bradwyr Normanaidd?'

Ymledodd y ddadl yn swnllyd drwy'r neuadd. Cododd Castellydd Caeriw ar ei draed ymhen ychydig, a datgan uwchlaw'r stŵr: 'F'Arglwydd, mae'n wir y teimlwn ni golled eich arweinyddiaeth gadarn ond, serch hynny, ni allwn ni anwybyddu gorchymyn yr Arglwydd Frenin.'

Castellydd Hwlffordd a safodd nesaf, gan ddyrnu ar y bwrdd i dawelu'r ychydig furmuron o gytundeb. 'F'Arglwydd Farsial, nid *llyswr* mohonoch chi! Marchog ydych chi, y gore yn y byd! Mae gyda'r Brenin lu o wŷr y llys sy'n dal ar bob gair o'i enau, a phob un yn crefu am gael rhoi'i gyngor. Does ar y Brenin mo'ch angen chi, ond mae Penfro'n dibynnu arnoch chi'n fwy nag erioed! Os ewch chi i Rydychen, f'Arglwydd, fe fydd y Cymry wedi heidio dros y wlad i gyd o fewn mis!'

Tawelwch anniddig oedd awyrgylch y neuadd bellach. Er bod llawer o ddeiliaid yr Iarll yn cyd-weld â Hwlffordd, gwyddai pawb pa mor gadarn oedd teyrngarwch eu meistr tuag at y Brenin. Aeth y tawelwch yn ddyfnach fyth wrth i ddyn tenau, blinedig yr olwg godi'n araf ar ei draed; hwn oedd Castellydd Cemais. 'F'Arglwyddi, alla i ddim traddodi barn ynglŷn ag unrhyw gyngor yn Rhydychen. Y cwbl rydw i'n ei wybod, y cwbl rydw i'n meddwl amdano, yw i mi weld dinistr llwyr ar fy nhiroedd fis yn ôl. Cyflafan ymhlith 'y mhobl i, a llosgi 'nghartref yn lludw! A dim ond y dechrau oedd hynny! Y tro nesaf fe fydd y Cymry'n mentro ymhellach fyth, yn cyrchu i'r dwyrain ac i'r de. Ble nesaf? Hwlffordd? Caeriw? Dinbych-y-Pysgod?' Edrychodd yn syth i wyneb pob castellydd yn ei dro, cyn troi at yr Iarll. 'Penfro? Rydw i'n dweud wrthoch chi, f'Arglwyddi, mae yna wir berygl i ni i gyd. Ac mae'n rhaid inni gael ein holl nerth . . . *ein holl nerth* . . . wrth wynebu'r argyfwng hwn.'

Dyrnodd Castellydd Hwlffordd eto ar y bwrdd i gael sylw'r cynulliad. 'F'Arglwydd Farsial, rydych chi wedi dweud bod y Brenin wedi gofyn i *Wiliam Farsial* fynd i Rydychen. Felly gadewch iddo gael ei ewyllys, ond ar yr un pryd, gadewch i ni gadw'n Marsial ni! Anfonwch eich mab ato!'

Synnwyd yr Iarll am eiliad, ond yna fe chwarddodd yn braf, a phawb yn ei efelychu'n eiddgar. Pawb ac eithrio ei fab, a hwnnw'n ymddangos yn hynod o brudd wrth feddwl am ei droseddau cynt, ac yn gofidio pa fath o groeso a fyddai'n aros amdano yn llys y Brenin. 'Y . . . fe fuaswn i'n mynd yn syth, f'Arglwyddi, ac yn llawen . . . ond . . . ond nid yw'n *weddus*, yw hi? A ddylen ni ddefnyddio dichell i gamliwio gorchmynion y Brenin?'

'Fe fydd y Brenin yn falch o'th weld di, 'machgen i!' atebodd Hwlffordd. 'Os wyt ti'n fab i'th dad, fe ddangosi di wir ystyr *teyrngarwch* i'r bradwyr 'cw!'

'Ac y mae'n gyfle da i ti adennill ffafr y Brenin, on'd yw e?' meddai'r Iarll yn isel wrth ei fab, oedd wedi cochi at ei glustiau o glywed geiriau anfwriadol-bryfoclyd Hwlffordd. 'Mae'r peth wedi'i ddatrys, felly, f'Arglwyddi. Fe arhosaf i ym Mhenfro, ac fe aiff y mab i Loegr i roi pob cymorth i'r Brenin. A hir oes iddo!'

Daeth y floedd yn ateb o enau'r holl farchogion a swyddogion a chastellyddion. *'Hir oes i'r Brenin! Hir oes i'r Brenin!'*

Llanwodd y fanllef bob twll a chornel o'r neuadd, a chodi i'r nenfwd a dianc trwy'r drws. Atseiniodd drwy gnawd ac esgyrn Gerallt Gymro, ond ni chyrhaeddodd mo'i dafod.

Cadeirlan Tyddewi
30 Mehefin 1215

Petrusodd Gerallt am ennyd ar drothwy'r gadeirlan. Tawelwch a heddwch perffaith oedd o'i flaen, a holl gynnwrf Glyn Rhosyn y tu ôl iddo. Y pererinion yn clebran yn anweddus o uchel, a'r masnachwyr yn mentro i lawr o'r dref i werthu yn eu plith. Roedd pob un pererin yn siŵr o fod â hanes i'w adrodd am ei daith, stori ddoniol neu un drychinebus, a byddai'r gwerthwyr yn gostwng y clustiau mwyaf parod yn y byd. Swnllyd hefyd oedd y brain yng nghoed yr allt gerllaw, ond treio a wnâi eu clegar, a hwythau'n gwasgaru i eithafion yr wybren. Atgoffwyd Gerallt o dorfeydd twrnamaint Penfro, a'u twrw cyffrous yn atseinio dros furiau'r castell cyn iddynt hwythau wasgaru i'r pedwar gwynt gyda'r nos.

Roedd rhaid anghofio am bethau felly. Aeth yn ei flaen i mewn i'r eglwys gan gerdded yn ddistaw, ymhellach ac ymhellach i ffwrdd o firi'r byd y tu allan.

Safai rhai pererinion yn llonydd rhwng colofnau corff yr eglwys, tra crwydrai eraill gan syllu ar bob dim, ac eraill eto'n penlinio i weddïo. Cerddodd Gerallt heibio heb edrych arnynt, gan ei fod yn awyddus iawn i gyrraedd heddwch y côr a dechrau ar ei weddïo yntau. Wedyn, trwy ras Duw, efallai y câi ateb i'r holl ddryswch a fu'n corddi yn ei ben ym Mhenfro ac ym Maenorbŷr.

'Meistr Gerallt?'

Dyn ifanc, tal a'i hwynebodd, ac amdano grys lliwgar yswain. Roedd golwg ddigon iachus, trwsiadus arno, ac ni fyddai neb yn tybio mai ffoadur ydoedd . . .

'Yswain Anselm! Beth yn enw Trugaredd rwyt ti'n 'wneud fan hyn?' Ni roes gyfle iddo ateb. 'Dod i gyrchu nawdd, ie fe?'

'Fe ges i fy nghyhuddo ar gam!'

'Os felly, pam oedd rhaid i ti redeg ymaith?'

'Roeddwn i'n siŵr y byddech chi i gyd yn credu mai fi laddodd y gwystlon.'

'Pam felly?'

'Fe ddywedodd Mam . . .' Gostyngodd ei olygon. 'Fe ddywedodd hi y byddai'n haws i bobl gredu hynny, na chredu bod mab yr Iarll wedi bod mor dwp ag i adael iddyn nhw ddianc.'

'Wel . . . efallai.' Gwenodd yr archddiacon wrth dybio bod yr Arglwyddes Isabel yn llygad ei lle. 'Ond doedd fawr o synnwyr mewn rhedeg ymaith, yn nag oedd? Fe aeth pethau'n anodd ar dy dad, ac yntau'n gorfod dy amddiffyn heb gael cyfle i glywed dy ochr di o'r hanes. Roedd y gwystl—Elidir—yn huawdl yn ei adrodd, ti'n gweld, ac roedd rhai'n barod i'w gredu . . . yn rhy barod, efallai.'

'Oeddech chi'n ei gredu, felly?'

'Oeddwn, mae arna i ofn.'

'A 'Nhad?'

'Roedd e mewn sefyllfa amhosibl . . .'

'Dyw hynny ddim yn ateb 'y nghwestiwn i.'

'Dim ond y fe sy'n gwybod yr ateb, fy mab. Ond fe welais i gymaint yr oedd e'n pryderu amdanat ti. Ar un adeg, roedd e'n credu y byddai'n rhaid iddo dy gosbi er mwyn osgoi rhyfel.'

'Ac erbyn hyn?'

'Mae pethau wedi newid braidd.'

'Sut? Oes rhywun wedi cael hyd i fab Llywelyn yn fyw ac yn iach wrth 'yn hela i?'

'Nag oes. Ac rwy'n dal i gredu ei fod e wedi marw . . . dan ddwylo eraill os nad dan dy ddwylo di. A phawb o'r gwystlon gyda fe. Ie, pob un ohonyn nhw, bellach.'

'Beth? Oes rhywbeth 'di digwydd i'r un a ddaeth i Benfro?'

'Oes. Mae yntau wedi marw.'

'O . . . sut?'

'Fe ddigwyddodd wrth iddo geisio dianc o . . . y . . . gadwraeth dy dad.' Ffromodd Gerallt o weld ymateb yr yswain. 'Dwyt ti ddim yn synnu llawer, yn nag wyt? Nac yn galaru.'

'Pam y dylwn i alaru dros hwnna? Fe wnaeth ei orau i'n anfon i i'r crocbren, a'r cwbl yn gelwyddau maleisus!'

'Ond ystyria, fy mab, gymaint fuodd e'n dioddef cyn hynny. Mae'n fwy gweddus i ni weddïo drosto na . . .'

'Ond beth am y lleill? Beth am yr holl wystlon eraill a fu farw o'i herwydd e?'

'Beth wyt ti'n 'feddwl?'

'Y fe oedd y tu ôl i'r holl gynnen ar y llong, cyn iddyn nhw godi yn ein herbyn ni—ac *wedi* hynny hefyd! Fe glywais i nhw'n dal i ffraeo wrth hwylio i ffwrdd! Rwy'n credu iddyn nhw droi i ymladd wedyn, ac yn y terfysg pa ryfedd pe byddai tân wedi dechrau, a'r llong yn mynd ar y creigiau?'

'Mae'n debyg fod dy dad wedi dod i'r un casgliad.'

'Ydy e?' Ymddangosai'r yswain mor falch nes yr edifarodd Gerallt ei eiriau. 'Wel, rwy eisiau profi'r peth.'

'Sut rwyt ti'n bwriadu gwneud hynny, a tithau'n gorfod llochesu yn yr eglwys hon?'

'O, dwy ddim yn aros yma drwy'r amser. Rwy'n teimlo'n ddigon diogel nawr, ers i'r dynion o Benfro gael eu gyrru ymaith.'

'Beth? Wyt ti'n dweud bod dynion wedi dod yma, ac wedi mynd yn eu holau i Benfro gan wybod dy fod ti yma?'

'Wel, doedd dim modd iddyn nhw f'erlid i allan o'r eglwys, yn nag oedd?'

'Rhaid bod dy dad yn gwybod dy fod ti yma, felly!'

'Siŵr o fod. Fe ddaeth ei wŷr yma bron i wythnos yn ôl. Pa wahaniaeth?'

'Dim . . . dim o gwbl.' Cofiodd Gerallt glywed yr Iarll yn annerch ei ddeiliaid yn neuadd Penfro: *Maen nhw wedi holi ym mhobman, ond yn ofer. Mae'n debyg fod Anselm wedi mynd y tu hwnt i'n tiroedd ni.* 'Ond meddwl o'n i . . . gan fod Elidir wedi marw, does dim rhaid i ti aros yma.'

'Ond dyw ei gelwyddau ddim 'di marw! Fe fyddan nhw'n dal i f'erlid, oni bai i mi brofi 'mod i'n ddieuog.'

'Fy mab, rwy'n edmygu dy fwriad, ond rwy'n amau'n fawr y bydd hi'n bosibl i ti ddarganfod yn union beth ddigwyddodd y noson honno, na sut bu'r gwystlon i gyd farw.'

'*Os* bu iddyn nhw farw.'

'Beth?'

'Does neb wedi cael hyd i'r un corff eto, er chwilio'r traethau'n feunyddiol. Felly, chi'n gweld, yr unig un o'r gwystlon y gallwn ni fod yn siŵr o'i farwolaeth yw'r un a'i haeddodd fwyaf. Eich ffrind Elidir.'

Pennod 16

Llifai'r geiriau o ysgrifell Gerallt Gymro, a hynny mor rhwydd â hynt afon Alun drwy glos y gadeirlan. Bu pob saib i ail-lenwi'r ysgrifell yn wrthun, yn rhwystr i'w ddawn ac yn sarhad i'r awen. Oedd, roedd ysbrydoliaeth wedi dilyn Gerallt o Faenorbŷr i'r gell hon yn Nhyddewi, a phetai ond yn aros gydag e nes dôi ei gampwaith *Ynghylch Addysg Tywysogion* i ben . . .

Cododd ei olwg wrth glywed curo ar y drws.

'Fandaliaid . . .' Nid atebodd Gerallt y sawl oedd y tu allan, gan aros yn hytrach, a myfyrio ar y pwysau roedd cabidwl Tyddewi wedi 'i roddi arno. Oherwydd ei holl ymdrechion i ennill meitr Tyddewi, roedd e'n fwy cyfarwydd â materion yr esgobaeth nag unrhyw esgob newydd-ei-gysegru fel Iorwerth o Dal-y-Llychau. Serch hynny, roedd wedi sylweddoli ers tro fod y cabidwl yn cadw'r penderfyniadau mawr—y rhai *diddorol*—oddi wrtho, wrth aros am yr esgob newydd.

'Dewch i mewn, felly, os oes rhaid,' meddai yn y diwedd, gan sylweddoli fod ei awen wedi ehedeg allan o'r ffenestr i ymuno â'r corfrain a'r gwylanod.

Roedd capten Nevern wedi arfer â chael croeso tebyg gan yr archddiacon. 'Mae'n flin 'da fi'ch poeni, Meistr Gerallt. Ond ynglŷn ag Yswain Anselm . . .'

'Beth sy'n bod? Ydy e wedi llofruddio rhywun arall nawr?'

'Nag yw, Meistr Gerallt,' meddai'n bwyllog, 'ond mae arna i ofn y *bydd* 'na lofruddiaeth, os bydd e'n mynd ymlaen fel hyn. Mae e wedi dod i'r castell, ac yn datgan wrth bawb fod y Cymry'n mynd i ymosod ar Dyddewi.'

'Beth?' Chwarddodd yr archddiacon, gan mor wirion oedd y syniad.

'Mae e o ddifri', Meistr Gerallt.'

'Mae e o'i gof! Anfona'r crwt yn ei ôl i Benfro, Nevern. Dwy ddim yn credu bod unrhyw berygl iddo yno erbyn hyn. Gad iddo fynd adre i blagio'i dad!'

'Odych chi ddim am glywed ei stori'n gynta?'

Ar hynny, clywsant y llais Ffrengig o hirbell: *'Ac wedyn fe welais i nhw! Cannoedd ohonyn nhw ar y traeth, a phob un yn arfog . . .'*

Safodd Gerallt a mynd at y ffenestr. Gwelodd Anselm yn traethu yng nghanol torf fechan o segurwyr, ac ambell un arall yn rhoi sylw iddo wrth fynd heibio. 'Cer i'w nôl e fan hyn, Nevern. Yn glou!'

* * *

'Fe ddylet ti wybod yn well, Yswain Anselm!'

'Doeddwn i ddim yn meddwl dim drwg,' atebodd yr yswain, cyn gynted ag y gadawodd Nevern y gell. 'Ond roeddwn i'n meddwl ei bod hi'n ddyletswydd arnaf i rybuddio'r castell.'

'Mae arna i ofn, fy mab, dy fod ti wedi treulio gormod o amser yn hel meddyliau dros y llongddrylliad. Well i ti fynd adre i Benfro, a chael newid cynefin, a cheisio anghofio'r holl fusnes trist.'

'Alla i ddim gadael nawr! Mae Tyddewi mewn perygl ofnadwy!'

'Duw a'n gwaredo! Un ffŵl ifanc yn ei ladd ei hun wrth geisio dianc oddi wrtho' i, a'r llall yn gwrthod 'y ngadael i!'

'Rwy'n gwybod beth welais i,' meddai'r yswain yn warsyth.

'O'r gorau . . . gad i fi glywed y cyfan, o'r dechrau.' Fe sylweddolodd Gerallt erbyn hyn nad oedd y llanc wedi drysu. Os rhywbeth, fe ymddangosai'n gallach nag o'r blaen.

'Y bore 'ma, fe es i draw i'r clogwyni sy'n wynebu Ynys Dewi. Roeddwn i wedi clywed bod rhai pysgotwyr yn trigo yno, ac roeddwn i eisiau gofyn a oedden nhw wedi gweld unrhyw beth ar noson y llongddrylliad.'

'A beth ddywedon nhw?'

'Ches i mo'r cyfle i'w holi, Meistr Gerallt! Cyn i fi gyrraedd y clogwyni fe glywais i leisiau, ac wrth i fi agosáu fe ddaeth hi'n amlwg mai lleisiau Cymreig oedden nhw. Ac wedyn fe welais i nhw—byddin o Gymry'r De, i lawr ar y traeth yn dadlau gyda rhyw bysgotwr. Dadlau ynglŷn â chael cwch draw i Ynys Dewi hyd y gallwn i ddeall.'

'A wyt ti'n siŵr mai Cymry'r De oedden nhw?'

'Digon siŵr, Meistr Gerallt. Roedd yr Arglwydd Rhys Gryg yno.'

'Rhys Gryg!' Eisteddodd Gerallt yn fwy cefnsyth yn ei gadair. 'A chyda byddin, ti'n dweud? Faint o ddynion?'

'Doedd fawr o'r traeth i'w weld rhwng y clogwyni, ond roedd 'na filwyr drosto i gyd, a mwy ohonyn nhw allan o'r golwg, rwy'n siŵr. Allwn i ddim aros yno'n hir . . . fe edrychodd Rhys i fyny, ac rwy'n siŵr iddo 'y ngweld i. Fe ddes i'n f'ôl yn syth wedyn i'ch rhybuddio chi.'

'A beth rwyt ti'n disgwyl i fi 'wneud? Anfon milwyr y castell i'r traeth? Y tebyg yw fod Rhys Gryg wedi dod yma fel pererin.'

'Gyda'i holl fyddin?'

'Wel, fyddai neb yn disgwyl iddo ddod ar ei ben ei hun . . .'

'*Byddin* welais i, nid mintai!' taerodd yr yswain yn ddiamynedd. 'On'd yw hi'n amlwg beth oedd yn digwydd? Roedd Rhys yn ceisio llogi cwch. Roedd e eisiau mynd i'r ynys—a does ond un esboniad am hynny, yn nag oes?'

'Mae 'na sawl cysegr ar yr ynys sy'n denu pererinion . . .'

'Meistr Gerallt, mae'n *rhaid* eich bod chi'n gallu gweld cystal â fi fod Rhys Gryg wedi mynd i Ynys Dewi i hela—ac nid i hela morloi na gwylanod, chwaith!'

'Ie, rydw i *yn* gallu gweld hynny.' Cofiodd Gerallt yr hanes a adroddodd Elidir wrth y plant ym Maenorbŷr—hanes am greiriau sanctaidd Dewi Sant. Ond smaliwr a chelwyddwr heb ei ail oedd Elidir . . .

'Mab Llywelyn!' Torrodd Anselm ar fyfyrdod yr archddiacon.

'Beth? Beth amdano?'

'Rhaid ei fod wedi dianc o'r llongddrylliad, a chael ei fwrw ar ryw draeth ar Ynys Dewi, ac mae Rhys Gryg wedi clywed am y peth rywsut . . .'

'Mab Llywelyn . . . ar Ynys Dewi?' Ceisiodd Gerallt ddygymod â'r syniad newydd hwn. 'Ond pam y byddai Rhys Gryg eisiau dod yr holl ffordd yma i achub mab Llywelyn?'

'Nid i'w achub e, Meistr Gerallt, ond i'w herwgipio! Mae pawb yn gwybod bod Rhys Gryg yn elyn glas i Lywelyn.'

'Ydyn nhw?'

'Ydyn. A dyna pam mae'n rhaid i ni fynd i'r ynys y funud hon, a dod â'r bachgen yn ôl i Dyddewi cyn i Rhys gael ei ddwylo arno . . . a dyna i chi'r prawf!'

'Prawf?'

'Prawf nad ydw i'n llofrudd!'

'O . . . ie, wrth gwrs.' Petrusodd Gerallt, ac edrych ar wyneb yr yswain. 'Ond os wyt ti'n iawn. . . . sut daeth Rhys i wybod fod mab Llywelyn yn trigo ar Ynys Dewi?'

'Fe gafodd gyfle i siarad gydag Elidir ym Mhenfro, on'd do?'

'Naddo . . . ond ei wraig e . . .' Cofiodd gymaint a fu pryderon Elidir pan sylweddolodd fod Regat yn wraig i Rhys Gryg. 'Fe wnaeth Elidir gyfaddef iddo ddweud rhyw gyfrinach fawr wrthi.'

'Dyna chi! Y ffaith fod Gruffydd ap Llywelyn yn cuddio ar Ynys Dewi!'

'Ond fe aeth ar ei lw! Fe dyngodd ar y Groes fod Gruffydd wedi'i lofruddio!'

'Does bosibl eich bod chi'n synnu?' wfftiodd yr yswain.

Doedd gan Gerallt ddim ateb i'w roi.

*   *   *

'Doedd dim rhaid i chi ddod gyda ni, Meistr Gerallt. Er 'mod i'n falch o'ch cwmni . . .'

'Rwy i mor awyddus â ti i ddatguddio'r gwir, Yswain Anselm.'

Ymestynnodd y tawelwch, a hwythau'n marchogaeth ar hyd y llwybr sathredig tua'r gorllewin. Tir anial, gwyllt oedd hwn, a cherrig brig yn codi o'r grug a'r eithin ar bob tu fel byrlymau cawl ar ferwi.

Daeth eu mintai fach yn eu sgil, ond yn ddigon pell ar eu holau fel na allent ddirnad fawr o'u grwgnach isel—dim ond clywed ambell adlais o chwerthin chwerw. Roedd Nevern yn eu plith, yn cerdded, er ei fod yn berchen ar geffyl, ac yn ymddangos mor anfoddog â'i wŷr. Gallai Gerallt gydymdeimlo â hwy, ac yntau'n teimlo'n fwyfwy eu bod yn rhedeg ar ôl cysgodion.

Lapiodd ei fantell yn dynnach am ei wddf wrth i'r gwynt o'r môr gryfhau a mynnu mwy o sylw. Teimlodd yn ddig wrth Anselm am iddo ei arwain mor bell, ac am ei orfodi i gredu straeon mor wyllt. Roedd cynddrwg ag Elidir, os nad gwaeth . . . Ac eto, i beth yr âi Rhys Gryg i Ynys Dewi, os nad oedd yn chwilio am ryw fath o drysor?

'Os *bydd* mab Llywelyn ar yr ynys . . .' dechreuodd Gerallt wedyn.

'O, fe fydd e!'

'Ond beth yw dy fwriad di? Chei di mo'i ddal yn erbyn ei ewyllys. Nid gwystl mohono erbyn hyn, cofia.'

'Y cwbl rwy eisiau 'wneud yw mynd ag e i Benfro. Fe gaiff fynd adre wedyn.'

'Na . . . dwy ddim yn meddwl. Dwy ddim yn meddwl y dylet ti fynd ag ef i unman.'

'Ond mae'n rhaid i fi ei ddangos e i 'Nhad i brofi nad ydw i'n llofrudd!'

'Pam? Wedi i ti a finnau a phawb yn Nhyddewi ei weld e, ac wedi i

95

ni ei anfon at ei dad yntau, fe fydd y byd a'r betws yn gwybod y gwir. Pam fod rhaid ei lusgo'r holl ffordd i Benfro? Neu a wyt ti'n breuddwydio o hyd am gyflawni'r gorchwyl a roddodd dy dad i ti yn llys y Brenin?'

'Rwy'n gwybod bod pethau 'di newid ers hynny, ond rwy'n dal i ddweud y byddwn i'n hapusach petawn i'n cael ei ddangos e . . .'

'Dwy ddim yn amau! Ond y ffaith yw mai tir Esgob Tyddewi yw hwn, a milwyr Tyddewi sy'n cerdded y tu ôl i ni.'

'Ie, rwy'n gwybod pam eu bod *nhw* yma—i wneud yn siŵr na fydda i'n llofruddio'r bachgen o ddifrif y tro 'ma!'

'Chymeraf i ddim cellwair o'r math yna! Os bydd Gruffydd ap Llywelyn yno ar yr ynys, rhaid i ti ymddwyn gyda phob parch tuag ato.'

'Parch! Ar ôl popeth mae e wedi'i wneud i fi? Fe ddygodd 'y nillad i, 'y nghleddyf i, 'y mhwrs . . .'

'Fe allai e fod wedi dy ladd di yr un mor hawdd, ond wnaeth e ddim.'

'. . . a 'ngadael i i gerdded ar hyd llwybr y pererinion yn y carpiau afiach 'na, a'r drewdod yn codi pwys ar bobl ganllath oddi wrtho' i! Rwy'n dweud wrthoch chi, Meistr Gerallt, dyw e ddim yn parchu neb, ddim yn ufuddhau i neb, ddim yn ymddiried yn neb!'

'Agwedd gall iawn, fyddwn i'n dweud, i lanc yn ei sefyllfa fe!'

'Rwy'n dweud wrthoch chi, mae Gruffydd ap Llywelyn wedi *dangos* ei fod yn elyn i ni. Synnwn i damaid nad ef ei hun oedd wedi anfon ei gyfaill Elidir i Benfro i dystio yn f'erbyn. Ie, ac yntau'n cuddio ar yr ynys nes i fi gael 'y nghondemnio!'

'Ti'n gwybod yn dda mai dwli yw hynny! Nid aeth Elidir i Benfro o'i wirfodd—fe gafodd ei lusgo yno gan bysgotwyr yr Iarll. Ac os ei di i edrych i lawr ar y culfor, fe weli di mor lwcus oedd e na foddodd e.'

'Ac mor anlwcus oeddwn i . . .' meddai'r yswain drwy ei ddannedd.

Roeddynt wedi cyrraedd y llwybr serth a arweiniai i lawr at Borth Stinan. Daeth Nevern at Gerallt a gwirfoddoli i ddringo i lawr i holi'r pysgotwyr. Aeth ei filwyr gydag e, ond mynnodd Gerallt fod Anselm yn aros yn gwmni iddo.

Wedi rhai munudau o dawelwch oeraidd, disgynnodd Gerallt oddi ar gefn ei farch a cherdded yn agosach at y clogwyni. Syllai draw ar ddau fryn isel Ynys Dewi, heb sylweddoli bod Anselm wedi'i ddilyn.

96

Roedd cymylau duon wedi ymgasglu uwchben yr ynys, a'r gwynt yn gyrru'r tonnau yn erbyn y cerrig miniog o'i hamgylch. A hyd yn oed yng nghanol y culfor, gellid gweld ychwaneg o greigiau, a chenllifoedd yn chwildroi . . . sut y gallai neb fod wedi goroesi'r dyfroedd llwyd, oer, terfysglyd hyn, os nad trwy ras a chymorth yr Hollalluog?

'Dim siw na miw o Rhys Gryg, Meistr Gerallt,' meddai Nevern, ar ôl dychwelyd atynt mor annisgwyl nes y gwingodd yr archddiacon. '. . . nac o'r pysgotwyr chwaith. Dim ond y gwragedd sy'n aros yn y cytiau.'

'A beth maen nhw'n ei ddweud?'

'Dim llawer—mae gormod o ofn arnyn nhw. Mae'n edrych yn debyg i mi fod yr Arglwydd Rhys wedi gorfodi eu gwŷr i fynd ag ef a'i filwyr drosodd i'r ynys.'

'Rhaid i ni eu dilyn nhw, felly!' meddai Anselm yn frwd.

'Amhosibl!' atebodd Nevern ar ei union. 'Mae pob cwch 'di mynd.'

'Fe gawn ni gwch o rywle arall, felly.'

Ysgydwodd Gerallt ei ben. 'Fe fyddai'n beryglus tu hwnt i ni fentro ar y culfor heb forwyr sy'n gyfarwydd â'r lle. Ond pam fod rhaid i ni fentro drosodd o gwbl? Fe fydd yr Arglwydd Rhys yn siŵr o ddod yn ôl i'r tir mawr rywbryd. Y cwbl sy raid i ni ei wneud yw aros fan hyn a chadw llygad barcud ar yr ynys.'

'Aros yma?' meddai Anselm. 'Ond beth petai Rhys yn aros ar yr ynys trwy'r nos?'

'Os felly, fe gawn ni . . .' pesychodd Gerallt, gan sylweddoli mor oer oedd y gwynt, ac mor debygol yr oedd hi o ddod i'r glaw yn y man. 'Hynny yw, fe gewch *chi* aros trwy'r nos hefyd.'

Edrychodd Anselm o'i gwmpas yn chwithig, a'i frwdfrydedd yn prysur ddiflannu wrth iddo ddygymod â'r syniad o dreulio'r nos un ai o dan y sêr neu o dan gronglwyd y pysgotwyr. Wedyn fe welodd adeilad hirsgwar gerllaw, gyda muriau trwchus o gerrig llwyd, a'i do heb yr un twll . . . 'Beth yw hwnna? Allen ni ddim aros yn fan'na, a mynd allan i wylio'r ynys yn ein tro?'

'Gallech, rwy'n siŵr,' meddai Gerallt dan wenu. 'Dwyt ti ddim yn edrych fel un ofergoelus, ac am y lleill . . .'

'Beth rŷch chi'n 'feddwl?'

'Does dim rhaid i ti ofni. Dim ond ffyliaid sy'n credu'r holl storïau am yr ysbryd.'

'Pa ysbryd?'

'Ysbryd Stinan Sant, wrth gwrs. Dyna ei gapel ef.' Chwarddodd Gerallt, wrth fynd i chwilio am ei geffyl. Nid oedd eto wedi maddau i'r yswain am ei eiriau cas am y gwystlon. 'Rwy'n siŵr y bydd Nevern yn fodlon iawn dweud y stori i gyd wrthot ti heno . . . wedi iddi nosi.'

Pennod 17

Cerddodd Gerallt i lawr i'r gadeirlan fore trannoeth, yn ôl ei arfer, ond aros ger Porth Stinan a wnâi ei feddyliau. Tybed a ddaeth Rhys Gryg yn ei ôl i'r tir mawr eto, a thybed a oedd mab Llywelyn gydag e? Gobeithio i'r nefoedd y byddai Nevern yn llwyddo i gadw trefn ar bethau—ond pe methai, beth wedyn? Petai'r Arglwydd Rhys yn llwyddo i herwgipio Gruffydd, neu petai Anselm yn meiddio mynd ag ef i Benfro wedi'r cwbl, gymaint a fyddai dial Llywelyn! Ni allai'r archddiacon gael gwared o'r syniad, hyd yn oed wrth iddo fynd trwy glwydi clos y gadeirlan, a cherdded heibio i lys yr Esgob.

Tybiodd i ddechrau mai perthyn i'w ddychymyg oedd y synau— sŵn trawiad cleddyf ar darian, a meirch yn gweryru, a chadlef rhyfelwyr. Ysgydwodd ei ben, a cheisiodd wrando ar furmur esmwyth yr Alun, a chlegar y corfrain yn nhŵr y gadeirlan. Ond roedd sŵn yr adar yn adleisio'i bryder ei hun, ac ymhen eiliad fe'u gwelodd yn heidio fel mwg o'r tŵr. Cyflymodd ei gamau. Gwelodd ryw ddeuddeg o feirch yn pori ymhlith y cerrig beddi. Gwelodd hefyd rai o weision yr esgob yn sefyll yma ac acw, gan syllu'n syn tua'r eglwys.

Wrth groesi'r bont dros yr afon fe welodd fod drysau'r eglwys led y pen ar agor. Daliai i glywed y lleisiau'n gweiddi o'r tu mewn, a sŵn arall hefyd—sŵn traed yn rhedeg, ac yn agosáu bob eiliad. Safodd yn ei unfan wrth i haid o glerigwyr ffoi allan trwy'r drws, a'u gwisgoedd duon yn chwifio o'u cwmpas fel adenydd y corfrain oddi fry. Arhosodd un ohonynt yn ddigon hir i weiddi rhybudd arno i beidio â mynd i mewn:

'Meistr Gerallt, rhaid i ni aros nes i'r milwyr ddod!'

Petrusodd Gerallt am eiliad, cyn mynd yn ei flaen i'r gadeirlan.

'Nefoedd annwyl!'

Roedd *ceffyl* yn prancio ym mhen uchaf corff yr eglwys. Ac ym mhobman, i ba gyfeiriad bynnag yr edrychai, gwelai Gerallt filwyr yn tyrru trwy'r lle a'u cleddyfau'n barod. Roeddynt yn edrych y tu ôl i bob colofn, yn archwilio pob twll a chornel. Roeddynt yn amlwg yn chwilio am rywbeth—neu rywun.

Brysiodd yr archddiacon i fyny corff yr eglwys tuag at y ceffyl a'i farchog, a hwnnw'n dal i weiddi gorchmynion ar ei wŷr. Roeddynt yn agos iawn i risiau'r allor bellach a charnau'r ceffyl yn dechrau sglefrio ar y llorlechi llyfnion. Gallai Gerallt glywed y marchog yn melltithio wrth dynnu'n galed ar yr awenau. Gweryrodd yr anifail mewn braw a cheisiodd godi ar ei goesau ôl.

Am eiliad fe chwifiodd carnau blaen y ceffyl yn wyllt yn yr awyr, cyn i'w garnau ôl sglefrio oddi tano. Syrthiodd y march a'i farchog gyda'i gilydd i'r llawr.

Bu tawelwch perffaith am ychydig. Safodd y milwyr yn stond er mwyn gwylio cwymp eu harglwydd. Arhosodd Gerallt o'r neilltu wrth i'r ceffyl godi o'r llawr gan daflu ei ben ac ysgwyd ei fwng trwchus. Gallai weld y gwyn yn dangos yn ei lygaid wrth iddo neidio heibio iddo a chychwyn am y drws. March ardderchog oedd e hefyd, myfyriodd, wrth ei weld yn trotian i ffwrdd a'r bacsiau gwyn yn chwifio o'i egwydydd. Efallai bod gwaed Sbaeneg ynddo . . .

Fe wyliodd y march nes iddo ddiflannu i'r awyr agored, wedyn ysgydwodd ei ben fel petai'n deffro o hunllef.

'Rhys . . .' meddai trwy ei ddannedd, wrth droi'n ei ôl tua'r allor. Roedd y marchog yntau wedi codi ar ei draed erbyn hyn, ac yn ymddangos yn holliach wrth iddo frwsio llwch oddi ar ei grys a'i fantell.

'Rhys Gryg!' meddai'n uwch. 'Gwaith y Diafol yw hyn!'

'Meistr Gerallt . . .' Syllodd Rhys arno heb nag ofn na chywilydd yn dangos ar ei wyneb. Roedd yn gwisgo'r un dillad ag a wisgai ym Mhenfro, neu rai tebyg iawn, a'i wallt a'i farf mor anniben ag o'r blaen. Ond fe fu newid syfrdanol yn ei lygaid, gan eu bod erbyn hyn yn ymddangos yn graff ac yn uffernol o sobr. Camodd Rhys yn agosach at yr archddiacon, fel petai'n mynnu siarad ag ef yn ddirgel. Ond fe droes Gerallt oddi wrtho a gweiddi er mwyn i'w holl wŷr glywed:

'Fe ddylwn i esgymuno pob un ohonoch chi!'

Edrychodd y milwyr ar ei gilydd yn ofnus. Syrthiodd rhai ar eu penliniau. Gwyddent oll mor erchyll oedd y bygythiad, ond Rhys yn anad neb a drawyd i'r byw.

Syllodd Rhys ar wyneb llym yr archddiacon, a sylweddoli bod Gerallt yn ymwybodol iawn o hen wawd ei deulu. Bymtheng mlynedd ynghynt, cipiodd Rhys Gryg a'i frodyr yr Esgob Peter de Leia o'i wely ar un nos oer o Ebrill, a'i lusgo'n hanner noeth drwy'r goedwig o dan Gastell Dinefwr. Cael dial am ei ymyrryd cyson oedd symbyliad y brodyr, ond nid oeddynt wedi ystyried cymaint fyddai dial yr Esgob. Wedi dianc o'u gafael, fe fynnodd ef eu hesgymuno, a'u tad gyda hwy.

Hunodd eu tad, arglwydd Deheubarth oll, yn fuan wedyn, ond ni ellid mo'i gladdu heb fendith yr Eglwys. Bu raid anfon at Archesgob Caergaint, ac wedyn aros wrth i hwnnw bendroni dros yr achos a phenodi penyd. A natur y penyd oedd fflangellu, a hynny i gael ei weinyddu nid yn unig ar Rhys Gryg a'i frodyr, ond hefyd ar gorff pydredig eu tad.

'Fe ddylwn i esgymuno pob un ohonoch chi,' meddai Gerallt eto, yn dawelach, wrth sylwi bod Rhys wedi plygu ei ben, a'i ysgwyddau'n cwmanu dan ei lurig. 'A dyna beth wna i . . . os nad ewch chi i gyd o gysegrfa Dewi Sant y funud hon.'

Cododd Rhys ei olygon eto, a chilwenu wrth gymryd mai gwendid oedd y tu ôl i eiriau cymodol Gerallt. Petai'r hen archddiacon o ddifrif, byddai'n *gweithredu* yn lle bygwth.

'Arhoswch funud, Meistr Gerallt, nes i chi glywed yr hanes i gyd . . .'

'Rwy'n gwybod digon eisoes! Rydych chi wedi troi cadeirlan Tyddewi yn . . . yn faes twrnamaint!'

'Ond unwaith y byddwch chi'n gwybod pam ein bod ni yma . . .'

'Mae gen i eithaf syniad!'

'Oes?' Chwifiodd Rhys ei law i anfon ei filwyr ymaith. Roeddynt hwy i gyd erbyn hyn ar eu gliniau, ac ni symudodd neb nes i Gerallt hefyd amneidio arnynt. Fe godasant wedyn, a mynd wysg eu cefnau i aros ger y drysau ym mhen draw corff yr eglwys.

'Rwy'n falch o weld bod gan dy *wŷr* ryw fymryn o dduwioldeb ar ôl,' meddai'r archddiacon.

'Rhaid i chi glywed yr hanes i gyd,' meddai Rhys eto. 'Fe gewch chi benderfynu wedyn pwy sy'n dduwiol a phwy sy ddim.'

'O'r gorau. Rwy'n gwrando.' Plethodd Gerallt ei freichiau.

'Diolch i chi, Meistr Gerallt. Nawr 'te . . .' Meddyliodd Rhys am eiliad. 'Ydych chi'n cofio'r crwt 'na a ddaeth i Benfro?'

'Elidir?'

'Ie, 'na chi. A wyddoch chi fod cyfrinach fawr 'da fe?'

'Cyfrinach fawr? Neu chwedl gwrach? Nid y stori 'na am greiriau Dewi Sant wedi'u cuddio ar Ynys Dewi?' Ceisiodd Gerallt ymddangos yn ddi-hid.

'Chwedl gwrach, chi'n dweud? Ond sut gallwch chi fod yn siŵr, heb fynd i'r ynys i chwilio?'

'All neb chwilio'r ynys i gyd . . .'

'O . . .' Gwenodd Rhys yn wawdlyd. 'Ddywedodd e mo'r stori *gyfan* wrthoch chi! Dŷch chi ddim yn gwybod yr union fan . . .'

'Yr union fan?'

'Ie. Enw'r ogof ble mae'r creiriau. Neu ble *roedden* nhw.'

'Ble maen nhw erbyn hyn, felly?'

'Dyna'r cwestiwn mawr, ontefe?' Oedodd, er mwyn gadael i Gerallt ddioddef eiliad yn rhagor ar bigau drain. 'Fe es i'r ogof, Meistr Gerallt. Ond doedd 'na ddim byd i'w weld—roedd rhywun wedi bod yno o 'mlaen i!'

'Beth!'

'Ie, fe welon ni fe'n sefyll ar ben y clogwyn, yn syllu i lawr arnon ni. Ac wedyn pan aethon ni i chwilio am rywle mwy diogel i'r cychod, dyna lle roedd e eto, yn aros amdanon ni. Gogleddwr arall . . . ond roedd hwn yn gwisgo arfwisg Normanaidd, a digon o wyneb 'da fe i fynnu 'mod i'n *vassal* iddo. Ie, crwt bach o'r Gogledd, yn defnyddio geiriau'r Normaniaid!'

'Am Gruffydd ap yr Arglwydd Llywelyn wyt ti'n sôn?'

'Ie . . .'

'Ac roedd e ar ei ben ei hun?'

'Weles i dri o'i gyfeillion . . . wn i ddim faint mwy oedd yno.'

'A . . . a'r creiriau?'

'Amynedd, Meistr Gerallt! Wnes i mo'u crybwyll nhw ar y dechrau—doeddwn i ddim eisiau cynhyrfu'r crwtyn. Ond fe esbonies i beth ddigwyddodd ym Mhenfro, ac am fab yr Iarll . . .'

'Beth am fab yr Iarll?'

'Weles i fe, Meistr Gerallt! Cyn i ni gychwyn o Borth Stinan, fe weles i e'n llechu o gwmpas, yn aros am ei gyfle i greu helynt. Dyna pam ro'n i wedi anfon gweddill 'y ngwŷr i Borth Mawr, i aros amdanon ni gyda'r ceffylau.'

'A beth oedd ymateb y bachgen, wedi i ti esbonio hynny i gyd?'

'Fe gytunodd fod angen 'y nawdd i arno, i'w warchod rhag gwŷr Penfro.'

'Fe gytunodd, do fe?'

'Do . . . fel bachgen call. Ond fe newidiodd ei feddwl, wedi i ni i gyd fynd i'r cychod.'

'Wel? Beth ddigwyddodd wedyn?'

'Rhaid bod y gogleddwyr 'di treulio gormod o amser ar eu pennau eu hunain, dyna'r unig esboniad alla i 'weld. Roedd y crwt Gruffydd wedi bod yn dweud pethau rhyfedd iawn yn y cwch, ac wedyn, cyn gynted ag i ni lanio, fe neidiodd ei dri chyfaill ar 'y ngwŷr i, gan weiddi arno i ffoi am ei einioes. Dyna beth wnaeth e hefyd—rhedeg a dwyn 'y ngheffyl gorau, tra buodd y lleill yng ngyddfau 'ngwŷr i. Weles i ddim byd tebyg erioed! Roedden nhw fel dynion lloerig! Mae'n ddrwg calon 'da fi eu bod nhw wedi marw . . . ond bu farw un o 'ngwŷr i ynghynt, a dau wedi'u hanafu . . .'

'Rhaid bod ganddyn nhw ryw reswm dros ymladd.'

'Chi'n rhoi'r bai arna i, ŷch chi?' Teimlodd Rhys Gryg ryw gymaint yn ddig, ond ni wylltiodd. Aeth ei lais yn is fyth. 'Fe newidiwch chi'ch meddwl ymhen ychydig.'

'Pam y dylwn i?'

'Pan ddewch i wybod am wir natur y crwt. Wedi i chi sylweddoli beth roedd e'n bwriadu 'wneud.'

'Beth, felly?'

'Dwyn esgyrn Dewi Sant!'

'Eu dwyn nhw . . .?' Bu raid i Gerallt bwyso yn erbyn un o'r colofnau. Ni fyddai dim yn well ganddo na dod â'r drafodaeth i ben a gyrru Rhys o'r eglwys, ac eto, roedd yn rhaid iddo gael gwybod y gwir . . . 'Wyt ti'n siŵr? Wyt ti wedi eu *gweld* nhw?'

'Nag 'w, ond doedd dim amheuaeth am beth ddywedodd e'n y cwch—roedd e cystal â bod yn ymffrostio yn y peth!'

'Ac eto mae'n bosibl mai dyna'r cwbl oedd e. Ymffrostio.'

'Ond a ŷch chi'n barod i fentro colli'r creiriau, Meistr Gerallt? A'u colli nhw i Llywelyn, o bawb! Rŷn ni eisoes wedi diodde digon gan hwnna, yn ceisio'i wneud ei hunan yn benarglwydd droston ni i gyd. Fedrwn ni sefyll o'r neilltu wrth iddo hawlio creiriau'n nawddsant ni hefyd?'

'Nid yr Arglwydd Llywelyn sydd ar fai, ond ei fab . . .'

'Ond mae'n rhaid i hwnnw ddysgu nad yw popeth yng Nghymru'n eiddo iddo fe!'

'Ond does gen ti ddim *prawf* ei fod wedi darganfod y creiriau, yn nag oes?' Bu'n rhaid i Gerallt ei atgoffa ei hun o'r ffaith hon.

'Nag oes. Dim eto. Ond fe alla i ddod o hyd i'r gwir yn fuan iawn. Mae e wedi cuddio'r esgyrn yn rhywle, gewch chi weld! Gadewch i fi hela'r crwt i lawr o'r tŵr, ac wedyn fydda i ddim yn hir yn llacio'i dafod . . .'

'Fe fydda i'n ei holi fy hun, f'Arglwydd Rhys, wedi i ti fynd. Os oes sail i'r hyn rwyt ti wedi 'ddweud, fe fydda innau'n gweithredu yn enw'r Esgob ac ar ran yr Eglwys . . .'

'A gwneud beth? Rhoi pregeth iddo?'

'Fe fyddai'n fwy gweddus i ti bendroni dros dy enaid dy hun, a tithau wedi halogi Tŷ Duw!'

'Ceisio *amddiffyn* yr eglwys hon o'n i!'

'Ei hamddiffyn? Rhag un llanc truenus—llanc ifanc, ac yntau siŵr o fod yn crynu gan ofn . . .'

'Mae'n amlwg nad ŷch chi erioed 'di cwrdd ag e . . .'

'Ac mae'n fab i'r Tywysog Llywelyn! Mae'n siŵr dy fod ti'n meddwl ei ddal fel gwystl, ond fe ddylet ti sylweddoli mor wirion yw'r syniad yna! Rydych chi'n sôn am roi Llywelyn yn ei le . . . ond fe allai roi cymaint o gymorth i ti. Ti, a'r arglwyddi eraill. Fe allai fod yn gefn i chi yn eich brwydr yn erbyn Iarll Penfro a'i fath.'

'Fe ddywedodd y wraig ei fod e eisiau bod yn arglwydd droston ni, nid yn gefn i ni.'

'Dy wraig? Wyt ti'n dweud dy fod ti wedi gwneud hyn oll oherwydd cyngor *menyw?*'

Gwingodd Rhys, a Gerallt wedi codi'i lais cymaint fel y gallai'r lleill glywed. Roedd ei ddynion yn dechrau sibrwd ymhlith ei gilydd, a sibrydion digon peryglus hefyd, petaent yn lledu ymhellach . . .

Sylweddolodd Gerallt ei fod wedi darganfod yr arf gorau yn erbyn Rhys Gryg. 'A beth oedd ar ei phen hi, dywed, iddi dreulio noson gyfan gyda gwalch ifanc fel Elidir ab Idwal? Dyna wraidd y drwg, gei di weld! Mae'n amlwg ei bod hi'n mynd ar gyfeiliorn . . .'

Ni allai Rhys Gryg ddioddef rhagor. Aeth at ei wŷr a'u gyrru o'r eglwys gyda melltithion, fel petai mai hwy'n unig oedd yn gyfrifol am ei gywilydd. Wedyn fe ddaeth yn ôl at yr archddiacon, a chymryd pwrs llawn o'i wregys. 'Y . . . cymerwch hwn, Meistr Gerallt . . . i'r Eglwys.'

Derbyniodd Gerallt y rhodd, a syllu'n syn wrth i Rhys frasgamu i lawr corff yr eglwys. Ond cyn mynd allan, fe droes a gweiddi:

'Ond peidiwch ag anghofio beth ddywedes i am y creiriau, Meistr Gerallt!'

Pennod 18

Aeth Gerallt at yr allor a phwyso arni'n flinedig. Prin y gallai gredu iddo yrru Rhys Gryg a'i holl filwyr ymaith. Dechreuodd lunio gweddi i ddiolch i Dduw ac i Ddewi Sant am roi'r nerth iddo . . .

'Chi ydi Gerallt Gymro, 'lly?'

Agorodd ei lygaid mewn braw, gan feddwl am eiliad bod un o ddynion Rhys Gryg wedi dychwelyd. Ond llais bonheddig, gogleddol oedd wedi'i gyfarch, a dieithryn oedd yn ei wynebu. Gwelodd fod clwydi euraid y groglen wedi'u cilagor.

Syllodd yn fud ar y bachgen. Ie, bachgen ydoedd, er bod craffter ei lygaid dyfnion yn gwneud iddo edrych yn hŷn. Bachgen, neu lanc yn ei arddegau. Aeth Gerallt yn fwyfwy ansicr wrth iddynt edrych ar ei gilydd.

'Y . . . ie. A ga' i ofyn, fy mab, beth yw dy enw di?'

'Tydach chi ddim yn gwybod f'enw i, Gerallt Gymro?' Cilwenodd y llanc.

'Gruffydd . . . mab yr Arglwydd Llywelyn ap Iorwerth ab Owain Gwynedd.'

Nodiodd y llanc fel ateb. Roedd iddo wyneb pryd trawiadol, cyfarwydd, ac fe ellid tybio y byddai'n debyg iawn i'w dad ymhen rhyw bymtheng mlynedd. Er ei fod yn denau a gwelw roedd yn amlwg nad oedd wedi dihoeni cymaint yn y carchar ag a wnaethai Elidir. Sylwodd Gerallt wedyn ar yr arfwisg rydlyd oedd amdano, yr un yr oedd wedi'i dwyn oddi ar Yswain Anselm, fwy na thebyg.

'A wyt ti . . . wyt ti'n iawn? Chest ti ddim niwed dan ddwylo Rhys Gryg?'

'Naddo, ond i 'nghyfeillion i mae'r diolch am hynny. Ydach chi'n gwybod be' ddaeth ohonyn nhw?'

'Fe ddywedodd Rhys Gryg i dri farw ar draeth Porth Mawr . . .'

'Sut? Sut bu iddyn nhw farw?'

'Fe ddywedodd Rhys mai nhw a ddechreuodd y frwydr . . .'

'Brwydr! Rhwng tri dyn ar eu cythlwng a llu o wŷr arfog? Mi gaethon nhw'u *llofruddio* gan y diawl 'na! A chithau . . . chithau wedi gadael iddo fynd oddi yma heb gosb!'

'Doedd bosibl i fi ei gosbi . . . roedd ganddo fe ddynion arfog . . .'

'Mi glywais i chi'n bwgwth ei esgymuno. Pam na wnaethoch chi?'

'I ba ddiben? Does dim modd dod â'th gyfeillion yn ôl. A phetawn i'n esgymuno Rhys Gryg, yna fe fyddai pawb yn dod i wybod am beth wnaeth e—pawb yng Nghymru, ac yn Lloegr, hyd yn oed yn Ffrainc. A wyt ti eisiau i'r byd glywed am Gymro'n ymddwyn felly yn eglwys ei nawddsant ei hun?'

'Mi ddylai fo gael cosb.'

'Mae e wedi cael cosb, fy mab. Mae e wedi cael ei ddarostwng gan hen ŵr, a hynny o flaen llygaid ei wŷr ei hun. Dyna'r math o gosb sy'n fwyaf addas i ddyn fel Rhys Gryg, fy mab, a dyna'r dial melysaf i ti.'

Nid atebodd y llanc. Cymerodd Gerallt hyn fel arwydd ei fod yn cytuno, ac meddai ymhellach: 'Fe fydd rhaid i fi drefnu i rywun fynd i ofalu am y cyrff.'

'Bydd.'

'A . . . a oes 'na fwy o'th gyfeillion yn aros amdanat ti ar yr ynys? Fe allwn ni anfon cwch i'w nôl nhw, os . . .'

'Na. Does 'na neb arall ar yr ynys. Dim ond y pedwar ohonon ni a ddaeth drwy'r llongddrylliad yn fyw . . . a dim ond fi, bellach.'

Ymddangosai mor drist yn ei unigrwydd nes y daeth Gerallt yn agos iawn at grybwyll hanes Elidir. Ond brathodd ei wefus wrth glywed rhywun yn bloeddio ei enw o bell.

'Meistr Gerallt? Ydych chi yna?' Daeth y llais Normanaidd o gyfeiriad y drws ym mhen arall corff yr eglwys.

'Mab yr Iarll yw e,' meddai Gerallt yn isel.

'Mi wn.'

'Y . . . ie, wrth gwrs. Aros lle rwyt ti, fy mab. Fe af i . . .'

Eisteddodd y llanc ar y grisiau isel ger yr allor wrth i Gerallt gamu i lawr corff yr eglwys. Disgwyliai Anselm amdano ar ben y drws.

'Meistr Gerallt! Fe glywais fod Rhys Gryg 'di bod yma yn yr eglwys, a chithau wedi'i yrru ymaith! Ydych chi'n iawn?'

'Ydw, ydw, diolch i Dduw.'

'Ydy e wedi gadael Tyddewi nawr?'

'Ydy . . . does dim rhaid i ni boeni mwyach yn ei gylch.'

'Dim rhaid poeni, ac yntau wedi dod â'i filwyr arfog a'i *geffyl* i mewn i dŷ Dduw!'

'Beth bynnag y mae'r Arglwydd Rhys Gryg wedi'i wneud y tu mewn i'r muriau hyn, rhywbeth rhyngddo fe a'r Eglwys Sanctaidd yw hynny.'

'Fyddwch chi'n gadael i'r Esgob Iorwerth ddelio ag ef, felly?'

'Paid ti â phoeni ynghylch y peth, Yswain Anselm.' Mater teuluol ydoedd ym marn Gerallt, ac yr oedd eisoes wedi'i ddatrys yn y dull gorau. Doedd dim angen tynnu'r Esgob Iorwerth i mewn i'r peth, ac yntau'n debygol o ddweud bod Gerallt wedi trin Rhys yn rhy ysgafn, dim ond oherwydd eu bod yn perthyn. 'Oes gen ti ryw neges? Rhyw reswm dros ddod yma?'

'Oes . . . neges oddi wrth Nevern. Mae'r cychod wedi dod yn ôl i Borth Stinan, ac mae'r pysgotwyr yn dweud iddyn nhw fynd â Rhys a'i wŷr i Ynys Dewi, ac wedyn i Borth Mawr.'

'Ie, rwy'n gwybod.'

'O. Wel, mae Nevern wedi mynd yno—i Borth Mawr. Ond yn rhy hwyr, mae'n debyg! Mae popeth wedi digwydd eisoes, fan hyn.'

'Wel, ydy . . .'

'Pam ddaeth Rhys yma, Meistr Gerallt?'

Petrusodd am eiliad, cyn penderfynu bod Anselm yn haeddu'r gwir. 'Roeddet ti'n iawn ynglŷn â mab Llywelyn. Roedd e ar yr ynys, ac erbyn hyn mae e'n llochesu yn yr eglwys hon.'

Estynnodd Gerallt ei fraich i rwystro'r yswain rhag mynd heibio iddo i'r eglwys. 'Paid, fy mab. Y peth gorau i ti ei wneud yn awr yw mynd yn syth yn dy ôl i Benfro, a dweud y newyddion da wrth dy dad.'

'Beth, heb ei weld e drosto' i'n hun?'

'Fe elli di gymryd fy ngair, Yswain Anselm. Dywed wrth dy dad nad oes rhaid iddo boeni bellach am ddial Llywelyn na dim byd tebyg. Gobeithio'n fawr y cawn ni i gyd fwynhau tipyn o heddwch o hyn ymlaen.'

* * *

Arhosodd Gerallt ger drws y gadeirlan wrth i Anselm arwain ei geffyl i fyny'r allt serth tua'r dref. Esgynnodd i'r cyfrwy ger y porth, a chodi llaw ar yr archddiacon cyn diflannu o'r golwg.

'Rhwydd hynt i ti,' meddai Gerallt mewn islais.

'Ia . . . a gwynt teg ar ei ôl o.' Daeth y llais chwerw o'r tu ôl iddo, ac fe welodd fod Gruffydd wedi rhoi'r gorau i guddio. 'Mynd yn ôl at ei dad mae o?'

'Ie, er mwyn dweud wrth bawb dy fod ti'n dal yn fyw. Fe fydd dy dad dithau'n llawenhau, ac . . .'

'Mi ddywedsoch chi wrth hwnnw 'mod i yma yn Nhyddewi?'

'Roedd rhaid, fy mab. Mae pawb 'di bod yn meddwl dy fod ti wedi marw, a rhai'n dweud bod bai ar Anselm . . .'

'Pam y dylen nhw ddweud hynny?'

'Fyddai hi ddim yn well gen ti siarad am y pethau hyn yn nes ymlaen, fy mab? Rwyt ti wedi mynd drwy brofedigaeth, ac fe ddylet ti orffwys.'

Cychwynnodd Gerallt tuag at lys yr Esgob, dros y bont a elwid yn Llech Lafar, a Gruffydd yn ei ddilyn yn anfodlon.

'Does gen i mo'r amser i *orffwys*! Mi fydd Iarll Penfro'n anfon ei holl fyddinoedd yma cyn gynted ag y clywith o amdana i!'

'Does dim rhaid i ti boeni, fy mab. Mae'r Brenin John wedi rhoi ei sêl ar freinlen newydd—breinlen a luniwyd gan uchelwyr Lloegr, a chan dy dad hefyd. Mae un o'i chymalau'n dweud yn blaen fod y Brenin yn cytuno i ryddhau mab Llywelyn, a phob un o'r gwystlon Cymreig.'

'Dwi wedi'n rhyddhau, ydw i? A minnau'n meddwl imi ddianc . . .'

'Y pwynt yw, does gan y Brenin ddim hawl i'th gadw di'n garcharor bellach. Ac am Iarll Penfro . . . rwy'n credu ei fod e'n ddyn anrhydeddus, ac na fyddai byth yn gweithredu'n groes i amodau breinlen frenhinol.'

'Hwyrach. Ond mae'n well gen i beidio â rhoi'n ffydd mewn anrhydedd unrhyw Norman, pan nad oes angen. Mi af i oddi yma peth cynta bore 'fory. Mi fyddwch chi wedi trefnu mintai erbyn hynny, on' fyddwch?'

'Os mai dyna yw dy ddymuniad.' Roeddynt wedi oedi ger clwydi'r llys. 'Y . . . dyma lys yr Esgob, ond dyw e fawr o le, fel rwyt ti'n gallu gweld. Rwy'n arfer aros yn y castell, rhyw hanner milltir i lawr y cwm.'

'Mi wneith y castell y tro, 'lly.'

Brasgamodd mab Llywelyn yn ei flaen ar hyd y llwybr. Safodd Gerallt yn stond am eiliad, a'i feddyliau'n ehedeg yn ôl i Gastell Penfro a geiriau cryg Elidir: *Gwell gen i foddi na mynd i mewn i gastell Normanaidd eto . . .*

Roedd Nevern yn aros ger clwydi'r castell.

'Rwy 'di clywed rhai pethe rhyfedd y bore 'ma, Meistr Gerallt . . .'

'Wyt, rwy'n siŵr. Wyt ti wedi bod ar draeth Porth Mawr?'

'Odw. Roedd rhywbeth wedi digwydd yno . . . fe welon ni gyrff tri dyn yn gorwedd ar y tywod. Rŷn ni wedi dod â nhw yma.'

'Da iawn. Ac mae 'na rywbeth arall i ti 'wneud—elli di hepgor digon o wŷr i roi mintai i'n gwestai, er mwyn iddo gael cychwyn am ei gartref bore 'fory?'

'Gallaf . . . os oes rhaid.' Nid ymddangosai'n fodlon iawn, ond roedd wedi synhwyro pa mor bwysig oedd y gwestai hwn. 'Ond fe fydd yn haws os odw i'n cael gwybod pwy yw e . . .'

Gwenodd Gerallt am nad oedd erioed wedi gweld y capten prudd yn dangos cymaint o chwilfrydedd o'r blaen. Ond roedd Gruffydd yn edrych arno'n ddisgwylgar, felly amneidiodd i gadarnhau fod Nevern yn rhywun y gellid ymddiried ynddo.

'Gruffydd ydi f'enw i. Gruffydd ap Llywelyn ap Iorwerth ab Owain ap Gruffydd ap Cynan ap Iago ab Idwal ab Meurig ab Idwal ab Anarawd ap Rhodri Mawr . . .' Gwenodd yn hwyliog, am y tro cyntaf ers iddo ddod i Dyddewi. 'Mi fedrwn i fynd ymlaen, ond gwaith i feirdd ydi hynny!'

Wedi i Nevern eu gadael, aethant i'r tŵr ar ben y mwnt, a dringo'r grisiau hyd at y gell fach lle byddai Gerallt yn trigo. Roedd y gadair fawr, addurnedig ger y bwrdd yn ddigon urddasol ar gyfer mab tywysog, ond ei hanwybyddu a wnaeth y llanc, a thynnu stôl at y bwrdd. Dyna oedd y math o gwrteisi naturiol a weddai i dywysogion, myfyriai Gerallt, yn falch iawn o gael cadw'i gadair gyfforddus.

Eisteddodd, a syllu ar draws y bwrdd ar fab y Tywysog Llywelyn ap Iorwerth o Wynedd gan deimlo'n hynod o foddhaus â'r byd.

'Anhygoel . . .'

'Beth?' Roedd Gruffydd wedi bod yn craffu'n ôl arno, dan wenu wrtho'i hun.

'Y . . . rwyt ti'n debyg iawn i'th dad.'

'Ia. Felly maen nhw'n dweud. Felly maen nhw'n gobeithio, yntê?' Lledodd ei wên yn sydyn.

'Wel . . . amser a ddengys. Rwyt ti'n ifanc iawn.'

'Roedd 'Nhad yn iau na fi pan ddechreuodd ryfela dros ei dreftadaeth.'

'Peth ffodus nad oes rhaid i ti ryfela, ontefe?'

Troes ei wên yn chwareus braidd. 'Sut mae o bellach?'

'Dy dad? Dwy ddim wedi'i weld e ers blynyddoedd, fy mab . . . ond rwy'n clywed dweud ei fod e'n ffynnu. Fe gymerodd ran yn llunio'r Freinlen newydd yn ddiweddar, a bellach mae'n debyg ei fod e'n aros i weld beth a ddaw ohoni.'

'Ia, y Freinlen 'ma. Beth sydd ynddi hi i Gymru, ar wahân i ryddhau'r holl wystlon?'

'Wel, am un peth, mae'n cadarnhau hawl y Cymry i fyw dan gyfraith y Cymry, a'r Mers dan gyfraith y Mers, a Lloegr dan gyfraith Lloegr.'

'Hael iawn, i roi i ni'r hawliau oedd gennym ni erioed!'

'Mae'n beth pwysig, er hynny. Mae'n rhaid bod dy dad wedi gweithio'n galed i ennill y fath gydnabyddiaeth i gyfreithiau'r Cymry.'

'Ia, gweithio'n galed, wrthi'n cynghreirio efo'r Normaniaid!'

'Mae rhai o'r Normaniaid wedi bod yn gyfeillion da iddo! Cymer Giles a Reginald Brewys—mae Llywelyn wedi gwobrwyo eu ffyddlondeb nhw drwy roi ei ferch yn wraig i Reginald.'

'Beth?'

'Gwladus ferch Llywelyn. Dy chw . . .'

'Dwi'n 'nabod 'yn chwaer 'yn hun! A hithau i briodi Reginald Brewys? Ydach chi ddim yn cofio gormes ei dad?'

'Ydw, ond y mae Gwilym Brewys wedi marw ers tro nawr, ac yntau wedi dioddef digon o ormes cyn ei ddiwedd . . .'

'Nid ydi marwolaeth y diawl 'na'n ddigon i wneud yn iawn dros yr holl waed Cymreig a dywalltodd o! Ydach chi wedi anghofio hanes Trahaearn o Ddeheubarth? Dyn o dras uchel oedd o, ond mi rwymodd Brewys ei draed i gynffon ceffyl a'i lusgo drwy strydoedd Aberhonddu ar ei ffordd i'r crocbren!'

'Dim ond stori yw honno . . .'

'Stori cyn wired â'r efengyl, a dim ond un allan o gannoedd!'

'Rwy'n gwybod hynny, fy mab,' meddai, gan ofni bod Gruffydd yn awyddus i adrodd pob un. 'Dwy ddim yn gwadu drygioni Gwilym Brewys, ond mae e wedi marw erbyn hyn, ac yn cael ei farnu mewn llys llymach a thecach nag unrhyw un ar y ddaear hon. Ac am ei feibion, wel, fe ddylet ti eu barnu nhw yn ôl eu gweithredoedd eu hunain. Hyd yn hyn, maen nhw wedi bod yn hael ac yn ffyddlon tuag at eu cynghreiriaid. Wedi iddyn nhw ailfeddiannu tiroedd eu tad—y tiroedd a gymerodd y Brenin oddi arno fe—fe roddon nhw rai o'r cestyll i'r Cymry, fel diolch iddynt am eu cymorth yn yr ymgyrch. Rhaid i ti gytuno fod y fath gyfeillgarwch yn argoeli'n dda at y dyfodol.'

'Ia, gadewch i ni i gyd ddod yn gyfeillion â'r Normaniaid, a phriodi eu merched nhw, a magu eu plant, a dysgu eu hiaith, yntê?' Cododd y llanc ar ei draed, a chamu i ffwrdd cyn troi'n sydyn. 'Dyna gynllun gwych 'Nhad. A wyddoch chi 'mod *i*'n medru Ffrangeg? Mi ges i wersi pan o'n i'n fachgen.'

'Mae dy dad yn ddyn eithriadol, fy mab. Mae e'n gwybod sut i ennill cynghreiriaid o blith y Normaniaid, ond eto mae e'n barod i ymladd yn eu herbyn pan fo angen. Ac mae e wedi cael digon o ymladd hefyd, yn ystod y pedair blynedd diwethaf. Mae e wedi ennill yn ôl yr holl diroedd a gymerodd y Brenin John oddi wrtho fe. Ac nid trwy briodi, na thrwy gynffonna gyda'r Normaniaid, ond trwy ennill gwŷr Cymru i'w blaid a'u hysbrydoli nhw i ymladd drosto.'

'Mi edrycha i ymlaen at weld hyn oll drosto' i'n hun.' Ymdawelodd, ac eistedd, ac eto heb fod yn hollol esmwyth ei fynegiant. 'Ydi . . . ydi 'Nhad yn dal efo'r wraig 'na?'

'Am yr Arglwyddes Siwan rwyt ti'n sôn?'

'Joan ydi ei henw hi! Peth hurt ydi ceisio Cymreigio merch y Brenin John!'

'Ond fe fydd rhaid i ti ddysgu dod ymlaen â hi rywsut, wedi i ti ddychwelyd adre. Yn ôl pob sôn, mae dy dad yn ei charu hi i'r eithaf, a hithau wedi . . .' Oedodd Gerallt wrth geisio penderfynu sut i fynegi'r newyddion. Roedd wedi gweld digon eisoes i amau bod tymer wyllt gan y llanc, ac ni fynnai mo'i gynhyrfu ormod.

'Beth? Beth sy wedi digwydd?'

Neidiodd Gruffydd wrth glywed sŵn curo ar y drws, fel petai wedi dychryn am ei fywyd. Cymerodd Gerallt arno nad oedd wedi sylwi ar ddim byd wrth wahodd y gweision i mewn. Daeth y tri â dysglau o ffrwythau, cawl trwchus a bara, ynghyd â chostrel a chwpanau, a gosod popeth ar y bwrdd cyn ffoi o'r awyrgylch anhyfryd.

'Meistr Gerallt . . .' Troes Gruffydd ato eilwaith gan anwybyddu'r bwyd, er bod yr archddiacon eisoes wedi rhoi'r fendith ac wedi dechrau bwyta gyda llond ceg o fara. 'Rhaid i mi wybod beth sy'n f'aros yng Ngwynedd. Dwi'n dibynnu ar eich cyngor chi.'

Cnodd Gerallt ar ei fara. 'Wyt ti ddim am fwyta, fy mab? Fyddai lletygarwch yr Esgob ddim mor hael, mae arna i ofn, pe bai ef ei hun yma.'

'Damia'ch esgob, a damia chi os na wnewch chi . . .' Torrodd ei lais, ac fe orchuddiodd ei wyneb â'i ddwylo. 'Maddeuwch i mi.'

'Er mwyn dy dad, fe wna i. Nawr, bwyta!' Gwthiodd y dysglau'n nes at y llanc, gan ddechrau tosturio wrtho. 'Bwyta, wrth i fi siarad. Mae arna i ofn na fyddi di'n croesawu'r newyddion ond . . . wel, mae'n rhaid dy fod ti 'di meddwl am y peth dy hun, a sylweddoli ei fod yn anochel, braidd. Mae Siwan a Llywelyn wedi bod yn briod ers sawl blwyddyn, ac . . .'

'Maen nhw wedi cael mab, on' do?'

Ni allai Gerallt wneud dim byd ond amneidio'i ben.

'Ac mi gafodd y baban groeso mawr i'r byd, dwi'n siŵr, a minnau'n pydru yng Nghastell Corfe . . .'

'Dyw hi ddim yn deg i ti feio dy dad am . . .'

'Ond y fi ydi mab hynaf Llywelyn! Beth bynnag fydd y wraig 'na yn ei wneud, all hi fyth newid hynny!'

'Dyw pethau ddim mor syml, mae arna i ofn. Fe ddylet ti wybod y cyfan . . . rhaid i ti wybod y cyfan . . .'

'Ewch ymlaen, 'te! Beth arall mae hi wedi'i wneud yn f'erbyn i?'

'Nid yr Arglwyddes Siwan, ond y Brenin John ei hun . . .'

'Pa hawl sy gan hwnna i ymyrryd â theulu Tywysog Gwynedd?'

'Dim hawl briodol, efallai, ond mae'n rhaid dy fod ti, o bawb, yn cofio beth ddigwyddodd bedair blynedd yn ôl.'

'Ia . . .'

'Roedd dy dad wedi'i drechu gan y Brenin John, ac ar ei drugaredd yn gyfan gwbl. Yn ôl y sôn, fe lwyddodd Siwan i dyneru calon ei thad, a lleddfu ei ddicter tuag at ei gŵr—mae'n debyg bod John yn hoff iawn ohoni. Rhaid ei bod hi'n fenyw arbennig iawn . . .'

'O, ia, mae pob dyn yn y byd 'di gwirioni arni, mae'n siŵr gen i.'

Ceisiodd Gerallt anwybyddu coegni'r llanc. 'Fy mab . . . pan fuodd dy dad yng nghanol yr argyfwng yma, bu raid iddo wneud rhai pethau oedd yn wrthun iddo. Dy anfon di i Gastell Corfe, yn un peth. Ac anfon y gwystlon eraill, a'r holl deyrngedau. Ac addo rhywbeth i'r Brenin . . .'

'Beth, yn enw Duw?'

'Bu raid iddo gytuno y byddai'n gadael ei holl diroedd i'r Brenin, petai e'n marw heb etifedd cyfreithlon.'

'Ond . . . ond roedd ganddo fo etifedd ar y pryd, on'd oedd?' Gwgodd y llanc yn ddicllon wrth weld yr archddiacon yn petruso cyn ateb. 'Beth? Ydach chi'n awgrymu nad ydw i'n fab cyfreithlon i Llywelyn?'

'Dwy ddim yn awgrymu dim byd. Ond fe ddywedodd dy dad . . .'

'Fy 'nhad 'yn hun yn 'y ngalw i'n *bastard*? Ond roedd Mam yn ffyddlon iddo am flynyddoedd, nes iddo'i thaflu hi o'r neilltu!'

'Ond a fu iddyn nhw *briodi* erioed?'

'Yn ôl cyfraith y Cymry . . .' dechreuodd, wedyn ailfeddwl. 'Does dim diben i mi ddadlau efo chi rŵan, yn nag oes? Nid dyma'r adeg. Ond rywbryd eto . . .'

'Ie, fy mab . . .' Roedd ymateb y llanc wedi peri cryn bryder i Gerallt, ac fe allai rag-weld golygfeydd dychrynllyd yn codi o'i eiriau diweddaraf. 'Ond pan fyddi di'n wynebu dy dad eto, da ti, paid ag edliw hyn i gyd iddo. Ceisio arbed dy fywyd oedd e! Rhaid i ti gofio, roeddet ti'n garcharor y Brenin ar y pryd! Pe byddet ti wedi bod yn etifedd Gwynedd, mae'n annhebyg iawn y byddai John wedi gadael i ti fyw.'

'Mi gewch chi wyrdroi'r peth pa ffordd bynnag 'dach chi ei eisiau. Ond y gwir ydi, gorfodwyd 'Nhad i selio'r fargen yma, a rŵan . . . ia, rŵan mae'n rhaid bod Joan wrth ei bodd, a neb yn sefyll yn ffordd ei mab hi.'

'Dafydd yw ei enw.'

'Dafydd ap Llywelyn, etifedd Gwynedd oll. A phwy ydw i, wedyn? *Pwy ydw i?*'

Pennod 19

Safai Gruffydd ap Llywelyn ger y ffenestr, gan syllu tuag at y gadeirlan. Roedd cerrig cochliw'r tŵr yn gwrido'n gynnes yn heulwen y bore, a'r ychydig niwl o'r môr yn codi o'r cwm fel ysbrydion y meirw. Bu yno'n hir, a'i feddyliau'n crwydro'n bell, hyd nes y clywodd guriad ar y drws. Daeth Gerallt i mewn heb aros am wahoddiad.

'Bore da, Meistr Gerallt. Diolch am y dillad.'

'Croeso, ar bob cyfrif,' meddai'n bwyllog, wrth geisio dyfalu hwyliau'r bachgen. Roeddynt wedi treulio oriau meithion y diwrnod cynt yn trafod Gwynedd, Cymru ac Ynys Prydain, a Gruffydd yn mynnu gwybod popeth oedd wedi digwydd yn ystod ei flynyddoedd yn y carchar. Roedd Gerallt wedi blino ar glywed ei lais ei hun, efallai am y tro cyntaf yn ei fywyd, a gobeithiai'n fawr na fyddai'r llanc am ei holi ragor. 'Fe fydd dy fintai'n barod ymhen ychydig.'

'Diolch i chi unwaith eto.' Gwnaeth ystum iddo eistedd. Dim ond un gadair oedd ar gael yn y gell a roddwyd iddo, ac wedi i Gerallt eistedd ar honno, fe eisteddodd Gruffydd ar y gwely. Synnodd Gerallt mor wahanol yr ymddangosai wedi gwisgo'i grys a'i fantell newydd, gain. Yn iau, heb os, ac yn eiddilach . . . ond serch hynny roedd ei wên yn ddigon hawddgar, a'i osgo yr un mor hyderus ag o'r blaen.

'Y . . . dim ond chwech o wŷr a fydd gyda ti, mae arna i ofn. Mae Nevern yn dweud nad oes modd i ti gael mwy am fod yr esgob newydd yn debygol o gyrraedd cyn bo hir.'

'Mi gymeraf y chwech, felly, a gobeithio am y gorau.' Er mawr ryddhad i Gerallt, ni fynnodd Gruffydd ddadlau dros y peth, ac yntau wedi'i feddiannu gan syniadau mwy . . . 'Mi glywais i'r gweision yn sôn am yr Esgob Iorwerth. Cymro ydi o, yntê?'

'Wel, ie, ond . . .'

'Ond beth?'

'Wel, wyt ti'n meddwl byddai Archesgob Caergaint wedi rhoi'r esgobaeth i Gymro, petai hwnnw'n gymeriad grymus?'

'Wela i . . . Ond os ydi o mor llipa â hynny, fedrwch chi ddim dylanwadu arno? Dangos iddo faint ei gyfrifoldebau?'

'Rwy wedi ystyried hynny, wrth gwrs . . .'

'Mi fydd y Cymry'n disgwyl llawer ganddo. Mi fydd hi'n rhaid i chi wneud yn sicr ei fod o'n deilwng o'n disgwyliadau, neu'n rhagori arnyn nhw. Ac wedyn, pan ddaw'r dydd, mi fyddwn ni'n ddiolchgar i'n harchesgob newydd.'

'Archesgob?' Syllodd arno'n syn. Oedd y llanc yn awgrymu y câi Iorwerth ei ddyrchafu i fod yn archesgob ryw ddiwrnod? Neu'n meddwl addo'r fraint i Gerallt ei hun? Ond roedd Gerallt yn rhy hen, ac Iorwerth yn rhy wan . . .

'Mae'r Cymry'n haeddu cael archesgob iddyn nhw'u hunain!' taerodd Gruffydd yn frwd. 'Roedd Dewi Sant yn archesgob, wedi'r cwbl.'

Ni ddywedodd Gerallt air, er bod ei geg yn agored.

'On'd oedd o? Mi ddylech *chi* wybod!'

'Wel, oedd, ond . . . ond ni fyddai neb yn disgwyl clywed llanc ifanc fel ti yn dangos cymaint o ddiddordeb yn hanes Tyddewi!'

'Rhaid 'mod i 'di gwrando gormod ar Elidir . . .'

'Elidir?' meddai'n araf, ofalus, gan synhwyro bod Gruffydd wedi troi'r testun yn fwriadol. 'Rwy'n cofio i Anselm sôn am rywun o'r enw yna. Bardd oedd e . . .'

'Ia, yn ei dyb *o*. Roedd o 'di gwirioni ar chwedloniaeth y Brenin Arthur, ac mi fase'n mynnu bod rhyw gysylltiad rhwng Arthur a Dewi Sant. Mi fethais i â deall beth oedd ganddo fo, a dweud y gwir. Ond mi fase fo'n dweud o hyd ac o hyd bod y ddau ohonyn nhw'n mynd i ddychwelyd . . . yn sôn am 'Nhad yn uno'r Cymry, a'u harwain nhw dan faner Dewi Sant.' Gwenodd, a chodi ei ysgwyddau. 'Gwirion, yntê? Ond roedd o'n hogyn iawn, serch hynny.'

'Oedd e'n gyfaill i ti, felly?'

'Y fo oedd yr unig un a arhosodd yn ffyddlon i fi, pan drodd y lleill yn f'erbyn.'

'Pryd? Ar y llong?'

Edrychodd Gruffydd draw. 'O, roedd pawb wrth eu boddau pan enillais i'n rhyddid ni, ac wrth i ni osod y Normaniaid ar y lan . . .'

'Ond wedyn?'

'*Wedyn* yr unig beth oedden nhw eisiau oedd mynd yn syth adre!'

'Beth oedd o'i le ar hynny? Ble roeddet ti eisiau mynd? I Ynys Dewi?'

'Ia, i chwilio am greiriau Dewi Sant.'

'Y creiriau!' Rhyfedd iawn oedd clywed Gruffydd yn siarad mor agored amdanynt, wedi holl ddichell a dirgelwch Elidir.

'Roedd Elidir mor bendant eu bod nhw yno, wedi'u cuddio mewn rhyw ogof gan y Llychlynwyr. Roeddwn i, a rhai o'r lleill hefyd, yn ei goelio fo, rhaid i mi gyfaddef. Ond erbyn i ni gipio'r llong, doedd neb eisiau sôn am y creiriau bellach.'

'Ac felly'n gwrthod mynd i Ynys Dewi?'

Nodiodd, gan fethu ag edrych yn llygaid yr archddiacon. 'Fedrwn i ddim gadael iddyn nhw herio'n awdurdod i, Meistr Gerallt . . .'

'Ai dyna sut dechreuodd yr ymladd?'

'Roedden ni wedi bod yn byw ar bennau'n gilydd am flynyddoedd, cofiwch . . . rhaid 'mod i 'di mynd yn dân ar groen rhai ohonyn nhw. Ac Elidir hefyd, am wn i, er iddo bron ei ladd ei hun yn ceisio codi'n calonnau . . .'

'Neu *oherwydd* hynny.'

'Ia . . . efallai.' Gwenodd Gruffydd, i fodloni'r archddiacon, ond yn groes i'w hwyliau. 'Mi fase pawb wedi pwyllo yn y diwedd, Meistr Gerallt, mae'n siŵr gen i, a heb fod ddim gwaeth . . . oni bai i rywun daro yn erbyn ffagl.'

Bu tawelwch am ychydig, a'r ddau'n myfyrio ar ganlyniadau'r ddamwain honno.

'Fe ddywedodd Elidir,' meddai Gerallt wedyn, 'mai Anselm a gyneuodd y tân yn fwriadol.'

'Pryd? Pryd dywedodd o hynny?' Gwgodd Gruffydd arno'n ddrwgdybus nes iddo sylweddoli y byddai'n rhaid iddo ddatgelu'r gwir.

'Fy mab, ni fu farw dy gyfaill Elidir yn y llongddrylliad.'

'Naddo?'

'Fe gafodd ei achub gan bysgotwyr, ac fe aethon nhw ag e at eu meistr, Iarll Penfro. Roeddwn i'n digwydd bod yno ar y pryd, ac fe glywais i fe'n taeru dy fod ti, a'r holl wystlon eraill, wedi marw yn y tân. Wedi'ch llofruddio gan Anselm.'

'Wel, y gwalch bach . . .' Chwarddodd y llanc, gan ysgwyd ei ben.

'Fe dyngodd lw ar y Groes, ac yntau'n gwybod yn dda bod y llongddrylliad wedi digwydd yn ddamweiniol! Anudoniaeth yw hynny!'

'Dwi ddim yn synnu o gwbl. Dyna sut un ydi o.'

'Ai dyna'r cwbl rwyt ti'n gallu 'ddweud? *Dyna sut un ydy e?*'

''Dach chi ddim yn ei 'nabod o fel rydw i, Meistr Gerallt. Mi all dyngu ar y Groes bod y dydd yn dywyll, a'r haul yn tywynnu yn y nos! Ac mi wneith o hefyd, bob gafael, heb fwy o reswm nag i ladd amser.'

'Ond sut . . . sut felly y gallet ti fod wedi credu ei storïau am Dewi Sant?'

Yn lle ateb, fe graffodd y llanc arno'n fud am eiliad. 'Dydach chi ddim 'di dweud wrtha i beth ddaeth o Elidir. A ydi o yng Nghastell Penfro o hyd?'

'Nag ydy. Fe . . . fe ddihangodd.'

'Dyna'r tro cyntaf i mi glywed am neb yn dianc o ddaeargell Castell Penfro!'

'Fuodd e ddim yn y ddaeargell.' Ochneidiodd Gerallt yn flinedig, gan obeithio y deuai Nevern cyn hir i ddweud bod y fintai'n barod. 'Y gwir yw, fe gytunais innau i edrych ar ei ôl, a'i gadw'n ddiogel hyd nes iddo gael tystio yn erbyn Anselm mewn llys barn. Fe es i ag e i gartref 'y nheulu . . . i Faenorbŷr. Fe gafodd e bob cysur yno, ond er hynny, ac er iddo addo aros, a rhoi ei air i fi . . .'

'. . . mi ddiflannodd o!' Gorffennodd Gruffydd frawddeg yr archddiacon, gan chwerthin am ben ei ddigofaint hunangyfiawn.

Ni hidiodd Gerallt, a'i feddyliau yntau wedi ffoi'n ôl at ei hen gartref. 'Do, fe sylwais i ym Maenorbŷr fod rhywbeth mawr yn pwyso ar ei feddwl e . . . rhywbeth ynglŷn â Thyddewi.' Cododd ei olygon i edrych ym myw llygad y llanc. 'A wyt ti'n siŵr . . . a wyt ti'n *berffaith* siŵr nad oedd yna ronyn o wirionedd yn yr hyn ddywedodd e am greiriau Dewi Sant?'

'Peidiwch â dweud i chithau ei goelio fo!'

'Roedd ei stori am y Llychlynwyr yn swnio'n eitha' dilys i fi—yr holl fanylion am y storm a'r ogof ac ati . . .'

'Mi ddywedodd y cyfan wrthoch chi, do?'

'Wyt ti'n synnu?'

'Ydw, dipyn. Mae'n rhaid ei fod wedi gweld rhywbeth ynoch chi. Mynnu'ch cael chi o'n plaid ni, hwyrach, a chithau mor bwysig yn yr Eglwys, ac yn Nhyddewi . . .'

'Beth wyt ti'n 'feddwl?'

'Oherwydd yr esgyrn, yntê? Nid creiriau cyffredin mohonyn nhw. Mi fase'n rhaid i ni eu defnyddio nhw'n iawn . . .'

'Eu defnyddio nhw?'

'*A lluman glan Dewi a ddyrchafant* . . . Tydach chi ddim yn cofio'r *Armes Prydein*, Meistr Gerallt? Efo'r creiriau, efo baner Dewi i'n

117

harwain, ni feiddiai neb sefyll yn ein herbyn! Mi ddeuai'r Gogledd a'r De ynghyd o'r diwedd, i yrru'r Normaniaid allan o Gymru am byth— a'u gyrru nhw i mewn i'r môr, ia, a gadael iddyn nhw nofio'n ôl i Ffrainc!'

'Beth, a gwneud Llywelyn yn frenin Lloegr hefyd? Pam nad yn frenin Ynys Prydain i gyd?'

'Roedd y cyfan yn eiddo i ni unwaith.'

'Ac felly roedd Troea, yn ôl y chwedl! Wyt ti am fynd yn ôl yno?'

'Mi wyddoch chi pa mor bwysig ydi'r creiriau, Meistr Gerallt. Rydach chi'n gwybod yn well na neb. Mi allen ni wneud unrhyw beth—*popeth*—efo nhw. Uno'r Cymry. Eu harwain nhw. Dangos iddyn nhw eu bod nhw'n teilyngu gwell arglwydd na rhyw frithgi bach o Norman!'

'Am Dafydd ap Llywelyn rwyt ti'n sôn nawr?' Roedd Gerallt wedi drysu o wrando arno. Oedd y bachgen yn hawlio bod y creiriau ganddo? Os felly, dychrynllyd oedd y rhagolwg hwn o'r hyn a wnâi gyda hwy. 'Ond bachgen bach yw Dafydd, a tithau'n ddim ond llanc . . .'

'Mi gewch chi weld.' Serennodd ei lygaid. 'Y sawl a ddarganfyddo creiriau Dewi Sant, fydd bron yn sant ei hun. Dyna beth ddywedodd Elidir.'

'Ond roedd Elidir yn gelwyddgi, on'd oedd? Neu'n wirionyn . . .'

'Neu'n broffwyd!'

'Callia, fy mab, er dy les dy hun! Pe byddet ti'n dweud y pethau hyn yng ngŵydd dy dad . . .' Nid aeth ymlaen, gan fod Gruffydd yn ymddangos yr un mor ddiamynedd a di-sylw ag unrhyw laslanc sy'n gorfod gwrando ar henwr. Dewisodd berwyl gwahanol. 'Ond ynglŷn â'r creiriau sanctaidd . . . os wyt ti *yn* gwybod ble maen nhw, rhaid i ti eu dychwelyd nhw i'n cadeirlan ni. Dyna eu cartref priodol nhw. Sarhad i'r Sant, a halogiad o'r mwyaf, fyddai mynd â nhw oddi yma.'

Cilwenodd Gruffydd yn ddirmygus, wrth i amheuon gorddi'n fwyfwy ym meddwl yr archddiacon. Cydiodd Gerallt yn ei Groes ar ei chadwyn arian, a'i chynnig i fab Llywelyn. 'A elli di roi dy law ar y Groes, a dweud dy fod ti heb weld creiriau Dewi Sant erioed?'

'Fel Elidir yn tyngu llw 'mod i 'di cael 'yn llofruddio?' Nid estynnodd Gruffydd mo'i law.

'Ond dyw mab Llywelyn ddim yn debyg i Elidir ab Idwal, yw e?'

Dim ond gwenu a wnaeth Gruffydd. Rhoes Gerallt gadwyn ei Groes yn ei hôl am ei wddf.

'Gwranda, fy mab. Rwyt ti wedi clywed, rwy'n siŵr, am Caradog—dyn a ddechreuodd fel bardd, ond sy'n sant erbyn hyn. Cyn iddo farw, fe ddywedodd ei fod eisiau cael ei gladdu yn Nhyddewi, ond fe feiddiodd rhywun gipio'i gorff oddi wrthon ni. Roedd y lleidr yn meddwl y byddai'n cyflawni gwyrthiau drosto, ond fe'i siomwyd yn arw. Ni chafodd eiliad o heddwch wedyn. Fe aeth e'n sâl, ac fe fuodd e'n dioddef yn druenus nes iddo ildio, ac edifaru, a dod â'r corff i Dyddewi. Fe wellodd y lleidr ar unwaith, ac erbyn hyn mae creiriau Caradog yn gorwedd yn eu creirfa yn y gadeirlan, fel y gall yr holl bererinion eu gweld nhw, a chael eu hysbrydoli ganddyn nhw.'

Chwarddodd Gruffydd. 'Ydach chi'n ceisio dweud y base Dewi Sant yn cosbi'r Cymro a aeth â'i greiriau'n ôl i fynwes y Cymry?'

'I Wynedd, wyt ti'n meddwl?'

'Ia, i Wynedd! Dyna'r unig le sy'n dal heb ei heintio'n gyfan gwbl gan wenwyn y Normaniaid. Sut medrwch chi ddweud bod y lle 'ma'n haeddu creiriau Dewi Sant? Nawddsant Cymru, yn gorwedd mewn cadeirlan Normanaidd? Cadeirlan wedi'i chodi ar adfeilion eglwys Gymreig—wedi'i chodi gan yr esgobion Normanaidd yr ydach chi'ch hun yn eu casáu!' Petrusodd, ond dim ond er mwyn cael ei wynt ato. 'Ystyriwch, Meistr Gerallt. Rydach chi o'n plaid ni. 'Dach chi wastad 'di bod o'n plaid ni, mi wn. Ond mae'r Normaniaid yn dal i feddwl eich bod chi'n un ohonyn nhw. Mi fyddan nhw'n gwrando arnoch chi, fel bydd y Cymry'n gwrando arnoch chi.'

'Ie, ond beth . . .'

'Pwy'n well na Gerallt Gymro, i ddatgan y newyddion da bod y creiriau wedi'u darganfod?'

'*A ydyn nhw wedi'u darganfod?*'

'Dim ond i chi ddatgan y newyddion, Meistr Gerallt. Ac wedyn, un diwrnod . . . pwy a ŵyr? Hwyrach mi ddaw Dewi Sant yn ôl i'w hen gartre. Ond nid cyn y bydd ei gartref yn deilwng i'w groesawu.'

Pennod 20

4 Gorffennaf 1215

Coed a llwyni tiroedd Penfro oedd cynefin Elidir bellach. Bob dydd, cychwynnai tua'r gogledd, ond bob dydd deuai rhywbeth i'w rwystro. Dôi mintai o filwyr yr Iarll ar draws ei lwybr, neu dwr o wladwyr Fflandrys, ac yntau'n ffoi heb aros i weld a oeddynt mewn gwirionedd yn ei hela. Ambell dro, âi ar goll yng nghoedwigoedd breision y fro, neu daro ar afon a mynd milltiroedd o'i ffordd cyn mentro croesi. Pan ddeuai'r nos, gorweddai i lawr o dan y coed a syllu drwy eu canghennau ar y sêr uwchben.

Âi'r diwrnodau heibio'n rhwydd ac yn rhydd, o fore gwyn tan nos. Roedd fel gwynfyd ar y ddaear . . . nes iddo gau ei lygaid a chysgu.

Deffrodd o hunllef eto, â'i ddillad yn wlyb gan chwys. Teimlai o hyd wres y tân, a dŵr yn ei dagu, ac *euogrwydd*. Cododd ar ei eistedd yn sydyn, ac edrych o'i amgylch yn ochelgar.

Ond ni welodd yr un creadur byw, na ffermwr na milwr. Dim byd ond coed cyll a derw, a'r mieri tenau'n cystadlu am olau oddi tanynt, fel beirdd y llys yn cystadlu am sylw eu tywysog. Gwenodd am eiliad, hyd nes y dychwelodd yr atgof am ei dywysog ef. Wedi'i foddi oedd Gruffydd ap Llywelyn bellach, y fo a'r lleill, oll yn bwydo'r pysgod yn Swnt Dewi.

Ia, dyna achos yr euogrwydd a fu'n llenwi ei freuddwydion. Ond pam y dylai deimlo'n euog? Roedd wedi bod yn wystl, yn garcharor, yn hogyn diniwed wedi cael cam. Roedd megis un o'r seithwyr yn hanes Branwen, yn goroesi trychineb ac yn dychwelyd i ddarganfod bod popeth wedi newid. Ia, roedd yn gydradd â Phryderi, a welodd fawrion Cymru yn marw o flaen ei lygaid yn Iwerddon. Ond roedd gan Pryderi gyfeillion i rannu'r baich, ac i gynnig cyngor. Wnaeth Duw mo'i adael *o* mewn gwlad estron heb na chysur na chyfeiriad. Ac roedd gan Pryderi orchwyl, a darogan i'w gwireddu. Aethai i Lundain i gladdu pen Bendigeidfran, ac wedyn cael heddwch, a dyna sut y gorffennodd y gangen honno o'r hanes.

Ac ni châi Elidir ab Idwal heddwch, hyd nes iddo gyflawni ei orchwyl, a gwireddu ei ddarogan yntau.

'*A lluman glan Dewi a ddyrchafant.*'
Synnodd at sŵn ei lais ei hun. Sylweddolodd mai ffawd oedd
wedi'i gadw yn Sir Benfro. I'r gorllewin oedd ei dynged ef, nid i'r
gogledd. I'r gorllewin, dros y culfor ffiaidd lle hunai ei gyfeillion.
  '*Mi af i i Ynys Dewi,*' meddai'n isel. Dim ond trwy ddweud y
geiriau y gallai fod yn sicr na wyrai yn ei benderfyniad. '*Yn ôl Dy
ewyllys,*' ychwanegodd yn is fyth, fel petai'n gweddïo. Ac yn wir, y
pedwar gair yna oedd y peth agosaf at weddi a ynganodd Elidir ers
iddo adael Castell Corfe.

Darganfu lwybr i'r gorllewin yn hawdd, a chymerodd hyn fel arwydd
bod Duw o'i blaid. Anghofiodd ei hunandosturi, ac anghofio nad oedd
wedi bwyta ers deuddydd. Aeth ar redeg, wedyn ar hald, ond yn fuan
iawn roedd wedi colli'i nerth. Llusgodd ei draed ar hyd ymyl y
llwybr, ac ymhen ychydig, dechreuodd lafarganu geiriau'r *Armes
Prydein.*

> '*Gwŷr gwychyr gwallt hiryon ergyr ddofydd*
> *Y dihol Saeson o Iwerddon dybydd . . .*'

  Ni hidiai am y coedwigoedd yn troi'n feysydd o'i gwmpas, nac am
y tyddynnod bychain oedd yn ymddangos yn amlach ac yn amlach o
bob tu. Gwisgai eiriau Taliesin fel arfwisg.

> '*Saeson o bob parth gwarth ae deubydd*
> *Ry trenghis eu hoes nys dioes elfydd*
> *Dyderpi angheu i'r du gyweithydd*
> *Clefyd a dyllid ac anwerydd*
> *Gwedy aur ac ariant a chanhwynydd*
> *Boet perth eu disserth yngwerth eu drycffydd . . .*'

  Arafodd, a throi wrth glywed twrw o hirbell. Gwelodd haid o frain
yn troelli uwchben y meysydd y tu ôl iddo. Yn y man, fe welodd hefyd
fintai o filwyr, a hwythau'n ei ddilyn i lawr y llwybr ac yn agosáu bob
eiliad. Safodd yn stond. Ni allai ddianc trwy redeg i ffwrdd am ei fod
yng nghanol tir agored erbyn hyn, a hanner y milwyr ar gefn ceffylau.
Yr unig beth i'w wneud oedd ymddwyn fel dyn diniwed. Synnodd at
ei feddyliau ei hun. Onid *oedd* o'n ddyn diniwed?
  Gwelodd erbyn hyn nad milwyr oeddynt i gyd. Ymhlith y rhai a
gerddai roedd mynaich, ac roedd un ohonynt yn cario croes yn uchel.

A'r tu ôl i hwnnw dôi dyn ar gefn ceffyl gwyn, a'i wisg yn wyn ac yn aur i gyd, a meitr am ei ben.

Yr oeddynt wedi dod mor agos nes y gallai Elidir weld wynebau'r milwyr. Roedd rhai'n edrych arno, neu'n hytrach yn cuchio arno—ac wedyn sylweddolodd pam, ac fe syrthiodd ar ei benliniau cyn y gallai neb roi chwipiad iddo fel cosb am ei ddiffyg parch. Heb godi'i ben, gwelodd garnau a choesau'r ceffyl gwyn yn mynd heibio, a throed dde'r Esgob yn ei esgid gain.

Arhosodd ar ei benliniau nes gweld cefnau'r holl filwyr, ond yn eu sgil fe ddaeth tyrfa arall o bobl, a hwythau wedi gorlanw'r llwybr nes sathru'r meysydd ar y ddwy ochr. Nid gwaith hawdd oedd codi ar ei draed, ac yntau'n cael ei wthio i bob cyfeiriad gan y dorf ddiamynedd, ac wedi'i lethu gan eu sŵn a'u niferoedd. Pobl o bob math a gradd oedd o'i amgylch, yn weision ac yn feistri, yn bererinion ac yn farchnatwyr. Clywodd glebran mewn Ffrangeg, a Fflemeg, ac ambell dafodiaith a bratiaith Gymraeg.

'Ti'n rhy hwyr, cariad!' Rhoes rhywun hergwd iddo i dynnu ei sylw, ac yntau mor araf yn derbyn bod rhywun wedi'i gyfarch.

Gwelodd wraig mewn oed wrth ei ochr, ai o fwriad neu oherwydd pwysau'r dorf, doedd wybod, ond roedd hi'n gwenu arno'n ddigon hawddgar. A hithau mor agos, ni allai ond sylwi ar ei maint hi, a'i gwisg lwyd, ddi-lun oedd yn gwneud iddi ymddangos yn fwy. Roedd ei hwyneb yn grwn a'i bochau'n llaes, ond roedd ei llygaid yn llawn hwyl a chymeriad. Wrth iddi fynd yn ei blaen, fe gychwynnodd yntau ar ei hôl yn reddfol.

'Rhy hwyr i beth, Meistres?'

'Mae e wedi rhoi cardod ishws heddi', on'd yw e?'

'Nid cardotwr mohono' i.'

'Pererin, 'te? Oes 'na wahaniaeth?' Taflodd olwg ddirmygus arno, wrth gyferbynnu ei wedd â'i eiriau sych-gyfiawn. Roedd ei grys *wedi* bod yn gostus, heb os, ond . . . 'Dere, cariad! Beth yw dy hanes di?'

'Byw yn yr anialwch, Meistres, a bwyta locustiaid a mêl gwyllt.'

'O? Ti ddim yn dishgwl fel proffwyd i fi.'

'Rhy ifanc? Rhy olygus?'

'Rhy ewn!'

Chwarddodd, a gafael yn ei braich wrth sibrwd, 'Y gwir ydi—a phaid â deud wrth neb—dwi newydd ddianc o ddaeargell Castell Penfro.'

'O . . .'

'Wir i chdi.' Gwenodd yn ddigywilydd. Roedd gormod o amser wedi mynd heibio ers iddo siarad â rhywun, nes bod y profiad bron yn feddwol.

'Pam 'naeth yr Iarll dy roi di yn fan'ne, 'te?'

'Am 'mod i'n caru efo'i wraig o, debyg iawn.'

Chwarddodd y ddau, ac fe droes y wraig i ailadrodd yr hanes wrth ei chymdeithion.

'Paid!' meddai'n uchel, gan ychwanegu'n is, 'Ein cyfrinach ni fydd hi, yndê?'

'Rwyt ti *wedi* jengid o rywle!'

'Oni ddwedais i?'

'Beth wyt ti'n moyn 'da'r esgob, 'te? Noddfa?'

'Be' 'dach chitha isio gynno fo?'

'Jyst moyn ei weld e, cariad.' Ciledrychodd arno'n ystrywgar. 'Does dim clem 'da ti, nag oes?'

'Am beth?'

'So ti 'di clywed am esgob newydd Tyddewi?'

'Be' amdano?'

'Cymro yw e.'

'*Cymro* yn esgob Tyddewi?'

''Na fe. A Normaniaid oedden nhw i gyd, wrth gwrs, cyn heddi'.'

'Mi wn. Neno'r Tad . . .' Teimlodd ias drwyddo. Roedd popeth yn dod at ei gilydd, pob rhagarwydd wedi'i drefnu i groesawu ei Arwydd ef. Esgob newydd o Gymro ar ei ffordd i Dyddewi, a phawb yn gorfoleddu o'i herwydd. A chymaint yn fwy y byddai'r gorfoledd petai . . .

'Diolch, Meistres.'

'Croeso, 'achan,' atebodd hithau, heb edrych arno. Roedd yn brysur yn ymbalfalu yn ei phac, ond erbyn iddi dynnu bara a chaws allan i'w rhoi iddo, roedd y bachgen ffôl wedi ffoi i rywle. Dyna biti. Ac yntau mor debyg i'w mab ieuengaf hi.

Castell Llawhaden
4 Gorffennaf 1215

'Eich Gras?'

'Y . . . ie?' Roedd yr Esgob Iorwerth wedi petruso cyn ateb. Bythefnos yn ôl, roedd yn ei gell glyd yn Abaty Tal-y-Llychau, a phawb yn ei alw'n *pater*. Hiraethai am y dyddiau hynny wrth edrych ar wyneb diamynedd capten y gwarchodlu. Roedd gormod o filwyr yn Llawhaden, meddyliodd yn ofnus, er eu bod i gyd yn rhan o fyddin bersonol yr esgob—ei fyddin bersonol ef ei hunan, bellach.

'Mae yna rywun yn moyn eich gweld chi, Eich Gras.'

'O . . . cardotyn eto?'

'Mae e'n gweud ei fod e'n llysgennad oddi wrth y T'wysog Llywelyn, f'Arglwydd.'

'Llywelyn o Wynedd? Wedi anfon dyn ata i?'

'Dyna be' mae'n gweud . . . a chydag acen ddigon gogleddol hefyd. 'Wy'n credu ei fod e o ddifri, f'Arglwydd. Mae'n siarad fel cennad, am wn i . . . os nad yn edrych fel un. Mae'n gweud fod lladron wedi ymosod arno fe ar y ffordd.'

'Synnwn i fawr.' Dechreuodd Iorwerth gydymdeimlo â'r dyn. Yr oedd yntau wedi disgwyl trychineb o'r fath, bob milltir o'i daith. Yn ôl ei ddealltwriaeth ef, gwlad go beryglus oedd Lloegr, ac roedd y Mers yn waeth byth. Ac roedd Cymru ei hunan yn llawn brwydro, a'r holl arglwyddi Cymreig yn troi yn erbyn y Normaniaid ac yn creu trafferth i bob dyn duwiol, onest . . . Ochneidiodd. 'Wel, well i ti anfon y dyn i mewn. Ond gwna'n siŵr nad yw'n cario arfau.'

'Fel y mynnwch, f'Arglwydd.' Moesymgrymodd y capten, ac ymadael.

Ni wyddai Iorwerth lawer am Wynedd, heblaw am y straeon am ba mor gadarn oedd ei thywysog, a pha mor falch a styfnig oedd ei phobl. Byddai'r cennad yn gawr o ddyn, siŵr o fod, y math o ddyn a fyddai'n mentro ar ei ben ei hunan trwy fynyddoedd Gwynedd, a bryniau a rhostiroedd cras y canolbarth, a thiroedd y Normaniaid oedd yn llawn estroniaid a milwyr. Ie, cawr o ddyn, ac ni fyddai'n ddim ganddo farchogaeth trwy'r dydd cyn eistedd i drafod gydag uchelwyr Cymru, neu farwniaid Lloegr neu'r Mers. Dyn oedd yn rhugl mewn Ffrangeg a Lladin, ac efallai mewn Saesneg a Fflemeg hefyd . . .

'Dyma fe, f'Arglwydd. Elidir ab Idwal ab Owain yw ei enw. Mae'n dod o . . . o gastell Dinas Brân, ie?'

Troes y capten at y dyn oedd wedi'i ddilyn i mewn i'r gell. Dyn eiddil, bron wedi'i guddio y tu ôl i ffurf gyhyrog y capten nes i hwnnw sefyll o'r neilltu. Syllai Iorwerth arno, a'i aeliau'n codi o feddwl bod hwn i fod yn llysgennad i Lywelyn.

Roedd golwg eithaf Normanaidd ar ei grys hir . . . ac eto, oni chlywodd yn rhywle fod dylanwad y Normaniaid yn rhemp mewn llysoedd Cymreig? Cofiodd Iorwerth wedyn y stori am y lladron, wrth sylwi ar y rhwygiadau yn ei wisg, ac ambell ddarn bach o ddeilen neu laswellt yn dal i lynu wrtho. Fe ymddangosai'n wir fel dyn a orfodwyd i redeg am ei einioes trwy goed a pherthi . . . ac a fu'n trigo yno am sawl wythnos wedyn, o ran hynny. Ond beth bynnag a ddigwyddodd iddo ar y ffordd, yr oedd yn amlwg wedi gwneud ymdrech i dwtio ei ddillad a'i wallt, fel y gweddai i lysgennad tywysog. Ac roedd yna rywbeth amdano hefyd . . . rhyw hyder yn ei osgo, ac yn ei lais wrth iddo gywiro'r capten: 'Dinas Emrys.'

'Dinas Emrys, ie fe?' Cynhesodd Iorwerth at y dieithryn o'i weld yn ymgrymu'n isel. Chwifiodd ei law i ollwng y capten. 'Rwy wedi clywed am y lle.'

Ni ddywedodd air yn rhagor, oherwydd syrthiodd Elidir yn annisgwyl ar ei benliniau. 'Rhowch fendith arna i, Eich Gras. Treuliais bedair blynedd heb glywed offeren na chroesi trothwy eglwys.'

Doedd gan Iorwerth fawr o ddewis ond ufuddhau. 'Peth go anghyffredin,' meddai wedyn, 'a tithau'n gennad i'r Tywysog Llywelyn ac yn aelod o'i lys.'

'Cennad go anghyffredin ydw i.'

'O?' Symudodd Iorwerth yn ôl yn ei gadair, a chymysgedd o chwilfrydedd ac ofn yn berwi y tu mewn iddo. 'Wel, fy mab, fe gei di drosglwyddo dy neges oddi wrth y Tywysog Llywelyn, ac wedyn fe gei adrodd dy hanes dithau, os mynni di.'

Arhosodd Elidir ar ei liniau am eiliad yn rhagor, gan syllu ar y llawr. Ceisiodd Iorwerth ddyfalu a oedd e'n gweddïo ai peidio. Yna fe gododd ar ei draed yn araf, a'i lygaid duon fel petaent yn edrych yn syth i mewn i enaid yr Esgob. 'Does dim neges oddi wrth f'Arglwydd Llywelyn.'

'Dim . . . dim neges?' Ni allai Iorwerth guddio ei ofn bellach. Roedd gan hwn lygaid fel sant—neu fel gwallgofddyn.

'Nag oes. Maddeuwch i mi am y pechod o ddeud anwiredd. Ond y *mae* gen i neges bwysig.'

'Neges oddi wrth bwy, felly?'

'Neges oddi wrth yr Anfeidrol Dduw.'

'Cabledd!'

'Gwrandewch!' Camodd Elidir ymlaen a phwyso ar y bwrdd llydan a safai rhyngddynt. 'Bythefnos yn ôl ro'n i'n y carchar. Ac mi welais i rywbeth.'

'Beth? Ti'n dweud i ti weld yr Hollalluog Iôr?'

'Mi ddweda i be' welais i. Esgyrn dyn. Esgyrn sant yn gorwedd mewn ogof, a golau'r Goruchaf o'u cwmpas.'

Breuddwyd, tybiodd Iorwerth. Neu ddychymyg dyn nad oedd ond hanner call. Neu gelwydd syml. 'Esgyrn pwy?'

'Ac mi roedd gan yr ogof enw. Ogof Colomennod. Ac ar Ynys Dewi oedd hi.'

'Dewi? Wyt ti'n honni dy fod ti'n gwybod ble mae creiriau sanctaidd Dewi Sant?'

Nid atebodd Elidir. Roedd yn edrych tua'r drws, ar ôl clywed sŵn traed yn dringo grisiau'r tŵr, a'i wyneb yn gwelwi pan glywodd leisiau cyfarwydd hefyd. Adnabu Iorwerth yntau lais y capten, ond ni fedrai yn ei fyw enwi'r dyn arall, er mor annifyr y teimlai wrth wrando . . .

'Peidiwch . . . peidiwch â deud wrth neb,' erfyniodd Elidir, yn drawiadol o ostyngedig wedi ei hyfdra gynt.

'On'd yw'n weddus i'r byd cyfan gael clywed am y weledigaeth hon?'

'Yn enw'r Tad . . .' Tawodd Elidir, am fod y lleisiau wedi cyrraedd y drws.

Clywsant y capten yn dweud, 'Os gwnewch chi aros i fi gael gweld a ydy Ei Ras wedi gorffen gyda'r cennad . . .'

'Peidiwch â thrafferthu, fe fydd e'n ddigon parod i 'ngweld *i*.'

Rhyw esgus o guriad, a dyma'r drws yn agor, a dyn tal, urddasol yn gwthio heibio i'r capten i gyfarch Iorwerth. 'Croeso i'ch esgobaeth, Eich Gras.'

Aeth peth amser heibio cyn i Iorwerth ddod dros ei syndod ddigon i ynganu gair o ddiolch. Ond erbyn hynny roedd sylw Gerallt Gymro wedi troi i gyfeiriad gwahanol. 'A chroeso i tithau, Elidir ab Idwal. Neu efallai y dylwn i dy alw di'n *Lazarus*?'

Yr oedd Elidir wedi ymgilio i gornel mwyaf tywyll y gell cyn i Gerallt ymddangos. Arhosai yno gan syllu ar ei draed, fel petai'n gweddïo i'r llawr ei lyncu.

'Ydych chi'n 'nabod y dyn 'ma, Meistr Gerallt?' gofynnodd Iorwerth, yn awyddus i ailsefydlu ei awdurdod.

'Fe wna i adael iddo fe ateb hynny.'

'Ro'n i'n aros efo teulu Meistr Gerallt ym Maenorbŷr, w'chi, ac . . .'

'Ac wedyn gadael heb ddweud gair wrth neb, ac oherwydd hynny fe allai fy nai gael trafferth gyda Iarll Penfro.'

'Mi fasa fo wedi cael gwaeth trafferth gan f'Arglwydd Llywelyn, tasa fo wedi dal i 'nghadw i'n garcharor!'

Meddyliodd Gerallt nad oedd ei olwg edifeiriol wedi parhau'n hir iawn. Ai chwarae rhan oedd Elidir ab Idwal, bob eiliad o'i fywyd? 'Fe gawn ni drafod hynny eto. Beth rwyt ti'n 'wneud fan hyn?'

'Rhoi croeso i'r Esgob, fel sy'n briodol, a minnau'r unig ddyn o Wynedd yn yr ardal ac felly'n cynrychioli 'ngwlad.'

'Wythnos yn ôl, roeddet ti ar frys gwyllt eisiau mynd yn ôl i Wynedd.'

'Mi ges i weledigaeth.'

'Do wir?' Edrychodd Gerallt yn fwy anghrediniol nag y gweddai i archddiacon.

'Mae e wedi dweud wrtho' i,' meddai Iorwerth yn araf, heb hidio am bryder amlwg Elidir, 'bod yr Iôr wedi datgelu iddo fe ble mae creiriau Dewi Sant.'

'Rwy'n gweld.'

Distawrwydd llethol. Distawrwydd peryglus, ac Elidir yn edrych yn ddi-baid rhwng yr archddiacon a'r esgob. Cnôdd ei wefusau, ac o'r diwedd fe agorodd ei geg i siarad, ond fe dorrodd Gerallt ar ei draws yn syth.

'Fe ddywedaist ti ym Maenorbŷr mai Deiniol oedd dy nawddsant di. Doedd gen ti ddim diddordeb yn Dewi Sant.'

'Mi ges i weledigaeth ar y ffordd yma.'

'Ar y ffordd, ie? Fel Sant Paul?'

'Fe ddywedodd wrtho' i,' meddai Iorwerth yn bwyllog, 'iddo gael gweledigaeth yn y carchar.'

Syllodd y ddau offeiriad yn ddidostur ar Elidir, ac yntau wedi'i gornelu. 'Ia . . . yn y carchar y digwyddodd o.'

'Nid ar y ffordd, felly?' Roedd Gerallt wrth ei fodd, yn gorfodi Elidir i gydnabod ei gelwydd. 'Ac felly, roeddet ti'n gwybod y stori 'ma am Dewi Sant yr holl amser roeddet ti ym Maenorbŷr, ac eto'n gwrthod dweud dim wrtho' i.'

'Fedrwn i ddim deud wrthoch chi! Rydach chi'n gyfaill calon i Iarll Penfro! Mi allech chi fod wedi rhoi'r creiriau'n syth iddo fo, hyd y gwyddwn i.'

'Ond fe ddywedaist ti'r cyfan wrth yr Arglwyddes Regat, on'd do? A dyna pam roedd arnat ti gymaint o ofn, pan glywaist ti mai gwraig Rhys Gryg oedd hi. Roedd arnat ti ofn y byddai Rhys Gryg yn darganfod y creiriau . . . ac efallai'n eu defnyddio yn erbyn dy Arglwydd Llywelyn.'

Pengrymu a wnaeth Elidir.

'Pe byddet ti ond wedi dweud y gwir wrtho' i bryd hynny, fe allen ni'n dau fod wedi mynd i Ynys Dewi i chwilio, cyn i Rhys Gryg fynd yn agos at y lle. Efallai ei bod hi'n rhy hwyr erbyn hyn!'

Edrychodd Elidir i fyny eto, a fflach o gasineb yn ei lygaid. Dychrynodd Gerallt drwyddo am eiliad. Efallai ei fod wedi cael ei felltithio . . . onid oedd y beirdd yn perthyn yn agos i'r hen dderwyddon? Ceisiodd dyneru ei lais. 'Pam nad est ti i Ynys Dewi dy hun, wedi gadael Maenorbŷr? Mae'n ddigon posibl y gallet ti fod wedi cyrraedd cyn Rhys Gryg a chipio'r creiriau, ac wedyn ti a gâi'r holl fri. Wedi'r cwbl, y sawl a ddarganfyddo creiriau Dewi Sant, fydd bron yn sant ei hun . . .'

'Dwi . . . dwi 'di clywad y geiriau 'na o'r blaen. Fy ngeiriau i'n hun ydan nhw . . .'

'Rhaid dy fod wedi eu dweud nhw wrtho' i, felly. O, na . . . does bosibl, yn nag oes? Dwyt ti erioed wedi dweud dim byd wrtho' i, wyt? Dim byd oedd yn wir, hynny yw.'

'Maddeuwch i mi . . .'

Ochneidiodd Iorwerth yn druenus. Roedd wedi'i ddrysu'n llwyr gan y sgwrs. 'Maddeuwch i fi, Meistr Gerallt, ond mae hi wedi bod yn ddiwrnod maith arna i, ac fe fydd rhaid i fi fynd i gael gorffwys bach cyn swper.'

'Rwy'n deall yn berffaith, Eich Gras. Maddeuwch i finnau am eich cadw chi ar eich traed, a chithau'n amlwg wedi blino'n lân.'

Roedd cymaint o faddeuant, myfyriodd Elidir, yn weddus i gastell esgob. Ond nid oedd yn falch o weld Iorwerth yn gadael y gell. 'Ella . . . ella y dylwn inna fynd . . .'

'Chei di ddim dianc mor hawdd yr eilwaith!' Troes Gerallt arno'n ffyrnig, a'r drws wedi cau y tu ôl i'r esgob. 'Fe fyddai'n ddigon hawdd i fi alw'r milwyr. Wyt ti eisiau iddyn nhw wybod hanes *cennad Llywelyn*?'

'Nac ydw . . .' Suddodd Elidir i eistedd ar sedd y ffenestr. 'Doeddwn i ddim yn bwriadu rhedeg i ffwrdd o gwbl.'

'Wyt ti'n disgwyl i fi gredu hynny?'

'Mi fydd hi'n dywyll yn y man. 'Sgen i mo'r awydd i gysgu noson arall yng nghlais y clawdd.' Bu'n dawel am ychydig, wedyn fe edrychodd yn wyneb yr archddiacon. 'Nac ydw . . . dwi ddim yn disgwyl i chi 'nghoelio i bellach. Mae'n ddrwg gen i am be' wnes i i'ch teulu. Gobeithio . . . gobeithio 'dan nhw ddim wedi dioddef o'n achos i.'

'Maen nhw wedi dianc heb gosb . . . ond does dim diolch i ti am hynny,' meddai Gerallt yn oeraidd. 'Ond rwy'n methu â deall pam wnest ti fentro cymaint i ddianc o Faenorbŷr, ac wedyn aros yn yr ardal 'ma! Fe allet ti fod wedi cyrraedd adre erbyn hyn.'

'Mi ges i weledigaeth, yn do?' meddai'n flinedig, ond yn ddigon ystyfnig.

'Paid â dechrau ar y dwli 'na eto!'

'Be' ddweda i, 'lly, os na wnewch chi wrando ar y gwir? Be' fasa'n well gynnoch chi? Celwydd arall?' Troes ei ben yn ddisymwth i syllu trwy'r ffenestr y tu ôl iddo, fel petai arno gywilydd o'i ddicter, neu ofn gweld ymateb yr archddiacon.

Ni chynigiodd Gerallt air, ac fe fu tawelwch am rai munudau.

'Gwlad fras, brydferth, on'd ydi hi?' meddai Elidir wedyn, gan droi'n ei ôl o'r ffenestr. Gwyddai'r ddau mai ymddiheuro ydoedd.

'Ydy,' cytunodd Gerallt, gan nesu dipyn at y ffenestr fel y gallai yntau weld y bryniau esmwyth, a'u meysydd a'u coedwigoedd yn ymdoddi'n llwydlas gyda'r machlud. A throstynt, y cymylau'n troi'n rhosliw, a rhyw leuad fechan swil yn disgleirio yn eu plith.

'Dim byd tebyg i dy wlad di, mae'n siŵr,' meddai Gerallt yn isel.

'Nac 'di. 'S 'r un lle'n debyg i 'ngwlad i.'

'Rhaid dy fod ti'n hiraethu'n arw am fynd yn ôl.'

Edrychodd Elidir i fyny, a chymaint o boen yn ei lygaid nes i Gerallt frathu ei dafod. 'Beth ydi'r diben, a finna'r unig un? Pa fath o groeso gawn i? Mi fasa pawb yn gofyn beth ddigwyddodd i fab Llywelyn a'r lleill, a pham mai fi sy wedi goroesi, a pha fath o frad wnes i i achub 'y mywyd annheilwng i . . .'

'Anodd dychmygu pobl Gwynedd yn dy alw di'n fradwr. Fe fydd rhai o'r uchelwyr yn dy ganmol di, rwy'n siŵr, am beth wnest ti yn y carchar. Oni fuest ti'n dy ladd dy hun yn ceisio codi eu calonnau?'

'Weithia mi fydden *nhw* isio'n lladd i am geisio gormod.'

'Nid dyna beth glywais i.'

'Ddylech chi ddim coelio be' ddwedais i ym Maenorbŷr . . .'

'Rwy'n gwybod. Ond rwy'n rhoi mwy o goel ar eiriau mab Llywelyn.'

'Be'?'

'Mae e'n dy ganmol di i'r eithaf.'

''Dach chi . . . 'dach chi'n ceisio 'nhwyllo i . . .'

'Fe siaradais i â Gruffydd ap Llywelyn ddoe, fy mab.'

'Naddo. Mae o 'di marw.' Peth digon bregus oedd llais Elidir erbyn hyn.

'I'r gwrthwyneb. Mae e'n fyw ac yn iach.' Credodd Gerallt iddo weld dagrau'n disgleirio yn llygaid y bardd, ond anodd oedd bod yn siŵr, ac yntau'n dal i eistedd â'i gefn at olau'r ffenestr. 'Mae'n wir, fy mab. Dwy erioed 'di dweud celwydd wrthot ti.'

'A . . . a'r creiriau? Oedd o wedi darganfod y creiriau?'

'Os oedd e, welais i mohonyn nhw.'

'Ond mi rydach chi'n *meddwl* ei fod o, yn tydach?' Gwyliodd Elidir ei wyneb yn ofalus. 'Do . . . mi aeth i'r fan, a dyna lle roedd yr esgyrn! Mi *roedd* o'n gwrando arna i'r holl amser, wedi'r cwbl!'

'Gan bwyll, ddyn! Dydw i ddim yn deall o hyd sut wnest ti ddysgu am y creiriau yn y lle cyntaf.'

'Dwi 'di deud yn barod.' Neidiodd i lawr o'i sedd a dechrau camu ar hyd y gell fach. 'Dwedwch wrtha i am Gruffydd! Lle mae o rŵan? Beth am y lleill? Sut ddaru nhw ddianc o'r llong? Be' wnaethon nhw efo'r creiriau?'

'Ti'n mynnu o hyd i ti gael gweledigaeth, Elidir?'

'Be' 'di'r ots am hynny, os ydi Gruffydd 'di cael y creiriau?'

'Wyt ti'n dal i ddweud i ti gael gweledigaeth?'

'Yndw, gan mai dyna ydi'r gwir!'

Cymerodd Gerallt gam diamynedd tuag ato, gan gyfeirio bys at y gadair ger y bwrdd. 'Eistedda, Elidir.'

'Ond cadair yr Esgob ydi honna . . .'

''Stedda! Rydw i eisiau clywed holl hanes y weledigaeth 'ma.'

Pennod 23

'Sut un yw'r Esgob, 'te?' Eisteddodd Nevern yn hamddenol ar y fainc, yn ymgyfarwyddo'n gyflym â thywyllwch mwll ystafell y gwarchodlu. Yr oedd wedi hebrwng Gerallt i'r castell, ac yn disgwyl hebrwng yr Esgob yn ôl i Ddyddewi, ond am heno gallai fod yn esmwyth ei feddwl. Cyfrifoldeb capten milwyr Llawhaden oedd diogelu'r archddiacon a'r Esgob fel ei gilydd, tra bônt yn y castell.

'Pwy a ŵyr?' atebodd y capten hwnnw'n feddylgar, gan ddal i gnoi gweddillion olaf y pryd o fara a chig mollt yr oeddynt wedi'i rannu. Roedd Nevern wedi gorffen bwyta ers meitin, ac wedi mynd am dro o gwmpas y gwrthgloddiau yn y cyfamser, ond un araf iawn ei ffyrdd oedd capten Llawhaden. Bwyta'n araf, symud yn araf, siarad yn araf, nes y teimlai Nevern fod ei fywyd yn llithro o'i afael, a bod angen ysgwyd y geiriau allan ohono cyn y disgynnai henaint arnynt ill dau.

'Ti ddim 'di clywed rhywbeth gan y criw oedd 'da fe ar y daith?'

'Dyw e ddim yn arfer siarad 'da ni'r milwyr. Y cwbl 'wy'n gwybod yw ei fod e am gychwyn am Ddyddewi peth cynta bore 'fory.'

'Ddim yn gyfforddus mewn castell, ie fe? Un o'r rheiny . . .' Ie, un o'r rheiny oedd yn esgus eu bod yn casáu moethusrwydd, ac eto'n gwrthod byw mewn hen gastell pren fel Tyddewi neu Lawhaden. Er bod Llawhaden â'i dŵr o gerrig a'i ffosydd dyfnion yn gryfach o lawer na Thyddewi. Ychwanegodd Nevern wedyn, ''Wy'n amau a fydd Tyddewi'n well 'da fe, pan weliff e'r lle!'

''S neb wedi dechre adfer yr hen le, 'te?'

'Maen nhw'n ddigon hapus gadael y castell i fynd yn rhacs. Roedd hi'n well 'da'r hen esgob fyw yn y llys. Agosach i'r brifeglwys, ontefe.'

'Synnwn i fawr na fydd hwnna . . .' a chwifiodd y capten ei law tuag at y drws, a thua'r tŵr lle roedd yr Esgob yn gorffwys, '. . . am 'neud yr un peth. Welwn ni mo'r castell yn cael ei dwtio. Fe fydd pawb yn symud i'r llys, gei di weld, a chodi neuaddau a solarau a phob math o ddwli.'

'A'r cwbl yn amhosib i'w amddiffyn,' ychwanegodd Nevern.

'Yn gwmws.' Seliodd y capten y cydfod rhyngddynt â llynciad eto o fedd, cyn ail-lenwi'r ddau gwpan. Disgynnodd tawelwch cyfforddus.

133

Daeth milwr ifanc i mewn yn y man, a'i arfwisg yn rhy fawr iddo; cochodd ei wyneb wrth weld ei fod wedi torri ar swper ei gapten a'i westai. Aeth allan yn wysg ei gefn, a'r ddau hŷn yn cyfnewid gwên wrth ddyfalu beth oedd y crwt ei eisiau.

'Wedi dod i roi'r larwm bod y Cymry 'di ymosod ar y castell,' cynigiodd capten Llawhaden. 'Ond yn rhy swil i weud.'

'Ti'n meddwl bod 'na beryg o hynny?'

'Oes. Mae 'na beryg.'

'Wyt ti 'di clywed rhywbeth ynglŷn ag arglwyddi'r De?'

'Maen nhw'n hawlio'r tiroedd 'ma ers blynyddoedd. A doedd fawr o gariad erioed rhyngddyn nhw ag esgobion Tyddewi. Yn enwedig wedi'r busnes 'na gyda'r hen Esgob de Leia . . .'

'Yr esgymuniad, ti'n meddwl? Ond fe allai pethe newid o hyn ymlaen, gan fod Iorwerth yn Gymro.'

'Gallen, gallen, mae'n siŵr. Ond wedyn . . .' Llyncodd capten Llawhaden y gweddill o'i fedd ar ei ben a chodi ar ei draed, yn barod i ailddechrau ei wyliadwriaeth. 'Falle bod y t'wysogion 'cw am gipio cymaint o diroedd yr Eglwys ag y gallan nhw, cyn i Iorwerth gyrraedd.'

''Neud y gore o'r cyfle, ie fe, tra bo 'da nhw'r esgus o ormes y Normaniaid?'

'Paid â sôn am *ormes y Normaniaid*, da ti! Fe glywes i ddigon am hynny gan y llysgennad 'na.'

'Pwy lysgennad?'

'Llysgennad Llywelyn o Wynedd, ontefe?'

'Ti'n siŵr? Oedd sêl y Tywysog 'da fe?'

'Nag oedd. Roedd lladron wedi ymosod arno fe . . . mynte fe . . .' Petrusodd, gan ddechrau amau.

'Ie. *Mynte fe.*'

'Ond roedd e'n siarad fel llysgennad . . . yn gwybod y pethe iawn i weud. Roedd e a'r Esgob yng nghegau'i gilydd am oriau. Hyd yn oed pan gyrhaeddodd yr archddiacon, fe arhosodd y cennad 'da nhw.'

'Tybed am beth roedden nhw'n siarad cyhyd . . .'

'Wn i ddim. Ond un peth—pan aeth yr Esgob i'w siambr wely i orffwys, fe arhosodd y cennad a'r archddiacon gyda'i gilydd, a siarad, a siarad. Sgwrs ddigon bywiog hefyd, yn ôl be' glywes i. Fel petaen nhw wedi 'nabod ei gilydd ers blynydde. On'd yw hynny'n 'neud i ti gredu bod y dyn *yn* llysgennad? Mae Gerallt wedi teithio dipyn o amgylch y lle, on'd yw e? Ac yn 'nabod yr holl d'wysogion yn dda, yn ôl pob sôn.'

'Yn ôl sôn Gerallt, efalle . . .'

*   *   *

I fyny yn y tŵr, roedd Elidir wedi newid ei stori unwaith eto. Rhythodd Gerallt arno'n flin, ac yn flinedig.

'Felly nid gw<weledigaeth oedd hi, wedi'r cwbl!'

Cododd y bardd ei ysgwyddau. 'Oni fyddan nhw'n deud bod Duw'n gweithredu mewn ffyrdd dirgel?'

'Dirgel dros ben, i roi geiriau yng ngheg rhyw Sais oedd yn pydru yng ngharchar Corfe, fel y caet tithau'u clywed nhw!'

Roedd Elidir wedi dechrau taeru hynny ar ôl sylweddoli na chredai Gerallt byth yn ei *weledigaeth*. 'Roedd o yno pan gyrhaeddais i . . . a minnau ar 'y mhen 'yn hun 'r adag honno. Mi wyddai ei fod ar drengi, a fi oedd yr unig un oedd yno i glywad ei hanes.'

'Ac fe ddywedodd yr hanes 'ma yn y Gymraeg, do fe?'

'Ella ei fod wedi dod o'r Mers neu rywle felly . . .' Cydiodd yn ei groes. 'Gynno fo ges i hon. Arddull Seisnigaidd sy arni, yndê?'

'Gest ti hi cyn iddo farw . . . neu wedyn?'

'Fo roddodd hi imi! Nid lleidr mohono' i!'

Nid lleidr, efallai . . . ond celwyddwr digywilydd, di-baid. 'Mae'n ddrwg gen i. Ond mae'r stori 'ma'n ddigon anodd i'w chredu, rhaid i ti gyfaddef!'

'Yndi, debyg iawn . . . i rywun heb Ffydd.'

Ochneidiodd Gerallt, yn rhy flinedig erbyn hyn i geryddu'r fath hyfdra. 'Cer ymlaen. Beth ddywedodd y dyn anffodus 'ma?'

'Mi ddwedodd ei fod wedi teithio llawer yn ei oes, ac wedi clywad ambell i hanes, ac ambell i gyfrinach. Gan 'mod i'n Gymro, mi ddewisodd siarad am Ddewi Sant. Mi adroddodd hanes y Llychlynwyr yn ymosod ar y cysegr, ac yn dwyn y greirfa gan feddwl bod trysor o aur ac arian ynddi. Mi aethon nhw â hi i'w llong, ond mi wylltiodd Duw yn eu herbyn a chodi terfysg ar y dyfroedd, ac mi fu bron iddyn nhw i gyd foddi. Ond mi gaethon nhw loches ar Ynys Dewi, a gorffwys yno. Ac mi wnaethon nhw agor y greirfa, a gweld dim byd oedd yn drysor iddyn nhw—dim byd ond esgyrn dyn. Mi dorron nhw'r greirfa a gwasgaru'r esgyrn dros y tywod ar lawr yr ogof, ac i ffwrdd â nhw eilwaith i'r weilgi.'

135

'Ac wedyn?'

'Mae'r creiriau yno o hyd, am wn i. Mi grefodd y Sais arna i i chwilio amdanyn nhw, taswn i byth yn cael y cyfle. Mi ofynnodd i mi weddïo drosto wrth wneud. Mi roedd o'n poeni am ei enaid, w'chi . . .'

'A wnest ti weddïo drosto?'

'Mi wna i, pan wela i greiriau sanctaidd Dewi Sant.'

'Beth . . . beth roeddet ti'n meddwl ei wneud â'r creiriau, pe byddet ti wedi'u cael nhw?'

'Rhoi nhw i f'Arglwydd Gruffydd ap Llywelyn, a mynd â nhw i Wynedd. Dyna oedd 'y mwriad i. Ond bellach dwi 'di sylweddoli mai yn Nhyddewi y dylen nhw fod.'

'Oherwydd i ti gredu bod Gruffydd ap Llywelyn wedi marw?' Syllodd Gerallt arno'n feddylgar. Yr oedd yn bur dywyll erbyn hyn, fel na welai ond amlinell ei ben a'i ysgwyddau o flaen hirsgwar gloywddu y ffenestr. Sylwodd fod ffaglau wedi'u gosod yn y clos islaw, a'u golau'n lleddfu dipyn ar y düwch. Dylid mynd i lawr i nôl ffagl neu gannwyll i'r gell hon . . . 'Ond rwy wedi dweud wrthot ti *nad* yw e wedi marw. Mae e'n fyw, ac ar ei ffordd adre. On'd yw hynny'n gwneud i ti ailfeddwl? Neu a wyt ti'n dal i amau fy ngair?'

'Dwi'n eich coelio chi, Meistr Gerallt. Ond be' *fedrwn* i 'neud rŵan? Mae'n rhy hwyr i mi fynd ar ôl yr esgyrn, yn tydi, a chitha 'di deud wrtha i fod Rhys Gryg a Gruffydd ill dau wedi bod yn chwilio'r ynys.'

'Beth fyddai Gruffydd yn ei wneud â'r esgyrn, Elidir? Rhaid dy fod ti'n gwybod.'

Gwenodd Elidir o glywed mor daer oedd e'n gofyn, ond fe droes ei wedd yn hiraethus wrth iddo ateb. 'Dwi *yn* gwbod, rydach chi'n iawn. Mi ddaru ni gynllunio popeth. Popeth. Roedd hynny'n llawer gwell gynnyn nhw na gwrando ar yr hen betha . . .'

'Rwy'n siŵr . . .'

'Ro'n ni'n mynd i'w rhoi nhw mewn cist o aur . . . ar elor un ai'n cael ei thynnu gan farch gwyn, neu'n cael ei chynnal ar ein hysgwyddau ni. Mi fasa pobl o bob cwr o'r wlad yn tyrru aton ni, nes ein bod ni'n cyrraedd adra mewn gorymdaith, a phawb yn gorfoleddu. Ac mi fasa hynny'n siŵr o ysgwyd f'Arglwydd Llywelyn allan o'i lesgrwydd, a'i atgoffa o'i ddyletswydd . . .'

'Pa ddyletswydd?'

'I daro yn erbyn y Normaniaid, a ninna mor gryf bellach! I daro yn

136

eu herbyn, yn lle priodi eu merched a llyfu 'sgidia eu brenin. I arwain Cymru oll, yn lle gadael i dywysogion y De ennill yr holl frwydrau a'r holl fri!'

'Rwy wastad wedi dweud bod Cymru angen un tywysog cryf . . .'

'Un tywysog, ac wedyn arwydd i bawb uno i'w ddilyn.'

'Arwydd fel creiriau Dewi?' Roedd Gerallt wedi bod yn ceisio arwain Elidir i ddatgelu mwy, ond ni wyddai bellach a oedd e'n arwain ynteu'n dilyn. Er mor rhyfeddol oedd breuddwydion rhodresgar y carcharorion, *rhaid* eu bod wedi egino o rywle. Rhaid bod rhyw gnewyllyn o wirionedd.

'*A lluman glan Dewi a ddyrchafant . . .*' meddai Elidir, wrth edrych yn ei wyneb.

'Yr *Armes Prydein . . .?*'

'*. . . i dywysaw Gwyddyl trwy lieingant. A gynhon Dulyn genhyn y safant, pan dyffont i'r gad nyt ymwadant . . .*'

Ni ddeallai Gerallt bob gair, ond serch hynny fe aethant yn syth i'w galon. I'r rhan o'i galon a fynnai gredu yn y Brenin Arthur a holl ganghennau'r Mabinogi. I'r man lle trigai'r hanesion fu'n bywiogi tudalennau ei *Hanes y Daith Trwy Gymru*. I'r man dirgel lle roedd wedi cuddio'r pethau a ddysgodd gan feirdd y tywysogion ers talwm. Ond ffyliaid a thwyllwyr oedd y beirdd, er iddynt gogio bod mor ddoeth . . .

'*Dysgogan derwyddon meint a dderfydd, o Fanaw hyd Llydaw yn eu llaw yt fydd . . .*'

Gwyddai Gerallt ei fod wedi clywed y geiriau o'r blaen, ond ymhle, tybed? Yn llys y diweddar Arglwydd Rhys o'r Deheubarth? Ynteu yn llys Rhodri ab Owain Gwynedd, Tywysog Gwynedd cyn cyfnod Llywelyn, a'r bardd Gwalchmai ap Meilyr yn canu gyda'r tannau?

'*Allmyn ar gychwyn i alltudydd, ôl wrth ôl attor ar eu hennydd, Saeson wrth angor ar fôr beunydd . . .*'

Llais Gwalchmai ydoedd, ac yntau mor llawn o ddoethineb a ffraethineb, yn batrwm o sut y dylai bardd fod. Llais Gwalchmai, a chysgod Gwalchmai oedd yn ei wynebu'r eiliad hon, fel roedd y bardd ei hun wedi'i wynebu dros y tân y diwrnod hwnnw ar Ynys Môn, mor bell, bell yn ôl. Roedd Gwalchmai wedi egluro iddo egwyddorion yr englyn a'r awdl, ac wedi rhoi rhyw fath o drefn ar ei syniadau dryslyd ynglŷn â chwedlau Arthur, a hyd yn oed wedi adrodd *Trioedd Ynys Prydein* iddo. Cofiodd yn dda gymaint fu dirmyg y bardd pan geisiodd gofnodi'r *Trioedd* ar femrwn, ond nid oedd wedi esbonio pam, ac nid oedd wedi esbonio eu gwir ystyr chwaith. Roedd Gwalchmai wedi celu llawer mwy nag yr oedd wedi'i ddatgelu.

'Iolwn i Ri a grewys nef ac elfydd
Boet tywysog Dewi i'n cynifwyr
Yn yr ing Gelli Caer a'm Duw ysydd
Ny threinc, ny ddieinc, nyt arddispydd
Ny wyw, ny wellyg, ny phlyg, ny chryd.'

Erbyn y diwedd, roedd Gerallt wedi ymuno'n ddiarwybod â'r adrodd.

'Ro'n i wastad yn amau,' meddai'r llais isel, eglur, 'mai un ohonon ni oeddach chi'n eich calon.'

Ni fyddai Gwalchmai byth, byth wedi dweud bod Gerallt yn *un ohonon ni* . . .

'Rydach chi'n gwbod yr *Armes Prydein* . . . pam felly rydach chi'n esgus eich bod chi'n ein casáu ni'r beirdd?'

Llais mor debyg i lais Gwalchmai—ond erbyn meddwl, digon posibl bod Elidir wedi cael Gwalchmai fel athro, pan fu'n dysgu crefft y beirdd. Teimlai Gerallt don annisgwyl, afresymol o genfigen tuag ato.

'Pan oeddwn i'n ifanc, Elidir, fe freuddwydiais innau am ddarganfod creiriau Dewi Sant . . .' Siaradai Gerallt i'r tywyllwch. Roedd wedi anghofio holl ddichell Elidir. Roedd yn amhosibl gweld, erbyn hyn, y dyn ifanc oedd wedi achosi cymaint o drybini. Dim ond y llais swynol, gogleddol, a swniai yn awr, nid fel llais crwt haerllug ond fel llais un oedd wedi profi cymaint â Gerallt, ac un oedd yn medru deall . . . 'Roeddwn i erioed yn credu fod y creiriau i'w cael yn rhywle. Ni allai Duw fod wedi gadael iddyn nhw gael eu dinistrio. Roedden nhw—maen nhw—wedi'u cuddio'n rhywle. A finnau'n meddwl y byddai Duw'n datgelu'r lle pan ddeuai'r amser iawn . . . neu pan ddeuai'r dyn iawn i chwilio amdanyn nhw. Rwy'n cofio gweddïo'n gyson yn y fan lle ganwyd e, yng nghapel y Santes Non. Fe erfyniais ar ei fam i edrych i lawr arna i, a rhoi ei chymorth i fi yn enw ei mab ac yn enw Duw . . .'

'A . . . a dim ateb?'

138

'Roeddwn i'n disgwyl ateb eglur. Roeddwn i'n ifanc pryd hynny, ac yn disgwyl ateb. Ateb wedi'i lefaru'n uchel, neu wedi'i ysgrifennu ar y garreg. Ond na . . . ches i ddim ateb.'

'Tan heddiw, yndê?'

'Sut alla i dy gredu di, Elidir?'

'Sut allwch chi beidio?'

'Os . . . os wyt ti wedi dweud y gwir . . .' Cryfhaodd llais Gerallt yn sydyn. 'Rhaid i'r creiriau ddod yn ôl i Dyddewi, ti'n deall? Fydd mynd â nhw i Wynedd yn ddim lles i neb. Fe fyddai pobl y De'n gandryll, yn cwyno bod pobl Gwynedd wedi dwyn eu sant nhw—a dyna'r peth olaf rydych chi eisiau, os ydych chi am uno Cymru! Na, rhaid i'r creiriau ddod i Dyddewi . . . wedyn fe fydd hi'n amlwg i bawb mai Duw sy wedi eu rhoi'n ôl, ac fe gaiff pob un Cymro orfoleddu oherwydd y wyrth.'

'Y wyrth?'

'Gwyrth fyddai'r peth, pa ffordd bynnag y byddai'r creiriau'n dod adre. Hyd yn oed petai rhywun yn gorfod eu dwyn nhw oddi ar fab tywysog.'

Nid atebodd Elidir, ond roedd ei dawelwch anarferol yn ddigon o arwydd ei fod wedi deall. Gwyddai Gerallt fod Elidir yn ddigon craff i weld beth oedd angen ei wneud, ac yn ddigon selog i weithredu. 'Ti'n deall, fy mab . . . on'd wyt?'

Tawelwch eto. Gwelodd Gerallt y bardd yn troi i edrych trwy'r ffenestr. Aeth yntau i sefyll yn ei ymyl, wedi synhwyro iddo weld rhywbeth y tu allan. Rhywbeth oedd yn fwy cyffrous i ddyn ifanc na thrafod esgyrn y meirw . . . hyd yn oed esgyrn sant.

Edrychodd y ddau dros gloddiau'r castell, dros y ffos ddofn, dros y bryniau a hunai mor llonydd o dan oleuni oer y lleuad.

'Ylwch . . . i lawr ger y ffos.'

'Rwy'n methu gweld dim . . .' Melltithiodd ei lygaid hen, a cheisio gweld mwy, ond roedd y ffaglau mor llachar . . . Yna fe sylweddolodd. Roedd digon o ffaglau y tu mewn i'r clos, fel y disgwylid. Ond roedd ambell un y tu allan hefyd, rhai'n llonydd, rhai'n symud yma ac acw, a rhai'n pefrio o'r coed a'r llwyni fel sêr y nen.

'Ble mae'r Esgob?'

Safai Nevern yn y drws gan anadlu'n drwm ar ôl rhedeg i fyny'r grisiau. Deuai aroglau chwys a mwg i'w ganlyn, ond nid y rheiny a barodd i Gerallt syllu mor syn arno. Roedd y Nevern prudd, tawel o Dyddewi wedi'i drawsnewid i fod yn ddyn llawn egni a brwdfrydedd. Bron i Gerallt amau ei fod yn *mwynhau* . . . neu o leiaf yn mwynhau'r *esgus* o fod yn anghwrtais wrth archddiacon.

'Yn ei gell, uwch ein pennau,' atebodd yn oerllyd. 'Fel y dylet ti wybod.'

'Gwell iddo aros fan 'na. A chi'ch dou . . . peidiwch â symud o'r stafell 'ma.'

'Mae gen i hawl i fynd lle y mynnaf!' meddai Elidir, yn rhy fuan ac yn rhy uchel.

Edrychodd Nevern yn graff arno, gan feddwl bod y 'llysgennad' hwn yn swnio'n debycach i ffoadur. 'Er dy les dy hunan, gwell i ti aros yn y tŵr. Fe fydd hi'n beryg i ti y tu fas—anodd dweud pwy sy'n elyn a phwy sy'n ffrind, gyda'r holl fwg ag ati . . .'

Cymerodd Elidir fod y capten yn ei fygwth, ond safodd Gerallt yn ddi-oed rhwng y ddau. 'Ffrind sy gyda ni fan hyn, Nevern. Fe gei di gymryd fy ngair.'

Daliodd Nevern i syllu'n hyll ar y bardd, a Gerallt yn ceisio meddwl am ryw ddull o gael gwared ohono. 'Y . . . ydy hi'n wir fod y castell yn llosgi, capten?'

'Rŷn ni'n diffodd y fflame cyn gynted ag y maen nhw'n dechre. Cyn hir bydd y gelyn yn sylweddoli eu bod nhw'n gwastraffu eu hamser yn saethu at y toe . . .'

'Ond fe fyddan nhw'n siŵr o ymosod ar y clwydi wedyn!'

'Fe fyddwn ninne'n barod.'

'Wyt ti'n gwybod pwy ydyn nhw eto?'

'Cymry'r De, yn ôl y ffordd maen nhw'n saethu.'

'Nid gwŷr Llywelyn, felly?'

'Dyw hynny ddim yn profi nad yw'ch ffrind chi o'u plaid nhw. Mae pawb yn gwybod bod tywysogion y De wedi gofyn i Llywelyn am ei gymorth yn erbyn y Normaniaid.' Ond doedd gan Nevern ddim amser i boeni ynghylch un dyn, gydag ugeiniau ohonyn nhw'n ymgasglu y tu allan i ffosydd y castell. 'Edrychwch ar ôl yr Esgob, Meistr Gerallt. Ac fel y dywedes i, gofalwch eich bod chi i gyd yn aros yn y tŵr 'ma.'

'Ac os llosgith y tŵr, beth wedyn?' gofynnodd Elidir, yn hynod o resymol.

Edrychodd Nevern arno fel petai am ei dagu—ond doedd ganddo mo'r amser.

'Rhowch y bar ar y drws wedi i mi fynd, Meistr Gerallt.'

'Mi ddylai hwnna fynd ymhell yn y byd—byd y Normaniaid!' meddai Elidir, wedi i Nevern glepian y drws ar ei ôl.

'Roedd ganddo le i'th amau di.'

'Oedd, siŵr o fod. Cymro ydw i, a Chymry sy'n ymosod ar y castell. Digon amlwg fod yr holl fai arna i . . .'

'Cymro yw Nevern hefyd!'

'O, ia, 'na chi enw Cymraeg go iawn!'

'Nevern yw'r pentref lle ganwyd ef—neu Nanhyfer, yn y Gymraeg. Fe ddechreuodd ddefnyddio'r enw pan fuodd e ym Mhalestina, yn ymladd yn y Groesgad. Ac am ei olwg e . . . maen nhw'n dweud iddo ddisgyn o ryw Lychlynwr a ddaeth yma i ysbeilio dros ganrif yn ôl. Dyna ble cafodd e'r llygaid gleision 'na.'

'Mae gan 'y mrawd 'yn hun lygaid gleision,' meddai Elidir gydag urddas. 'Sôn am *agwedd* o'n i, nid gwaed.'

Ni roes Gerallt ateb, ac fe aeth Elidir at y ffenestr eto. Tawodd yntau o weld y fflamau'n gafael yn nho'r stabl, a'r saethau tanllyd yn hollti'r nos fel sêr gwib. Wedi gwylio'n fud am ychydig, fe droes at Gerallt eto. 'Mi roedd eich cyfaill yn gor-ddeud dipyn, yn doedd, ynglŷn â chadw'r tân dan reolaeth?'

'Efallai nad oedd e'n gor-ddweud ynglŷn â ti.'

'Beth?'

'Does fawr o ofn arnat ti, yn nag oes? Dwyt ti ddim hyd yn oed yn cymryd arnat dy fod ti'n poeni am y diawliaid 'na sy'n ymosod ar gastell Duw.'

'Castell Normanaidd ydi hwn, fath â holl gestyll yr Esgob.'

'A beth am yr Esgob ei hun? Wyt ti eisiau ei weld e'n cael ei ladd?'

'Nac 'dw, siŵr Dduw! Ond pwy sy'n mynd i'w ladd o? A chitha 'run modd, am wn i. Fydd neb yn gneud niwed i eglwyswyr, yn na fydd? Ac mi fydda inna'n iawn hefyd, gan 'mod i'n llysgennad i f'Arglwydd Llywelyn.'

'*Os* bydd gwŷr y De yn dy gredu di . . . ac os ydyn nhw'n parchu Llywelyn gymaint â rwyt ti'n ei obeithio!' Syllodd Gerallt ar y drws caeedig am eiliad. Roedd wedi anghofio rhoi'r bar yn ei le, a bellach clywodd sŵn traed ar y grisiau. Doedd dim amser i wneud dim . . . ond fe aeth y sŵn heibio, tuag at y gell uwchben lle roedd yr Esgob wedi mynd i orffwys. Tybed a oedd yn dal i orffwys?

'Gawn ni weld,' meddai Elidir. 'Rydan ni i gyd yn nwylo Duw bellach, yn tydan?'

Gwylltiodd Gerallt yn erbyn y bardd â'i holl ffyrdd gor-ramantus, ffug-grefyddol. 'Digon posibl y byddwn ni i gyd yn nwylo Iarll Penfro!'

'Yr Iarll?'

'Ie. Edrych ar y fflamau tu allan! Fe fydd rhywun yn siŵr o sylwi ar y golau, a mynd i un o gestyll yr Iarll i nôl milwyr . . .'

'Pam y dylen nhw?'

'Pam? Am fod pawb yn yr ardal hon yn disgwyl i'r Cymry ymosod, ac yn disgwyl i'r Iarll eu hamddiffyn nhw! Ie, synnwn i fawr na fydd milwyr Penfro yn cyrraedd ymhen . . . o . . . dwy neu dair awr.'

Ar hynny, gadawodd Gerallt Elidir i fyfyrio ar hynt a helynt rhyfel, a mynd i weld beth oedd wedi achosi'r twrw ar y grisiau.

Prin yr oedd wedi agor y drws pan ruthrodd tri milwr heibio â llond eu breichiau o danwydd. Daeth un arall gyda ffagl, a llwyddodd Gerallt i'w ddal am eiliad.

'Beth sy'n mynd ymlaen?'

'Rŷn ni'n gosod coelcerth ar y to. Arwydd i alw am gymorth.'

'Cymorth o Benfro?'

Chafodd Gerallt ddim ateb, a'r dyn yn brysio i ddilyn ei gymrodyr i fyny'r grisiau. Clywodd ddrws y to'n agor, a thraed yn syflyd uwch ei ben. Wedyn drws arall yn agor, yn nes ato, a sŵn camau petrus wrth i'r Esgob fentro o'i siambr.

'Beth sy'n digwydd, Meistr Gerallt?'

'Eich milwyr chi'n cael eu profi, Eich Gras.'

'Beth?'

'Rhywun yn ymosod ar y castell. Glywsoch chi mo'r twrw o'r tu allan?'

'Ro'n i'n meddwl . . . ro'n i'n gobeithio taw sŵn y garsiwn yn ymarfer oedd e.' Rhwbiodd ei lygaid yn egnïol. Ceisiodd Gerallt ddyfalu ai dileu effaith cwsg ynteu dileu dagrau ydoedd.

'Nage, Eich Gras. Mae'n debyg mai Cymry'r De sy'n gyfrifol.'

'Ond . . . ond rhaid nad ydyn nhw'n gwybod 'mod i yma. Allen nhw ddim bod mor annuwiol â bygwth Esgob Tyddewi.'

'Dwy ddim yn meddwl y bydd 'na unrhyw berygl i chi'ch hun . . .'

'Ond efallai eu bod nhw am 'yn herwgipio i am ryw reswm diawledig!'

'Nage, Eich Gras, rwy'n siŵr does dim perygl o hynny . . .'

'Y dyn 'na! Yr un a hawliodd ei fod e'n gennad i Llywelyn! Fe anfonwyd e i ysbïo ble roeddwn i, a nawr mae ei gyfeillion wedi dod i 'nghipio i!'

'Chi'n poeni am Elidir?' Chwarddodd yr archddiacon am ben y syniad. Troes i fynd yn ei ôl i'r gell lle roedd wedi gadael y bardd, a rhoi arwydd i Iorwerth ei ddilyn. 'Fe adewais i fe yma eiliad yn ôl, yn edrych trwy'r ffenestr yr un mor ofnus â . . . a ninnau.'

Hyd yn oed i Gerallt ei hun, roedd adlais ei eiriau o amgylch y grisiau yn hollol ffug. Pan agorodd ddrws y gell, ni synnodd ei gweld yn wag.

* * *

Gorweddai Elidir yng ngwaelod y ffos, heb feiddio symud, a dim awydd o gwbl cael gwybod ai clwyfau ynteu dim ond cleisiau a gafodd wrth lithro i lawr yr allt serth. Clywodd dwrw'r ymladd uwchben—trawiad cleddyf ar gleddyf, a hisian saethau trwy'r awyr. Gwyddai fod rhai o wŷr y De wedi croesi amddiffyniadau'r castell erbyn hyn. Roedd wedi gweld sawl un yn brwydro â'r gwarchodlu wrth iddo sleifio o'r tŵr. Doedd neb wedi codi llaw i'w rwystro. Efallai nad oedd neb wedi'i weld, neu bod neb yn hidio am ddyn yn dianc o'r castell, gyda chynifer yn ceisio dod i mewn.

Gwelodd symudiad ymhellach ar hyd y ffos—tri o ddynion wrthi'n rhoi ysgol wrth ochr y clawdd, yn barod i ddringo i fyny i ymuno â'r frwydr. Safodd yn araf a mynd tuag atynt, yn ei gwman rhag tynnu sylw'r saethwyr ar y ddwy ochr uwchben.

Sylwodd y tri arno ar yr un pryd. Gadawsant i'r ysgol syrthio i lawr, a rhedeg tuag ato â'u cleddyfau'n noeth. Cododd ei ddwylo i ddangos eu bod yn wag, a chymryd cam yn ei ôl wrth gofio ei fod yn dal yn gwisgo crys marchog Normanaidd. 'Cymro!'

'Be'?' Gafaelodd yr hynaf o'r deheuwyr yn ysgwydd ei grys ag un

llaw, gan ddefnyddio'r llaw arall i ddal blaen cleddyf wrth ei wddf.
'So ti'n un ohonon ni . . .'

'Mi ddes i o'r castell, yn do?'

Syllodd y dyn arno, heb lacio ei afael. 'Crwt o'r gogledd sy 'da ni, myn uffach i!'

'Isio'ch rhybuddio chi ydw i . . .'

Chwarddodd y ddau filwr arall, ond fe dynnodd y cyntaf ei gleddyf yn ei ôl er mwyn gadael i Elidir siarad yn rhwyddach. 'Wel?'

'Mae esgob newydd Tyddewi yn y castell, a Chymro ydi o, ac os ceith o niwed . . .'

'Be' chi'n 'wneud lawr fan 'na?' Daeth y llais persain, eglur, fel petai o'r nefoedd uwchben. Gwelsant farchog yn ffrwyno'i geffyl wrth edrych i lawr arnynt. 'Pwy yw hwn?'

'Un o'r Gogledd, f'Arglwydd. Mae'n gweud bod neges 'da fe.'

'Dere mas o fan 'na, 'te,' meddai'n awdurdodol, gan gyfarch Elidir ei hun.

Gollyngodd y milwyr ef, a symud eu hysgol i ochr allanol y ffos yn ôl gorchymyn eu harglwydd.

Erbyn i Elidir ddringo allan roedd y marchog wedi diflannu, ond fe'i gwelodd yn y man yn dychwelyd ar garlam o gyfeiriad y clwydi. Ni ddaeth yn agos at y ffos, ond aros ger y coed nes y rhedodd Elidir ato, gan sylweddoli o'r diwedd nad doeth oedd loetran o fewn cyrraedd yr holl saethwyr.

'Wel, beth yw'r neges?' gofynnodd yn ddiamynedd.

Syllai Elidir yn betrus ar y marchog, neu'n hytrach ar ei geffyl enfawr, a hwnnw'n crychneidio a'i lygaid yn wyllt. Y fflamau o'r castell oedd yn ei boeni, debyg iawn, a'r saethau oedd yn dal i ehedeg o gwmpas . . . rhai ohonynt braidd yn agos hefyd . . .

'Siapia, ddyn! Wyt ti wedi dod o'r castell?'

'Do . . . do, f'Arglwydd . . .' Ystyriodd Elidir agwedd y milwyr tuag at y dyn hwn. Ac wrth iddo edrych i fyny ar ei wyneb, fe gofiodd yr holl straeon am arglwyddi'r De. Oni ddywedwyd fod y brodyr Rhys ac Owain ap Gruffydd, neiaint Rhys Gryg, yn drawiadol iawn eu golwg . . . yn union fel y dyn o'i flaen? Dim ond llanc oedd Owain, yn iau nag Elidir ei hun, ond gallai Rhys fod yr un oedran â hwn. Doedd dim ots. Pwy bynnag ydoedd, y fo oedd yn arwain y fyddin. 'Mi ddes i i'ch rhybuddio chi. Rydach chi'n gneud andros o gamgymeriad, ymosod ar gastell yr Esgob.'

144

'Fe allwn i roi dadl i ti ar bwy biau'r castell hwn,' meddai, gan ddisgyn oddi ar ei geffyl. Cydiodd yn dynn yn yr awenau wrth ei arwain ymhellach i gysgod y coed, ac Elidir yn hanner-rhedeg wrth eu dilyn.

'Ond 'dach chi'n peryglu bywyd yr Esgob Iorwerth ei hun—y Cymro cyntaf i fod yn esgob ers canrif!'

'Taw! Does neb am wneud niwed iddo *fe*.'

''Dach chi'n llosgi ei gastell oddi tano, 'neno'r Tad! Tydach chi ddim yn sylweddoli ei fod o'ch plaid chi? Neu mi allai fod, tasa fo'n cael y llonydd i ddechra'i alwedigaeth! A dyma chi'n ceisio'i ladd o . . . neu'i droi o'n elyn i chi, pan allai fod yn gymaint o gymorth i chi.'

'Beth sydd a wnelo ti ag Esgob Tyddewi?' Safodd a syllu arno, er mor wan oedd golau'r lleuad trwy'r canghennau. Roedd ei geffyl wedi ymlonyddu, fel y gallai roi'i holl sylw i Elidir. Dychrynodd hwnnw wrth sylweddoli gwir faint ei orchwyl.

'Pererin ydw i . . .'

'Ac eto'n meiddio dod ata i?'

'Roedd rhaid i rywun ddŵad. Wyddoch chi fod Gerallt Gymro yn y castell hefyd?'

'Ti'n mynd i ddweud taw Gerallt sy wedi dy anfon di, wyt?'

'Mae . . . mae o isio heddwch, w'chi, a dydi o ddim isio gweld yr esgob newydd yn dioddef . . .'

'Fe ddylwn i fod wedi dyfalu. Wastad yn gwthio'i drwyn i fusnes pawb . . .'

'Mae rhywbeth arall, f'Arglwydd. Rhywbeth na ddylwn i mo'i ddatgelu hyd yn oed i chi, ac eto 'dach chi'n haeddu gwybod, decini . . .'

'Wel?'

'Mi glywais i . . . mi glywais ddeud fod yr Esgob Iorwerth yn mynd i osod creiriau Dewi Sant yn ôl ar brif allor Cadeirlan Tyddewi.'

'Creiriau Dewi? Maen nhw ar goll . . . ar goll am byth,' meddai'n fyfyrgar, cyn y tynnwyd ei sylw gan un o'i wŷr yn dod drwy'r prysgwydd.

'F'Arglwydd . . . dyna chi . . . o'n i'n ofni . . .'

'Pa newydd, Cynwrig?' gofynnodd yn swta.

'Rŷn ni ar dorri'r clwydi.'

145

'O'r gorau . . . ond aros eiliad,' meddai, gan edrych eto ar Elidir. Gwyddai hwnnw mai hwn oedd ei gyfle olaf.

'Yn enw'r Esgob, yn enw Duw, dwi'n *gaddo* i chi fod Dewi Sant ar ei ffordd yn ôl, yn arwydd i ni i gyd. Ia, yn arwydd o gyfeillgarwch rhwng y De a'r Gogledd. Os ewch chi yn eich blaen i ddinistrio'r castell, mi fyddwch chi'n dinistrio popeth! Dwi'n erfyn arnoch chi!' Syrthiodd ar ei benliniau a chydio'n dynnach, dynnach yn ei groes nes yr argraffwyd ei llun yng nghnawd ei law.

Pan edrychodd i fyny eto, roedd y ddau wedi mynd.

Pennod 25

'Dwy'n dal ddim yn deall.' Eisteddai'r Esgob Iorwerth unwaith eto yn y gell lle roedd wedi croesawu 'cennad Llywelyn', ond roedd ei wedd yn wahanol iawn erbyn hyn. Roedd ei lygaid yn goch a'i wyneb yn llwyd, a'i wisg ysblennydd mor aflêr nes y gellid tybio ei fod wedi cysgu ynddi. Gafaelodd yn dynn yn ei gwpan gwin â'i ddwy law, ond serch hynny roedd y gwpan yn crynu cymaint nes cynhyrfu ei chynnwys fel dyfroedd Swnt Dewi mewn storm. Edrychai ar Gerallt fel yr un cadarnle o sicrwydd oedd ganddo mewn byd oedd yn chwalu o'i gwmpas. 'Ro'n i'n meddwl bod popeth ar ben arnon ni. Pam y dylen nhw roi'r gorau i'r frwydr fel 'na?'

'Dwy ddim yn gwybod, Eich Gras.'

'Efallai iddyn nhw glywed rywsut fy mod i yma, ac edifarhau . . .'

'Llechgwn! Llechgwn i gyd!' Tarodd y geiriau Ffrangeg aflafar yn galed ar eu clyw, gan chwalu llonyddwch y bore. Brasgamodd Castellydd Hwlffordd drwy'r drws agored a syrthio'n swp i'r gadair a adawyd yn wag gan Gerallt, ar ôl i hwnnw neidio ar ei draed yr eiliad yr ymddangosodd y Castellydd.

'Diolch i chi, Meistr Gerallt. Mae hi 'di bod yn noson hir.' Cipiodd gwpan Gerallt oddi ar y bwrdd, a gwenu'n foddhaus o ganfod ei fod yn hanner llawn. Llyncodd y gwin ar ei ben. 'Dyna welliant.'

'Beth ddigwyddodd, f'Arglwydd?' gofynnodd Gerallt. Yr oedd Iorwerth wedi cilio'n ôl i ddyfnderoedd ei gadair fawreddog yntau, fel llygoden fach yn cuddio mewn cornel. Pan gyrhaeddodd Castellydd Hwlffordd glwydi Llawhaden yng nghanol y noson flaenorol, fe gafodd groeso selog gan yr Esgob, ond roedd Iorwerth wedi dod dros ei ddiolchgarwch yn gyflym iawn wedi iddo siarad â'r dyn—neu'n hytrach, wrando arno—am dipyn. Roedd wedi gadael i Gerallt drafod ag ef, a'r ddau eglwyswr wedi teimlo rhyddhad mawr pan aeth y Castellydd â'i holl wŷr i 'hela'r gelyn' trwy goedwigoedd y wlad. Wedi iddynt fynd, yn orymdaith swnllyd, anghysegredig, pob un â'i ffagl i oleuo'r ffordd, roedd tawelwch perffaith wedi disgyn ar y castell. Ond ni chafodd neb fawr o gwsg. Roedd rhai wedi'u hanafu, ac yn gofyn am feddyg, ac wedyn bu gofyn rhoi'r eneiniad olaf i sawl un anffodus. Roedd yn bur amlwg i Gerallt fod Castellydd Hwlffordd, er ei gwyno, wedi cael mwy o flas ar y nos nag y cafodd ef.

'Dim arwydd ohonyn nhw, archddiacon! Dyna i chi un peth mae'r Cymry'n ei wneud yn well na neb—cymryd y goes!'

'Ond fe adawon nhw cyn i neb sylweddoli'ch bod chi ar eich ffordd,' meddai Gerallt. 'Allen nhw ddim fod wedi gwybod . . .'

'Roedden nhw'n gwybod rywsut, credwch chi fi. A dyma nhw'n rhoi'r gore iddi—a 'ngwŷr i wedi dod yr holl ffordd o Hwlffordd a chael dim sbort yn y diwedd!'

'Trueni na chyrhaeddoch chi ddwyawr ynghynt,' meddai Gerallt, gan feddwl am y nifer o warchodlu Llawhaden a fu farw.

'Ie, ie, ond dyma ni. Tro nesa, ontefe?'

'Gobeithio na fydd 'na ddim *tro nesa*.'

'O, fe fydd, peidiwch chi â phoeni am hynny. Ond fe fyddwn ni'n barod! Ac o feddwl—well i fi'ch hebrwng chi'ch dau i Dyddewi, i wneud yn siŵr na fydd y diawliaid yn ymosod arnoch chi eto.'

Daeth sŵn oedd yn agos iawn at lefain o gyfeiriad Iorwerth, ac yntau'n dal ei ben yn ei ddwylo.

'Y . . . na,' meddai Gerallt yn frysiog. 'Diolch yn fawr i chi am y cynnig, ond does dim rhaid, wir i chi. Mae gan yr Esgob ddigon o wŷr . . .'

'Doedd dim digon 'da fe neithiwr, yn nag oedd?'

'Fe . . . fe awn ni dros y môr, felly. Ie, dyna'r syniad gorau. Cael llong i lawr yr afon, wedyn ar hyd yr arfordir.'

Clywsant sŵn traed ar y grisiau, a daeth Nevern i sefyll yn y drws. Ni allai Gerallt gofio unrhyw adeg pan fu'n falchach o weld neb. 'A dyma ein capten, a fydd yn ein gwarchod ni. Sut mae pethau, Nevern?'

'Mae dou arall wedi marw.' Pwysodd yn erbyn y cilbost, fel petai'n anfodlon mentro i mewn. Daeth ei Ffrangeg, oedd yn arfer bod mor rhwydd, yn araf ac yn afrosgo. Nid oedd ei wallt yn felyn bellach, ond yn dywyll gan faw a chan y gwaed o'r clwyf bas ar ei dalcen.

Cododd Iorwerth ei ben, gan gofio iddo weddïo dros y ddau lai nag awr yn ôl. 'Mae'n ddrwg 'da fi glywed . . . bendith Duw arnyn nhw.'

'F'Arglwydd,' meddai'r capten, 'ddylech chi ddim aros yn Llawhaden eiliad yn rhagor. Mae'r clwydi a'r cloddiau wedi'u dinistrio cymaint, alla i ddim gwarantu'ch diogelwch. Rwy'n erfyn arnoch chi i gychwyn am Dyddewi cyn gynted ag y bo modd.'

'O'r gorau . . .' atebodd Iorwerth yn ufudd, wedyn codi ei lais ac ailadrodd yn benderfynol, 'O'r gorau, fe awn ni ymhen yr awr. Fe awn ni dros y môr, yn ôl eich awgrym chi, Meistr Gerallt. Fe gawn ni lanio ar y traeth, fel yr hen seintiau fu'n arfer croesi'r Môr Celtaidd.'

'Addas iawn, Eich Gras,' cytunodd yr archddiacon. 'Ac yn fwy addas fyth os gallwn ni lanio ger capel y Santes Non.'

Syllodd Iorwerth yn graff ar Gerallt, nes peri i hwnnw ofni fod yr Esgob wedi darllen ei feddyliau. Ond doedd bosibl. Doedd yna neb a allai fod wedi deall holl ystyr y geiriau hynny, heblaw Gerallt ei hun ac Elidir ab Idwal. Tybed beth oedd wedi digwydd i hwnnw?

Pennod 26

6 Gorffennaf 1216

Roedd yr Esgob Iorwerth ar ei benliniau'n gweddïo wrth i'r cwch agosáu at y lan, ond eisteddai Gerallt â'i lygaid yn agored. Syllai i fyny ar y clogwyni gerwin, glasgoch, ac ar y capel a safai'n unig yng nghanol y porfeydd uwchlaw. Mor fychan yr ymddangosai, eto mor ddewr, â'i dalcen yn wynebu'r môr fel petai'n gwarchod hynt yr holl eneidiau a hwyliai Fôr Hafren.

Bu raid i Gerallt symud o'i le wedyn, wrth i'r morwyr dynnu'r hwyl oddi ar yr hwylbren a chydio yn eu rhwyfau. Y tro nesaf iddo edrych i fyny, roeddynt wedi dod mor agos at y traeth nes bod y capel wedi diflannu o'i olwg. Dim ond y clogwyni oedd i'w gweld, yn esgyn i'r wybren ac yn cau o ddeutu'r cwch fel adain rhyw adar anferth. Ac uwchben roedd y cymylau'n tywyllu, ac yn cynnull fel milwyr i'r gad.

Gorffennodd Iorwerth ei weddïo, a thynnu ei fantell yn dynnach amdano. 'Mae hi wedi mynd yn oer.'

'Fe fydd 'na storm yn y man . . .' meddai Gerallt.

'Diolch i Dduw ein bod ni wedi cyrraedd yn ddiogel cyn iddi ddechrau!'

'Amen.' Syllodd Gerallt eto ar frig y clogwyni, lle tyfai'r mieri a'r gwyddfid yn fras. Oni welai ddyn yno, yn edrych i lawr arnynt? Ond yr eiliad nesaf ymgiliodd y dyn, os dyn ydoedd, a diflannu o'r golwg. Diflannu mor fuan nes i Gerallt amau iddo'i weld o gwbl.

* * *

Bu raid i Gerallt aros i gymryd ei wynt hanner ffordd i fyny'r llwybr serth. Roedd eisoes wedi syrthio y tu ôl i'r esgob a'i weision, a hwythau i gyd yn ddynion iau. Ond nid yn unig y dringo oedd yn poeni'r hen archddiacon. Roedd rhyw deimlad rhyfedd yn cronni y tu mewn iddo—ac nid effaith teithio ar y môr oedd hynny, chwaith.

Cymerodd rai eiliadau iddo gofio ymhle roedd e wedi teimlo fel hyn o'r blaen, ond pan ddaeth yr atgof fe ddaeth yn ysgubol. Roedd e newydd gyrraedd Rhufain, dros bymtheng mlynedd yn ôl, ac yn aros am benderfyniad y Pab ynglŷn â'i etholiad ei hun fel Esgob Tyddewi. Siom a gafodd y tro hwnnw, ac ofn siom arall oedd yn ei feddiannu wrth iddo ailgychwyn ar ôl y lleill.

Pan gyrhaeddodd ben y clogwyn fe hyrddiodd y gwynt yn ei erbyn fel rhyw fwystfil gwyllt yn ceisio ei wthio dros y dibyn. Gwelodd y lleill yn agosáu at y capel wrth i'r diferion cyntaf o law ddechrau sgleinio yn erbyn y cymylau duon.

Roedd Iorwerth yn dal i balfalu gyda chlicied drws y capel, ond fe safodd o'r neilltu pan welodd Gerallt. Estynnodd yr archddiacon ei law ac agor y drws, ac am eiliad chwithig bu'r ddau'n aros yno gan syllu ar ei gilydd. Ni feiddiodd Iorwerth hawlio'r flaenoriaeth, ac er mawr syndod i bawb, ni fynnodd Gerallt wneud hynny ychwaith. Wedyn fe glywsant Nevern yn tynnu anadl syn, pan ddaeth i edrych dros eu hysgwyddau.

Gwnaeth Iorwerth a Gerallt arwydd y Groes fel un dyn, pan welsant yr hyn a arhosai amdanynt ar allor y capel.

*   *   *

'A dyna lle roedden nhw, f'annwyl frodyr! Fe welon ni'r golau wrth i ni nesáu at y fan gysegredig, golau megis holl ogoniant y Goruchaf. A phan aethon ni i mewn i'r capel, fe welon ni'r Wyrth â'n llygaid ein hunain. Creiriau Dewi, frodyr! Creiriau ein nawddsant, wedi dychwelyd o'r diwedd, ac yn gorwedd ar allor capel y Santes Non!'

Syndod mud, nid gorfoledd, oedd ymateb brodorion Tyddewi i newyddion eu hesgob. Roedd torf wedi ymgasglu yng nghwrt y llys i'w groesawu, yn gymysgedd o bererinion, eglwyswyr y gadeirlan, gwarchodlu'r castell, pobl y dref a gwerinwyr y fro. Yr oeddynt wedi bod yn uchel eu sŵn wrth weld yr esgob newydd Cymreig, ac yn awyddus i dderbyn ei fendith. Ond nid oedd neb wedi disgwyl clywed am *wyrth*.

'Beth sy'n bod arnyn nhw?' sibrydodd Iorwerth wrth Gerallt. Roeddynt ill dau yn sefyll ar ben y grisiau cerrig o flaen drws ystafell-oedd yr esgob, ac Iorwerth wedi penderfynu y gwnâi hwn y tro fel llwyfan ar gyfer ei gyhoeddiad mawr.

'Maen nhw'n methu deall, Eich Gras.'

'Methu deall Cymraeg?'

'Nage, methu deall bod gwyrth wedi digwydd. Mae'r peth yn ormod iddyn nhw, allan nhw ddim dygymod â'r syniad. Ond wedi iddyn nhw . . .' Petrusodd Gerallt wrth iddo weld sawl un yn gadael ymylon y dorf. 'Wedi iddyn nhw weld drostyn nhw eu hunain . . . Ewch yn eich blaen, Eich Gras! Fe fyddan nhw'n mynd i'r capel a disgwyl gweld yr esgyrn yno o hyd, os nad ŷch chi'n . . .'

'Ac felly . . .' Cododd Iorwerth ei lais, a dychwelodd sylw pawb ato—nid oherwydd awdurdod y llais, tybiodd Gerallt yn genfigennus, ond oherwydd gwefr yr achlysur. 'Ac felly, fe ddaethon ni â'r creiriau sanctaidd i'r gadeirlan, a'u gosod ar y prif allor. Ac fe drefna i fod ein crefftwyr gorau'n mynd ati ar unwaith i lunio creirfa addas ar eu cyfer, a honno wedi'i gwneud o goed derw o'n tiroedd ni, ac o aur Cymreig fel sy'n deilwng i'n nawddsant ni!'

'A dyna i chi wyrth arall—mae'r Esgob Iorwerth wedi troi'n Gymro.' Daeth sibrwd cryg Nevern fel mêl i glustiau Gerallt, ac yntau wedi bod yn sefyll yn dawel iawn ar ben y drws y tu ôl iddynt. Nid oedd Nevern wedi dweud llawer ar y ffordd i Dyddewi nac wedi'r darganfyddiad mawr, ond roedd yn amlwg wedi bod yn ffurfio ei farn ei hun.

Gwenodd yr archddiacon ei ateb, a gwneud arwydd iddynt ill dau gilio i'r ystafell. Ni fynnai yr un o'r ddau wrando mwy ar yr Esgob wrth i hwnnw fynd i hwyl yr araith. Darganfu Gerallt gadair ymhlith holl anhrefn y paratoadau ar gyfer yr esgob newydd, ac eisteddodd ynddi'n ddiolchgar.

'Odych chi'n iawn, Meistr Gerallt?' gofynnodd Nevern.

'Fi? O, rwy wrth fy modd . . . rydyn ni 'di cael y fendith orau a allai unrhyw un ofyn amdani . . .'

'Ond, os ca' i ddweud, dŷch chi ddim yn edrych fel rhywun sy wedi cael bendith.'

'Os felly, dim ond gwendid hen ŵr sydd ar fai—cenfigen wrth yr ifainc!' Ceisiodd wenu, ond ni lwyddodd ond i ymddangos yn surach fyth.

'Dwy ddim yn meddwl y dyle neb genfigennu gormod wrth yr Esgob, Meistr Gerallt. Mae'n wir ei fod e'n llawenhau heddiw, ond wedi iddo gallio dipyn, falle bydd e'n edifaru.'

'Beth rwyt ti'n ei awgrymu, capten?'

'Does dim prawf, yn nag oes? Fe weles inne'r esgyrn ar yr allor, yn gorwedd blith-draphlith fel petai rhywun wedi'u taflu yno ar frys! Ac weles i ddim golau *megis holl ogoniant y Goruchaf . . .*'

'Efallai fod yr Esgob wedi gweld mwy, am fod mwy o Ffydd ganddo fe,' meddai Gerallt, a'i wyneb heb fynegi fawr ddim.

'Efalle.' Craffai Nevern arno gan gilwenu.

'Paid â dweud bod gen ti amheuon, capten . . . a tithau'n gymaint o ffefryn gydag Iorwerth ar hyn o bryd!'

'Be' amdanoch chi, Meistr Gerallt? Rŷch chi'n gwybod mwy am Ddewi Sant na neb arall . . . beth rŷch chi'n ei gredu?'

'Rydw i'n credu bod esgyrn Dewi wedi dychwelyd o'r diwedd i'w gartref. Ac rwy'n credu mai llaw Duw sy'n gyfrifol . . . yn y bôn.' Siaradai Gerallt o'i galon. Ond wrth gofio'r dyn a welodd ar ben y clogwyn, ni allai ond meddwl bod yr Iôr yn wir yn gweithio mewn ffyrdd dirgel. A rhyfeddach fyth oedd y dwylo a ddewisai Ef i gyflawni Ei ewyllys.

'O . . . dyna ti, Meistr Gerallt.' Roedd Iorwerth wedi dod i mewn o'r diwedd, yn cael ei ddilyn gan y detholedig rai o'i hen abaty yn Nhal-y-Llychau. Ac wrth eu sodlau hwythau daeth yr holl glerigwyr a fu'n gwasanaethu'r cyn-esgob yn Nhyddewi. Byddai pob un, siŵr o fod, wrthi'n gwenieithio ac yn cynffonna o fore gwyn tan nos, nes i Iorwerth ddewis ei swyddogion a'i weision pwysicaf o'u plith.

Safodd Gerallt wrth weld mor flin oedd golwg yr Esgob. 'Mae'n ddrwg iawn gen i am eich gadael chi gynnau fach, Eich Gras, ond roedd rhaid i fi gael eistedd am eiliad. Roedd y capten mor garedig â dangos y gadair 'ma i fi . . .'

'Popeth yn iawn, Meistr Gerallt . . . ac eistedda eto, ar bob cyfrif. Rwy'n deall bod yna ystafell arall sy'n fwy addas ar gyfer cynnal cyngor—trwy'r drws hwn, ie?'

'Ie, Eich Gras. Ond gaf i air bach gyda chi'n gyntaf?'

'Wel, cei. Dere drwodd, felly . . .' Ar hynny, aeth Iorwerth yn ddi-oed i'r ystafell nesaf, a Gerallt yn ei ddilyn yn syn. Roedd bwrdd yno, a hanner dwsin o gadeiriau cyfforddus, ond yr oedd mawr angen glanhau popeth. Eisteddodd y ddau.

'Beth sy'n dy boeni di, felly, Meistr Gerallt?'

'Y . . . yn gyntaf, Eich Gras, gadewch i fi ddweud pa mor falch ydw i am . . . am yr hyn sy wedi digwydd.'

'Am y *Wyrth*, ti'n meddwl?'

'Y . . . ie. Ond rwy'n teimlo y dylen ni fynd gam wrth gam . . .'

'Beth?'

'Ddylen ni ddim colli'n pennau . . .'

'Beth rwyt ti'n ei awgrymu, Meistr Gerallt? Wyt ti'n dweud *nad* ydyn ni wedi gweld gwyrth heddiw?'

'Gadewch i fi geisio esbonio, Eich Gras. Poeni am beth fydd yn digwydd nesaf ydw i. Fe fydd y newyddion yn lledu trwy Gymru gyfan . . .'

'Beth sydd o'i le ar hynny?'

'Ond meddyliwch am yr effaith! Dyw'r wyrth ddim yn mynd i droi'r Cymry'n fynaich i gyd, yw hi? Fydd hi ddim yn gwneud iddyn nhw roi'r gorau i feddwi a mercheta ac ymladd . . .'

'Ond mae'n arwydd bod Duw o'n plaid ni!'

'Ydy . . . ond onid dyna'r union beth fyddai'n atgyfnerthu arglwyddi'r De yn eu hymladd yn erbyn y Normaniaid? A synnwn i fawr na fydd y Tywysog Llywelyn hefyd yn cymryd y wyrth fel arwydd addawol, a mynd yn ei flaen i ymuno â nhw—fel y maen nhw wedi bod yn gofyn iddo wneud ers misoedd, yn ôl beth glywais i.'

'Ond . . . ond ni fyddai Duw yn cyflawni gwyrth er mwyn tanio rhyfel!'

'Na fyddai . . . a dyna pam mae'n rhaid i ni ddangos i bawb mai rhywbeth sanctaidd, ysbrydol sydd wedi digwydd heddiw. Rhywbeth sydd y tu hwnt i ymladd a gwrthryfela. Os na wnawn ni hynny, fe fydd y tywysogion yn cipio'r creiriau—neu'r syniad ohonyn nhw— allan o'n dwylo ni. A phetai hynny'n digwydd, fe fydden ni'n wynebu cerydd Archesgob Caergaint. . . . ac efallai cerydd y Pab hefyd.'

'Does wnelo'n gwyrth ni ddim byd ag Archesgob Caergaint!'

Rhyfeddodd Gerallt at ei eiriau herfeiddiol. 'Ni *ddylai* fod, Eich Gras, fel rydych chi'n 'ddweud. Ond yn anffodus, nes bydd pethau'n newid, mae'n rhaid i ni ystyried yn ddwys beth fydd ymateb Archesgob Caergaint i'n gwyrth ni. Ac fe greda i mai'r peth gorau i ni 'wneud yw anfon negesydd ato ar unwaith, a dweud wrtho fe beth sy wedi digwydd.'

'Ond beth wnaiff e wedyn?'

'Gobeithio y bydd e'n derbyn ein gwahoddiad iddo fe ddod yma fel pererin i weld y creiriau drosto fe'i hun.'

'Beth! Wyt ti'n meddwl o ddifrif y daw'r Archesgob yma?'

'Os byddwn ni'n gall, ac os byddwn ni'n gweithredu cyn i'r Cymry

154

ddal ar eu cyfle i ddwysáu'r brwydro, mae'n ddigon posibl. Ac os na ddaw, arno fe fydd y bai. Fydd hi ddim mor hawdd iddo ddweud wedyn bod y Cymry wedi dyfeisio ffug-wyrth fel arf yn eu rhyfel, yn na fydd? Ac yntau wedi gwrthod ei gyfle i ddod yma i draddodi barn arnyn nhw . . .'

Nodiodd Iorwerth ei ben yn araf. Deallai ddoethineb geiriau Gerallt, ac eto, ni fynnai i'r archddiacon feddwl ei fod yn dibynnu'n ormodol ar ei gyngor. 'Fe wna i ystyried beth rwyt ti wedi'i ddweud, Meistr Gerallt. Diolch yn fawr i ti. Ond yn awr mae 'da fi bethau eraill i'w trefnu . . . os byddi di gystal ag anfon y lleill i mewn, ar dy ffordd allan?'

Castell yr Esgob, Tyddewi
20 Awst 1215

Rhoddodd Gerallt ei ysgrifell i lawr ar y bwrdd, a gosod y tudalen olaf ar ben y pentwr. Roedd ei gampwaith diweddaraf, *Ynghylch Addysg Tywysogion*, wedi'i orffen o'r diwedd. Trueni bod y tudalennau cyntaf eisoes wedi mynd yn felyn o henaint, ond gellid ailysgrifennu'r rheiny'n ddigon hawdd. Ac wedyn byddai'r gyfrol yn barod pan ddeuai Archesgob Caergaint, fel y câi Gerallt ei chyflwyno iddo'n bersonol. Doedd dim amheuaeth na ddeuai, ym marn Gerallt. Byddai'r neges o Dyddewi'n siŵr o ennyn ei ddiddordeb, ac yntau'n chwilfrydig wrth natur. Ni fyddai'n meddwl eilwaith cyn cychwyn ar bererindod—a hynny'n gyfle perffaith iddo ddianc o helbulon Lloegr am ychydig.

Darfu myfyrdod Gerallt yn ddisymwth wrth iddo glywed y curiad byr, awdurdodol. Ni phetrusodd cyn galw ar yr ymwelydd i ddod i mewn, ac yntau bellach yn awyddus i groesawu pawb a ddeuai â newyddion, boed yn was o lys Tyddewi neu'n negesydd o Gaergaint. Ond corff cyhyrog, mantell borffor a wyneb sgwâr Iarll Penfro a welodd, gyda chryn syndod.

'Y . . . croeso i chi, f'Arglwydd.'

'Ble mae'r Esgob? Fe glywais mai ei gell e oedd hon.'

'Wel ie, digon gwir, os yw e'n digwydd bod yn y castell. Ond mae'n well ganddo dreulio ei amser yn y llys—i fyny'r cwm, ar bwys y gadeirlan . . .'

'Rwy'n gwybod ble mae llys Esgob Tyddewi, diolch yn fawr i chi.' Gwgodd yr Iarll fel petai'n beio Gerallt am ei holl drafferthion.

'Efallai y gallaf i'ch helpu chi? Mae'r Esgob yn brysur iawn, ac mae e'n arfer dibynnu arna i i rannu'r baich.'

'Diolch i chi, ond mae'n rhaid i fi siarad â'r Esgob ei hun. Mae gen i faterion pwysig i'w trafod.'

'Ynglŷn ag ymweliad yr Archesgob?'

'Chi'n gwybod am hynny?'

'Fy syniad i oedd ei wahodd yma! Mae e'n dod o'r diwedd, yw e?

Waeth i chi ddweud wrtho' i. Fe fydd rhaid rhoi croeso arbennig iddo, ac mae'n siŵr mai fi a gaiff yr anrhydedd o drefnu'r peth.'

'O'r gorau, Meistr Gerallt. Mae'r Archesgob Stephen Langton yn dod yma.' Siaradodd yr Iarll yn hynod o ffurfiol.

'Ond nid dyna'r unig reswm i chi ddod i Dyddewi, yn nage?'

'Pam rydych chi'n dweud hynny?'

Chwarddodd Gerallt yn isel. 'Dwy ddim yn gyfarwydd iawn â'r sefyllfa yn Lloegr, f'Arglwydd. Ond fe synnwn i'n fawr petai'r Archesgob Stephen Langton yn arfer galw ar Iarll Penfro i fod yn negesydd iddo! Yn wir, fe glywais sôn fod yr Archesgob wedi cael ei geryddu gan y Brenin oherwydd iddo gydymdeimlo gormod â'r gwrthryfelwyr.'

'Petawn i'n eich lle chi, Meistr Gerallt, fyddwn i ddim yn gwrando ar straeon y pererinion. Y gwir yw fod yr Archesgob yn gadarn o blaid y Brenin, ac mae'r Brenin wedi gofyn i fi ddod i Dyddewi i sicrhau bod popeth yn barod ar ei gyfer.'

'Ydych chi'n meddwl na allen ni roi croeso iddo, heb eich help chi?'

'Dwy ddim yn amau lletygarwch Tyddewi, ond mae'n rhaid i ni ystyried *diogelwch* yr Archesgob. Mae pererinion o bob math yn tyrru yma . . . a mwy ohonyn nhw nag erioed, nawr bod y creiriau wedi'u darganfod.'

'Beth sydd o'i le ar hynny? Peidiwch â dweud bod ofn pererinion ar Stephen Langton, ac yntau'n byw yng Nghaergaint!'

'Nid yw'ch pererinion chi'r un fath â phererinion Caergaint, Meistr Gerallt. Rwy'n siŵr bod yna lawer o ddynion duwiol, onest yn eu plith—ond mae yna hefyd benboethiaid sydd am ddefnyddio'ch creiriau fel arwyddlun i'r gad! Ac oes, mae ar yr Archesgob eu hofn. Dyna pam 'mod i yma.'

'A'ch milwyr gyda chi?'

'Wrth reswm. Fe fyddwn ni'n ei warchod trwy gydol ei ymweliad, os bydd yr Esgob Iorwerth yn caniatáu hynny, wrth gwrs.'

Ochneidiodd Gerallt. Er cymaint roedd Iorwerth wedi newid ers iddo ddarganfod y creiriau, doedd e ddim yn barod eto i herio ewyllys Iarll Penfro. 'Does gennym ni ddim dewis, yn nag oes?'

'Dewch, archddiacon! Peidiwch â dweud nad ydych chithau'n gweld y perygl. A hoffech chi weld yr Archesgob Langton yn cael ei ladd yn y parthau hyn?'

157

'Does 'na'r un Cymro a wnâi'r fath beth! Dim ond un archesgob sydd wedi'i lofruddio'n ddiweddar, hyd y cofia i—a'r Archesgob Thomas Becket oedd hwnnw. Ac fe laddwyd ef yn ôl gorchymyn y Brenin Harri!'

'Ond beth am yr ymosodiad ar gastell Llawhaden? Fe fu bron i'ch Esgob Iorwerth gael ei ladd yno!'

'Rydw i'n credu mai camgymeriad oedd hynny.'

'Camgymeriad! Wel, fe gewch chi ddweud os mynnwch chi 'mod i a 'ngwŷr i wedi dod i Dyddewi rhag ofn i Rhys ap Gruffydd wneud *camgymeriad* arall.'

'Ni fyddai tywysogion Cymru byth yn ymosod ar gysegr eu nawddsant!'

Ysgydwodd yr Iarll ei ben dan gilwenu, fel athro'n ceryddu plentyn araf. 'Ydych chi hefyd wedi anghofio am Rhys Gryg yn ymweld â'ch cadeirlan *ar gefn ei geffyl*?'

'Sut clywsoch chi?'

'Y mab. Anselm. Fe ddywedodd bopeth wrtho' i.'

'Rwy'n gweld . . .'

'Ac er nad oedd y mab yn gwybod fawr ddim amdano, mae'n debyg bod gennych chi westai arall ar y pryd. Mab Llywelyn.'

'Fe ddigwyddais glywed bod y bachgen yn fyw, f'Arglwydd, ac wrth gwrs roeddwn i'n falch iawn o gael rhoi gwybod i chi. Ac yn falch hefyd o roi cymorth a chyngor i'ch mab. Mae'n siŵr eich bod chi a'ch gwraig wedi bod yn poeni'n arw, ddim yn gwybod lle roedd e.'

'Oedden . . .' Craffodd yr Iarll arno, gan sylwi ar goegni ei lais. 'Ac rydyn ni'n ddiolchgar i chi am ofalu amdano.'

'Sut mae e erbyn hyn?'

'Fe gewch chi weld yn y man. Mae e yma yn Nhyddewi. Yn aros amdana i gyda'r gwŷr.'

'Ydy e'n dal i fod â chyfrifoldeb dros eich milwyr, felly?'

'Mae'n rhaid iddo ddysgu.'

'Ond ar ôl beth ddigwyddodd gyda'r gwystlon . . .'

'Fel y dywedais i, rhaid iddo ddysgu. Mae gen i bump o feibion, a phob un â'i wendidau. Does dim byd yn bod ar Anselm heblaw diffyg profiad. Trueni na alla i ddweud cymaint am y lleill.'

'Beth am yr hynaf? A aeth e i'r cyngor 'na yn Rhydychen?'

'Do . . . fe aeth e.'

'A beth ddigwyddodd?'

'Rhaid eich bod chi 'di clywed yn barod bod y cyngor yn fethiant. Mae'n debyg bod y gwrthryfelwyr wedi penderfynu cyn cyrraedd nad oedden nhw wir eisiau dygymod â'r Brenin. Yn ôl y sôn, maen nhw wedi dechrau paratoi eu cestyll at ryfel, gan gynnwys y cestyll oedd wedi bod yn nwylo'r Brenin cyn y gorfu iddo'u rhoi nhw'n ôl yn ôl amodau'r Freinlen felltigedig 'na. A dyma'r barwniaid—y sawl a *ddyfeisiodd* y Freinlen—yn gwrthod anrhydeddu eu rhan nhw o'r cytundeb . . .'

'Sut felly?'

'Yn un peth maen nhw'n gwrthod ildio Llundain i'r Brenin. Mae'r ddinas wedi dod yn bencadlys iddyn nhw erbyn hyn.'

'A . . . a ydych chi'n meddwl yr enillan nhw yn y pen draw, f'Arglwydd?'

Rhoes roch o chwerthin. 'Petawn i'n credu hynny, ydych chi'n meddwl y byddwn i'n gwastraffu f'amser fan hyn?'

Ar hynny, fe aeth yr Iarll i chwilio am Iorwerth, gan adael yr archddiacon i bendroni'n hir dros eu sgwrs.

Pennod 28

Dewisodd Gerallt gadw draw o'r llys wrth i filwyr yr Iarll a gweision yr Esgob gydweithio ar y paratoadau ar gyfer yr Archesgob. Clywai ambell gŵyn am ddynion Penfro'n holi'r pererinion yn llym, ac yn atafaelu eu harfau . . . ond pa angen i bererin ddod â'i arfau i gysegr Dewi yn y lle cyntaf? Gwyddai'r Iarll ei bethau, siŵr o fod, ac roedd gan Gerallt bethau pwysicach i feddwl amdanynt. Wrth iddo fynd trwy dudalennau *Ynghylch Addysg Tywysogion,* roedd wedi gweld sawl pwynt bach y gellid ei egluro'n well, a bellach roedd wrth ei fodd yn golygu'r gwaith.

'Glywsoch chi mohono' i'n curo?' Torrodd y llais blin ar ei astudiaeth.

'Sut . . .' Edrychodd Gerallt i fyny, a syllu'n geg-agored ar y dyn oedd wedi ymddangos ar drothwy ei gell.

'Sut wnes i lwyddo i ddod heibio i'ch holl filwyr?' Aeth y llais yn flinach byth.

'Na, na . . . ond . . .'

Gwenodd Gruffydd ap Llywelyn, fel fflach o oleuni dros wyneb oedd yn rhy ifanc i fod mor brudd. 'Mae'n dda iawn gen i'ch gweld chi eto, Meistr Gerallt.'

'Ac mae'n dda gen i dy weld dithau, fy mab, ond pam . . .'

'Pererin ydw i. On'd ydw i'n edrych fel un?' Ymestynnodd ei freichiau i ddangos pa mor barchus oedd ei wisg. Yr oedd ei grys yn llwyd, a'i fantell drwchus yn dywyllach byth ei lliw, ond roedd y ddau ddilledyn wedi'u gwneud o ddeunydd cain. Sylwodd Gerallt hefyd ar y fodrwy aur ar ei fys, ac ar y gwäeg ar ei ysgwydd. Nid oedd Gruffydd ap Llywelyn yn un o'r rheiny a gerddai at gysegr mewn carpiau.

'O, mae'n ddrwg gen i, fy mab. Eistedda, er mwyn dyn.'

Wrth wneud hynny, cymerodd Gruffydd bwrs o'i wregys a'i osod ar y bwrdd. 'Waeth i mi roi hwn i chi rŵan.'

'Beth yw e?'

'Anrheg fach . . . naci . . .' Newidiodd ei lais a'i wedd wrth iddo ddechrau adrodd yn ffurfiol. 'Offrwm ydyw i'r gadeirlan oddi wrth

Llywelyn ap Iorwerth, Tywysog Gwynedd ac Arglwydd Aberffraw. Offrwm er mwyn diolch i Dduw am Ei weithred wyrthiol, ac er mwyn mawrygu enw sanctaidd Dewi Sant. Ac er mwyn rhoi diolch i Gerallt Gymro am ei weithred yntau, pan arbedodd fywyd mab hynaf y Tywysog.'

Tynnodd Gerallt y pwrs yn nes ato, a theimlo pa mor drwm ydoedd. Byddai'n llawn o aur Cymreig, siŵr o fod, ond ni allai fod mor anghwrtais ag i'w agor o flaen llygaid Gruffydd. 'Mae dy dad yn hael dros ben. Wnei di gyfleu ein diolch iddo, a'n bendith?'

'Gwnaf.'

'Ond, os ca' i ofyn . . . pam wyt ti'n rhoi hwn i fi? Fe aiff yn syth i gronfa'r gadeirlan, wrth gwrs, ond fel arfer mae pererinion yn mynnu rhoi eu hoffrymau i'r Esgob ei hun. Pererinion o'r un radd â ti, hynny yw . . .'

'Roedd arna i eisiau rhoi fy niolch i *chi*, Meistr Gerallt, a neb arall. Mi faswn i'n garcharor o hyd, neu wedi marw, oni bai amdanoch chi.'

'Ac rydw i'n gwerthfawrogi'r ffaith dy fod ti wedi dod yr holl ffordd yma i ddweud hynny, fy mab. Ond doedd dim rhaid i ti wneud . . . a rhaid i fi gyfaddef 'mod i'n methu deall . . .'

'Methu deall sut y gall mab Llywelyn fod yn ddiolchgar?'

'Nage'n wir . . . methu deall pam wyt ti 'di dod yn dy ôl mor fuan. Oeddet ti ddim am aros gartref i fwynhau dipyn o orffwys?'

'Gwell gen i deithio yn yr awyr agored na phydru yn neuaddau Llywelyn, yn gorfod gwrando ar ei feirdd a gwenieithio efo'i uchelwyr. Ro'n i'n meddwl y base pererindod yn beth addas i mi ei wneud, gan fod arna i gymaint o ddyled i Dyddewi. Ac mi gytunodd 'Nhad. Meddwl y base pererindod yn gwneud lles i mi, yntê?' Aeth ei lais yn finiog. 'Ond nid oedd o, na minnau chwaith, yn disgwyl y base'n rhaid i mi osgoi dynion Iarll Penfro wrth ddod yma!'

'O . . . mae'n ddrwg gen i amdanyn nhw. Dim ond rhywbeth dros dro . . .'

'Does gan filwyr Iarll Penfro ddim hawl i fod yn gwarchod cadeirlan Tyddewi, waeth am ba hyd!'

'Nag oes, ond doedd yr Esgob ddim yn meiddio dweud na chân nhw ddim dod . . . paratoi er mwyn diogelu'r Archesgob mae e.'

'Yr Archesgob?'

'Ie. Mae Archesgob Caergaint ar ei ffordd. Mae e eisiau gweld y creiriau.'

'Mi ddylai ddod yn waraidd fel pererin, felly, yn lle anfon byddin i'r cysegr!'

'Syniad Iarll Penfro oedd y fyddin, mae arna i ofn. Y . . . chest ti ddim trafferth 'da nhw, gobeithio?'

Ysgydwodd Gruffydd ei ben dan wenu'n wawdlyd. 'Dwi ddim yn gymaint o ffŵl ag i roi ail gyfle i Iarll Penfro a'i fab!'

'Wyt ti wedi gweld Anselm, felly?'

'Do, ond welodd o mohono' i! Roedd cymaint o filwyr yng nghlos y gadeirlan, aethon ni ddim i mewn, ond dod yma'n syth i'ch gweld chi.'

'Rwyt ti wedi bod yn gall iawn, fy mab.'

'Dim ond deuddeg gŵr sy gen i. Dwi ddim am gyhoeddi rhyfel ar Iarll Penfro heddiw 'ma.'

'Call iawn,' meddai Gerallt eto, gan feddwl bod Gruffydd wedi newid dipyn ers ei ymweliad cyntaf â Thyddewi. Yr oedd wedi aeddfedu, wedi colli'r syniadau gwyllt yr heintiwyd ef ganddynt yng Nghastell Corfe.

'Diolch i chi, Meistr Gerallt,' meddai'n foesgar, cyn codi ar ei draed yn annisgwyl. 'Ond mi ddes i i weld y creiriau. Oes modd i ni fynd i'r gadeirlan rŵan?'

'Oes, os mynni di.' Safodd Gerallt yntau. 'Ac wedyn fe gawn ni'n dau, fy mab, fynd i'r llys. Fe fydd rhaid i fi dy gyflwyno di i'r Esgob.'

'Beth am Iarll Penfro? Oes rhaid i mi gyfarfod ag o hefyd?'

'Wel . . .' Gwenodd Gerallt wrth ddychmygu'r olygfa. 'Efallai y dylet ti gadw draw oddi wrtho fe. Fe ddylai fod yn ddigon hawdd . . . dyw'r Iarll a'r Esgob ddim yn hoff iawn o gwmni ei gilydd.'

'Mae'n dda gen i glywed. Hwyrach nad ydi'ch Esgob mor anobeithiol ag yr oeddech chi'n meddwl.'

'Wel, mae'n wir ei fod e wedi newid llawer . . .'

Siaradent am bethau felly ar y ffordd i lawr i glos y castell. Am hynt a helynt Tyddewi ers y wyrth, ac am ymweliad yr Archesgob Langton. Gallai Gruffydd ap Llywelyn fod yn gydymaith hawddgar, pe mynnai, a bellach roedd yn ymddwyn fel petai Gerallt Gymro yn gyfaill calon iddo—neu'n hytrach, o ystyried ei oedran, yn hoff ewythr.

'Wnest ti ddweud dy fod wedi gadael dy fintai yma?' gofynnodd Gerallt, wrth iddynt grwydro trwy adeiladau anniben y clos. Roedd y stablau, y ceginau a'r becws mor brysur ag erioed, ond doedd dim arwydd o'r gwŷr arfog o Wynedd. 'Ble maen nhw?'

162

'Y tu allan i'r clos, ddywedais i.'

'Fe fydden nhw wedi cael croeso yma, pe bydden nhw wedi dod i mewn.'

Cododd ei ysgwyddau. 'Roedd yn well ganddyn nhw aros y tu allan.'

Aethant drwy'r clwydi, a gweld mai dim ond hanner y fintai oedd yn sefyllian ger y ffordd. Roedd y lleill yn eistedd ar y glaswellt sych gerllaw, neu'n gorwedd i lawr, a'u ceffylau'n pori yma ac acw o'u cwmpas.

'Codwch! Ar eich traed! Dim ond am eiliad ro'n i odd'ma, a dyma chi'n gorwedd fel hychod yn y baw!'

Ni wnaeth neb fawr o ymdrech i ufuddhau i'w meistr ifanc, heblaw am un, a hwnnw'n gawr o ddyn gyda gwallt byr, coch a llygaid gleision. Cododd ef ar ei draed ac ymystwyro'n hamddenol cyn dechrau cerdded tuag atynt. Roedd ei wisg fel gwisg y lleill, gyda chrys a mantell lwyd, heb eu haddurno, ond roedd cadernid a hyder anghyffredin yn ei wedd. Âi hen graith o gornel ei lygad de dros ei foch, ond rhywsut, nid amharai ar ei olwg. Yr oedd ganddo'r math o wyneb, myfyriodd Gerallt, a ymddangosai'n anorffenedig heb graith arno.

''Dan nhw ddim yn pechu neb,' meddai'n ddi-ofn, bron yn ddiamynedd.

Er mawr syndod i Gerallt, nid ymatebodd Gruffydd i'r her yn ei lais. Troes at yr archddiacon. 'Mae Iestyn yn arwain 'y mintai i, Meistr Gerallt.'

Ymgrymodd yntau o flaen yr archddiacon, gyda mwy o barch nag yr oedd wedi'i ddangos tuag at fab Llywelyn. 'Dwi isio diolch i chi, archddiacon, am edrych ar ôl y brawd 'cw,' meddai.

'Dy frawd?'

'Ia . . . pan fuodd o ym Mhenfro, yndê?'

'Dy frawd?' gofynnodd Gerallt eto, gan fethu'n llwyr â chofio unrhyw adeg pan welodd neb yn debyg i'r cawr gwalltgoch hwn.

Rhoes Iestyn ystum â'i fawd tuag at y dynion oedd wedi bod yn segura ar y glaswellt. Yr oeddynt i gyd wedi codi ar eu heistedd erbyn hyn, pob un yn anniben braidd, heb eillio, pob un yn dangos ei flinder wedi taith hir, ac eto'n ddigon bodlon wrth orffwys yn heulwen y prynhawn. Bu'n dal i syllu arnynt mewn dryswch, nes i un ohonynt droi at ei gymydog a sibrwd rhywbeth a gwên ar ei wyneb . . . rhywbeth a wnaeth i'r llall chwerthin yn isel, euog.

'Elidir?' Adnabu'r dyn oedd wedi siarad, a rhyfeddu'r un pryd at gymaint yr oedd wedi newid. Yr oedd yr haul wedi tywyllu croen ei wyneb, ac wedi goleuo'i wallt. Ac er ei fod yn dal i edrych yn eiddil o'i gymharu â'i gymrodyr milwraidd, roedd Gerallt wedi arfer â gweld golwg llawer gwaeth ar bererinion wedi taith hir, flinedig.

'Ia,' meddai Iestyn. 'Mi ddwedodd i chi ei warchod o, pan fuodd o yn y De.'

'Y . . . mae'n ddrwg gen i, ond wnest ti ddweud bod Elidir yn frawd i ti? Brawd maeth, ie?'

'Naci'n wir. Mab Mam a Dad. Iestyn ab Idwal ab Owain ydw i.'

Prin y gallai Gerallt gredu'r peth. Iestyn â'i wallt coch a'i lygaid gleision, ac Elidir mor dywyll ei fryd . . . ac eto, efallai bod rhyw debygrwydd ynglŷn â ffurf gref yr ên, a'r ffordd yr oedd y ddau'n mynnu edrych yn syth i fyw llygaid rhywun wrth siarad. Troes i edrych eto ar Elidir er mwyn cymharu'r ddau, a gweld ei fod wedi codi ar ei draed. Cymerodd gam tuag at yr archddiacon, ond wedyn fe safodd yn stond gan frathu ei wefus. Ni welodd Gerallt pa arwydd oedd wedi'i rwystro, ond pan edrychodd ar Iestyn fe welodd fod yntau'n syllu'n llym ar ei frawd. Dyna beth rhyfedd. Ni chafodd Gerallt nac Iarll Penfro nac Esgob Tyddewi fawr o lwyddiant wrth geisio rhoi taw ar Elidir, ond dyma Iestyn yn cyflawni'r wyrth ag un edrychiad.

'Well i ni gychwyn am y gadeirlan, os 'dan ni am fynd cyn swper,' meddai Gruffydd wedyn.

'Ie . . .'

'Wnewch chi arwain y ffordd, Meistr Gerallt?'

'Gwnaf . . . y . . . ydy pawb yn dod?'

'Nac ydan,' meddai Iestyn ar ei union. 'Mae angen gorffwys ar y gwŷr. Mi gân nhw weld y creiriau bora 'fory.'

'Iestyn, mi hoffwn i . . .' meddai Elidir, gan fentro tuag atynt. 'Os ydi Meistr Gerallt yn fodlon . . .'

Cyn i Gerallt fedru agor ei geg, neidiodd Iestyn ar Elidir a'i wthio o'r neilltu. 'Dwi ddim yn fodlon! Dwi wedi dy rybuddio di nes colli'n llais, ond mae'n debyg nad ydi hynny'n ddigon i gau dy geg fawr di!'

'Beth yn y byd . . .' Syllodd Gerallt arnynt yn syfrdan.

'Dewch, Meistr Gerallt,' meddai Gruffydd. 'Mae'n bryd i ni fynd.'

'Ond beth am . . .'

'Gadewch iddyn nhw fod. Mi rydach chi'n gwybod sut mae brodyr.'

Pennod 29

'A dyma'r creiriau enwog, ia?'

Safent ill dau ger allor corff y gadeirlan, gan edrych trwy'r côr tuag at y prif allor a'r greirfa ysblennydd yn gorwedd arni. Yr oedd clwydi'r groglen wedi'u cau'n dynn heddiw, ond fe gofiodd Gerallt eu gweld yn sefyll yn gilagored, a mab Llywelyn yn mentro trwodd wedi i Rhys Gryg roi'r gorau i'w hela. Gallai fwrw amcan, o weld wyneb myfyrgar Gruffydd, ei fod yntau hefyd yn cofio'r diwrnod anfelys hwnnw.

'Addas iawn,' meddai Gruffydd, pan fethodd Gerallt â dweud dim byd yn ateb. 'Y greirfa, dwi'n meddwl.'

'Diolch i ti.'

'Eich cynllun chi oedd o?'

Nodiodd Gerallt yn wylaidd, yn lle gwastraffu amser yn esbonio cymaint fu rhan yr Esgob a'i weision yn y cynllunio.

'Ond ro'n i'n hanner gobeithio y base'r greirfa'n dal heb ei gorffen. Neu heb ei dechrau.' Gwenodd Gruffydd, wedyn, o weld golwg syn yr archddiacon. 'Ro'n i wedi meddwl hwyrach y gallech chi ddefnyddio'n harian ni ar ei chyfer.'

'Wel, fe fyddwn ni'n siŵr o feddwl am ryw ffordd arall i'w ddefnyddio . . . rhyw ffordd sydd yr un mor deilwng. Efallai yr hoffet ti drafod y peth gyda'r Esgob Iorwerth? Mae'n hen bryd i mi dy gyflwyno di iddo.'

'Beth? On'd ydw i'n cael gweld y creiriau'n gyntaf?'

'Rwyt ti eisoes wedi gweld cymaint ag sy'n weddus . . .' Roedd Gerallt yn ymwybodol iawn o sylw'r pererinion oedd o'u hamgylch, yn loetran, yn edmygu'r cerfluniau, yn sgwrsio . . . rhai'n gweddïo hyd yn oed. Ni fentrai neb yn ddigon agos i glustfeinio, ac eto byddai rhai'n siŵr o sylwi petai'r archddiacon yn meiddio mynd â lleygwr i'r seintwar.

'Gweddus? Mi ddes i'r holl ffordd yma, a'r cwbl dwi'n cael gweld ydi cist—a honno o bell!'

'Fe fyddai pethau'n wahanol pe byddet ti'n offeiriad. Neu efallai pe bydden ni'n cael rhyw fath o offeren arbennig. Ond alla i ddim mynd â ti drwodd nawr, heb unrhyw seremoni . . .'

'Ond pa werth eu cael nhw yma o gwbl, a neb yn cael eu gweld?'

'Nid 'y mhenderfyniad i oedd eu rhoi nhw mor bell i ffwrdd o sylw pawb. Mae gennym ni greiriau eraill sydd yn haws eu gweld—esgyrn Caradog Sant, er enghraifft.'

'Pwy sy'n malio blewyn am Garadog bellach? Mae pawb am weld Dewi Sant, ac mae ganddyn nhw hawl i wneud hynny! Rhodd i'r Cymry oedd y creiriau, a dyma chi'n eu cuddio nhw mewn cist!'

'Mater i Esgob Tyddewi yw esgyrn Dewi Sant, mae arna i ofn.'

'Rydach chi wedi'u gweld nhw, on'd do?'

'Do . . .'

'Ac mi fydd yr Archesgob Langton yn cael eu gweld nhw?'

'Wel, fe fydd rhaid iddo, ac yntau'n dod i draddodi barn arnyn nhw.'

'Traddodi barn, ia? A beth wnewch chi, os dywedith o eu bod nhw'n ffug?'

'Wnaiff e ddim.'

'Mor sicr â hynny, ydach chi?'

'Ydw. Mae Stephen Langton yn ŵr da, yn ŵr duwiol.'

'Ac yn Norman, sy'n cynffonna i'r Brenin John.'

'Fe glywais i . . .' Crafodd Gerallt ei ên, gan esgus penderfynu a ddylai rannu ei wybodaeth ai peidio. '. . . mai cwmni'r gwrthryfelwyr sydd orau ganddo fe'r dyddiau 'ma. Ac on'd yw dy dad yn dal o'r un plaid â nhw?'

'Doeddwn i ddim wedi ystyried hynny . . .' Syllodd Gruffydd eto trwy'r groglen. 'Ond chwarae teg iddo, os ydi o'n mynd i'n cynorthwyo ni drwy hybu enw Dewi Sant . . . *os* dyna beth wneith o. Hwyrach yr arhosa i nes iddo ddod, i mi gael gweld.'

'Mae'n siŵr y byddai dy bresenoldeb di yn . . . y . . . codi urddas yr achlysur.' Edrychodd Gerallt arno, a'i feddyliau unwaith eto'n llenwi â chwestiynau. Trôi ei wyneb ifanc yn hynod o brudd pan âi'n dawel fel hyn, a'i lygaid yn mynegi pob math o adfyd.

Dylai Gruffydd ap Llywelyn fod allan yn hela yng nghoedwigoedd Meirionnydd, neu'n ciniawa yn neuadd Aberffraw. Dylai fod yn gwrando ar feirdd, yn dysgu o'r newydd holl ddefodau llys Llywelyn, yn trafod â swyddogion y llys ac yn gwneud cyfeillion lle bynnag y gallai. Dylai fod yn canlyn merch, neu fwy nag un. Dylai fod yn gwneud rhywbeth—*unrhyw beth*—yn lle sefyll yng nghadeirlan Tyddewi yn ei wisg lwyd, yn cymryd arno ei fod yn mwynhau cwmni hen ŵr o archddiacon.

'Ai dyna pam y dest ti yma, fy mab? Oeddet ti'n gwybod bod yr Archesgob ar ei ffordd?'

Ysgydwodd ei ben. 'Mi ddes i i weld y creiriau.'

'Ai dyna pam y daeth dy gyfaill Elidir, hefyd?'

'Fedra i ddim ateb drosto fo.'

'Wnest ti ofyn iddo ddod fel rhan o'r fintai?'

''R argian, naddo! Y fo wnaeth ofyn i mi.'

'Pam?'

'Dyna beth ro'n innau eisiau'i wybod ar y pryd, ond ches i'r un ateb call. Ro'n i'n methu deall y peth. Roedd o newydd ddychwelyd adre . . .'

'A tithau hefyd.'

'Na . . . mi gyrhaeddodd Elidir ryw bythefnos ar f'ôl i.'

'Pythefnos? Ond fe adawodd Llawhaden ddim ond diwrnod neu ddau ar ôl i ti adael Tyddewi. Welaist ti mohono fe, ar y ffordd?'

'Naddo. Pam basech chi'n meddwl hynny?'

Ni feiddiodd Gerallt ateb.

'Roedd o'n gorfod cerdded, on'd oedd?' esboniodd Gruffydd yn ddiamynedd. 'Golwg y diawl oedd arno fo hefyd, pan gyrhaeddodd o, ond mi gydiodd ei fam ynddo fo'n syth a'i lusgo'n ôl i'w hen gartre. Mi fydd o'n dweud ei bod hi wedi ceisio'i besgi fo fel gŵydd at Nos Galan. Hwyrach dyna pam roedd o mor awyddus i ddod efo ni, yntê? Er mwyn dianc oddi wrthi hi?'

'Eitha tebyg. Oeddet tithau eisiau dianc hefyd?'

Chwarddodd Gruffydd, ac eto fe wyddai'r archddiacon fod ei eiriau wedi taro'n agos at y gwir. 'Beth sy gen i i ddianc oddi wrtho? Mae holl ogoniant llys Llywelyn yn aros amdana i.'

'A gwraig Llywelyn, a'i fab Dafydd. Wyt ti wedi ffraeo â nhw?'

'Pa fath o ddyn sy'n ffraeo efo plentyn bach?'

'A'r Arglwyddes Siwan?'

'Och, fyddwch chi ddim yn fodlon nes cael eich ffordd, yn na fyddwch? Iawn, ro'n i'n methu cyd-fyw efo'r ddynes 'na, ac mi dybiodd 'Nhad y base pererindod yn rhoi cyfle i mi ystyried pethau, a challio. Dyna pam y gorchmynnodd o i Iestyn 'y ngwarchod i.'

'Ydy Iestyn yn bwysig yn y llys, felly?'

'Mae o'n uchel ei fri efo 'Nhad ar hyn o bryd. Un o arwyr mawr y frwydr a fuodd pan o'n i i ffwrdd, mae'n debyg. Erbyn rŵan mae o'n hyfforddi'r hogia sydd am fod yn rhan o osgordd llys 'Nhad.'

'Ei waith o,' meddai llais newydd, 'ydi codi cymaint o ofn arnyn nhw nes eu bod nhw'n barod at bob argyfwng wedyn.'

Oedd, yr oedd un o'r pererinion wedi dod i glustfeinio o'r diwedd. Ni synnodd Gerallt o weld mai Elidir oedd e.

'Damia Iestyn,' meddai Gruffydd dan ei ddannedd. 'Methu cadw ei frawd ei hun dan reolaeth . . .'

'Pa ots, os yw Elidir yntau am weld y gadeirlan? Croeso, fy mab . . .'

'Does ganddo fo ddim hawl i dorri ar ein traws ni!'

'Mi af i, 'lly . . .' Edrychodd Elidir o'r naill i'r llall, heb ddangos na chywilydd na dicter o gael croeso mor wael gan fab Llywelyn. Os rhywbeth, yr oedd ysmaldod yn ei lais wrth iddo ymgilio wysg ei gefn. 'Mae gynnoch chi gerfluniau hynod ddiddorol ar y bwâu 'cw, Meistr Gerallt. Pob un yn wahanol, yn tydan?'

'Roeddet ti'n anghwrtais iawn!' meddai Gerallt wrth Gruffydd, ac Elidir wedi ymgolli eilwaith ymhlith y pererinion.

'Y fo oedd yn anghwrtais gyntaf.'

'Efallai. Ond mae disgwyl i dywysogion fod yn well na phawb arall, on'd oes?'

'Rydach chi'n swnio'n union fath â 'Nhad rŵan.'

'Trueni na wnest ti wrando'n well arno!'

'Dwi 'di cael llond bol ar Elidir yn cymryd mantais o'n cyfeill-garwch ni!'

'Oeddet *ti* ddim yn cymryd mantais ohono *fe*, pan fuodd e'n fardd answyddogol i ti yng Nghastell Corfe?'

'Ddaru neb ofyn iddo wneud.'

'Wyt ti'n dweud nad wyt ti'n ddiolchgar iddo?'

'Ydw, ydw, dwi'n ddiolchgar, ond oes rhaid i mi fod yn ddiolchgar iddo am weddill f'oes?'

'Dim ond ychydig wythnosau'n ôl cest ti dy ryddhau o'r carchar! Ydy Elidir wedi gofyn am lawer oddi wrthot ti ers hynny?'

'Dim ond am gael dod efo ni i Dyddewi.'

'Os felly, fe fyddwn i'n meddwl ei bod hi'n fater o anrhydedd i ti ddangos tipyn o barch tuag ato. Ac fe allwn i ddweud yr un peth ynglŷn â'i frawd Iestyn. Ac un peth arall . . .' Aeth Gerallt yn ei flaen, gan fynd i hwyl wrth sylwi bod Gruffydd heb fentro gair o'i ben. 'Rydw i wedi sylweddoli dy fod ti, a Iestyn, wedi bod yn ceisio fy rhwystro i rhag siarad ag Elidir. Felly dyna beth wna i nawr.'

'Beth? Beth amdana i?'

'Pererin wyt ti, on'd e? Gweddïa!'

*   *   *

168

Esgyrn sychion, dim mwy a dim llai. Roedd esgyrn a fu unwaith wedi'u clymu gan gnawd dyn bellach yn rhydd fel llechi llechweddau Eryri. Fel y canghennau gwyn a gludid gan afon Conwy o goedwigoedd y bryniau i draeth Deganwy. Fel carreg las y greirfa hynafol hon.

Tynnodd Elidir ei law'n ôl o'r twll yn y greirfa a sefyll draw i wneud lle i'r pererin nesaf. Er bod y mwyafrif wedi dod i weld creiriau Dewi, byddent hefyd am ymweld â thrysorau eraill y gadeirlan, ac roedd esgyrn Caradog Sant yn flaenllaw ymysg y rheiny. Byddai llawer yn gobeithio cael iachâd ganddynt, neu'n gofyn i'r sant dynnu sylw Duw at eu cwynion. Byddai rhai, fel Elidir ei hun, yn cyffwrdd â hwy o chwilfrydedd. Tybed a siomid pawb fel y siomwyd ef? Fel arfer byddai ei ddychymyg yn ddigonol i roi hud i'r pethau mwyaf cyffredin. Gallai edrych ar gigfran a gweld Bendigeidfran fab Llŷr, ac ni allai byth flasu medd heb feddwl am y gwŷr a aeth Gatraeth. Bu Caradog yn fardd, cyn troi'n sant. Fe ddylai fod yn nawddsant i bob bardd neu ddarpar-fardd, ond nid oedd Elidir wedi teimlo ias ei bresenoldeb wrth gyffwrdd â'r creiriau. Nid oedd wedi teimlo dim byd. Dim byd ond esgyrn meirwon.

Daliodd i syllu ar y pererinion. Ai ffyliaid ofergoelus oeddynt i gyd?

Gwelodd wedyn fod un ohonynt heb ymuno â'r llinell, ond yn hytrach yn sefyll ar ben yr ychydig risiau a esgynai o gorff yr eglwys at y cysegr hwn. Yr oedd yn sefyll yn y cysgodion, ac yn syllu arno. Ia, yn syllu'n ddigywilydd ar Elidir fel petai'n barnu celfyddwaith un o'r cerfluniau. Aeth ato.

'Ydach chi'n chwilio amdana i, Meistr Gerallt?'

'Ydw . . .'

'Be' sy'n bod? Tydw i ddim yn cael gweld be' sy i'w weld? Mae gen i gymaint hawl â neb i fod yma, yn does?'

'Wyt . . . oes . . . pwy sy'n dweud fel arall?'

'Chi! Eich wyneb chi!'

'Doeddwn i ddim wedi sylweddoli . . .' Nac oedd, wir. Ac ni fyddai erioed wedi disgwyl i'r bardd fod mor groendenau. 'Wrth gwrs bod gen ti hawl i weld creiriau Caradog. Ac i glywed ei hanes, os wyt ti eisiau.'

'Dwi'n gwbod ei hanes!' meddai'n llym, yna edifaru ac esbonio, 'Mi faswn i'n fardd sâl 'taswn i ddim, yn baswn?'

'Doeddwn i ddim yn bwriadu unrhyw sarhad . . .' Ni ddywedodd air yn rhagor, rhag ofn iddo bechu eto.

'Lle mae Gruffydd 'di mynd?' gofynnodd Elidir, ymhen ychydig.

'Roedd e . . . y . . . am gael amser tawel i weddïo.'

'Gwyrth eto i Dyddewi!'

Gwenodd y ddau, a rhannu eiliad o ddealltwriaeth.

'Mae . . . mae'n ddrwg gen i am Gruffydd, fy mab,' meddai Gerallt wedyn.

'Pam? Fi 'di'r un a ddyla fod yn ymddiheuro drosto, nid chi!'

'Dwyt ti ddim yn gyfrifol am y ffordd y mae e . . .'

'Ydach chi'n meddwl hynny?' Craffodd arno fel petai'n disgwyl— neu'n mynnu—barn lymach. 'Roedd o'n ifanc iawn, cofiwch . . . rhaid ein bod ni i gyd wedi dylanwadu arno, yn ystod y pedair blynedd 'na. Duw a ŵyr, mi wnaethon ni'n gorau i edrych ar ei ôl o, ond . . .'

'Nid arnat ti mae'r bai,' meddai Gerallt eto. 'Nid ti a'i gyrrodd i'r carchar.'

'Y Brenin John a geith y bai, 'lly . . . am Gruffydd, a minnau, a phopeth arall.'

Roedd golwg mor rhyfedd yn llygaid Elidir, ni wyddai Gerallt a oedd e'n cellwair ai peidio. Ond fe'i hatgoffwyd wedyn am ferch y Brenin . . .

'A wyddost ti fod Gruffydd wedi ffraeo gyda'r Arglwyddes Siwan?'

'Mae pawb yng Ngwynedd yn gwbod. Pawb yn medru eu clywad nhw hefyd, decini, efo'r holl weiddi . . . Er nad ydw i'n gwbod llawer am y peth,' ychwanegodd, wrth sylweddoli ei fod hwyrach wedi siarad yn rhy hyf am deulu ei dywysog. 'Gartra o'n i ar y pryd.'

'Oeddet ti'n hapus yno?'

'O'n, siŵr Dduw . . . pam na ddylwn i fod?'

'Wn i ddim . . . Rwy'n methu deall pam oeddet ti mor awyddus i adael, dyna'r cwbl.'

'Taswn i'n dweud *pererindod*, fasach chi ddim yn 'y nghredu i, basach?'

'Wel . . . na fyddwn. Dim nawr wedi i ti ddweud hynny.'

Gwenodd y bardd yn sydyn ac yn llydan. 'Mi ddes i er mwyn eich gweld chi.'

'Fi? Nid yr Esgob?'

'Welais i ddigon ohono *fo* yn Llawhaden, yn do?'

'Llawhaden . . . rwy'n cofio.' Syllodd Gerallt ar y bardd nes y diflannodd ei wên. 'Beth ddigwyddodd i ti, wedi i ti adael y castell?'

170

'Mi es i'n syth i ganol yr ymosodwyr . . .'

'Do? A beth wedyn?'

'Mi ddwedais i wrthyn nhw fod yr Esgob yn y castell, a deud ei fod o'n Gymro a ballu . . . a dyma nhw'n penderfynu rhoi'r gora iddi. Mi aethon nhw wedyn.'

'I Hwlffordd, yntê?'

'Hwlffordd?'

'Ie . . . fe glywais iddyn nhw fynd i Hwlffordd, ac ysbeilio'r lle tra oedd holl filwyr y dre yn Llawhaden.'

'Dwn i'm.' Nid oedd helyntion castellydd Hwlffordd o unrhyw bwys i Elidir, wrth reswm, ond rhyfeddodd Gerallt nad oedd ganddo fwy o ddiddordeb yn llwyddiannau Cymry'r De. 'Mi es i adra, yn do?'

'Do, wrth gwrs. A nawr rwyt ti wedi dod i Dyddewi . . . i 'ngweld i, ti'n dweud?'

'Ia. Dwi isio diolch i chi, Meistr Gerallt. Ac isio ymddiheuro i chi.'

'Ymddiheuro?'

'Am be' wnes i . . . am be' ddwedais i yn Llawhaden, ac ym Maenorbŷr . . . ac ym Mhenfro, am wn i. Mi roeddach chi'n hael iawn wrtha i, a minnau'n talu'n ôl 'm ond efo dichell a drwgdybiaeth. Roedd hi'n anodd arna i, cofiwch. Dwi'm mor eang 'y mhrofiad â Gruffydd. Do'n i erioed 'di cyfarfod â Norman Cymraeg o'r blaen.'

'Er bod 'na ddigon o Gymry Normanaidd o gwmpas!'

'Yn hollol—ac mi welais i un ohonyn nhw yn Llawhaden!'

'Paid â barnu'r Esgob yn rhy hallt . . . mae e wedi newid tipyn ers hynny. Diolch i'r creiriau, rwy'n siŵr.'

'Ia . . .'

'Wyt ti ddim am eu gweld nhw, fy mab? Gweld y greirfa, hynny yw . . .'

'Mi ges i gipolwg arni pan es i atoch chi a Gruffydd gynna. Ond mae'n well gen i'r hen Garadog. Adar o'r unlliw at ei gilydd, yndê?'

'Ie . . . roedd e'n fardd unwaith. A beth amdanat ti? Wyt ti wedi ailymaelodi yn yr ysgol 'na—yr un yn Neganwy roeddet ti'n sôn amdani?'

'Ches i fawr o gyfle eto. Ella mi wna i wedi mynd yn ôl . . .' Siaradai fel petai hynny'n freuddwyd bell. 'Dwi'm 'di meddwl llawer am y peth, a deud y gwir.'

Roedd hynny'n amlwg. Hyd yn oed wrth iddo gael ei atgoffa am y

171

beirdd a'u hysgol, roedd Elidir wedi dal ati i syllu ar y pererinion, a'i wyneb yn mynegi cymysgedd rhyfedd o chwerwder a hiraeth.

'Meistr Gerallt, 'dach chi 'di gweld cannoedd o greiriau, siŵr o fod . . .'

'Wel, dim cymaint â hynny!'

'Degau ohonyn nhw, 'lly?'

'Y . . . ie . . .'

'Ddaru i chi deimlo rhywbeth?'

'Wn i ddim . . . mae'n anodd esbonio . . .'

'Ddaru i chi deimlo'r un peth pan welsoch chi greiriau Dewi Sant? Neu pan ddaru chi gyffwrdd â nhw?'

'Wel, mae 'na ryw arbenigrwydd ynglŷn â chreiriau Dewi, on'd oes?'

'Oes?'

'Fe ddylet ti wybod!'

'Pam?'

'O . . . dy holl straeon di am greiriau Dewi yn uno'r Cymry . . .'

'Am grefydd dwi'n sôn rŵan,' meddai'n ddiamynedd, a'i wedd wedi newid eto nes yr ymddangosai'n debyg iawn i offeiriad ifanc, gor-frwdfrydig. Yn debyg iawn i Gerallt ei hun, yn y dyddiau pan ddadleuai â'r doethion ym Mhrifysgol Paris. Pan oedd yntau'n ifanc ac yn olygus, ac yn gwybod mai ganddo ef roedd yr holl atebion. Ie, a chyda'i holl fywyd o'i flaen. Digon o amser i wireddu ei uchelgeisiau. Digon o amser i bopeth . . .

Ond mynnodd Elidir ei holi ymhellach, heb sylwi ar hiraeth hen ŵr, neu heb hidio.

'On'd ydi esgyrn pob dyn yr un fath? Dydi sancteiddrwydd ddim yn aros yng nghorff rhywun wedi iddo farw, yn nac ydi? Onid yr enaid ydi'r peth pwysig? Atgyfodi oddi wrth y meirw a wnaeth yr Iesu . . .'

'Ie . . .' Yr oedd Gerallt wedi dechrau gwrando'n fwy astud. 'Ond fe gododd Ef yn *gorfforol*, on' do? Ac felly y gwnawn ni i gyd ar y Diwrnod Olaf.'

'Lle mae'r enaid yn trigo tan hynny, 'lly? Ydi enaid Caradog yn fan 'na?' Rhoes arwydd dirmygus tuag at y greirfa.

'Mae e yn y Nefoedd, yng nghwmni'r seintiau eraill! Ond mae corff dyn yn dal ei enaid tra bo'n fyw, ac felly mae creiriau'r seintiau'n gallu adlewyrchu eu rhinweddau wedi marwolaeth . . . a chyn yr atgyfodiad.'

172

'Be' 'dach chi'n 'feddwl, *adlewyrchu eu rhinweddau?*'

'Mae yna lawer o greiriau sy wedi cyflawni gwyrthiau, flynyddoedd—neu ganrifoedd—wedi i'r sant farw. Ac nid yn unig esgyrn . . . yma yn Nhyddewi mae gennym ni'r Bangu, y gloch fach yr oedd Dewi'n arfer ei chario. Y mae honno wedi cyflawni sawl gwyrth . . . a waeth pa mor bell y caiff hi ei chario oddi yma, fe fydd hi wastad yn dychwelyd.'

'Ia, ond mae petha tebyg yn digwydd yn y Mabinogi. A phetha rhyfeddach hefyd . . .'

'Rydyn ni'n sôn am wyrthiau! Nid rhyw hud a lledrith annuwiol!'

'Be' 'di'r gwahaniaeth yn yr achos yna? Be' sy â 'nelo cloch sy'n symud o gwmpas efo bywyd ac athroniaeth Iesu Grist?'

'Fe ddylet ti fod yn ofalus . . .'

'Cabledd, yndê?' Yr oedd wedi siarad yn isel, gydag awgrym o chwerthiniad chwerw yn ei lais. 'Mi allwn i ddeud rhywbeth wrthoch chi am wyrthiau, ac mi fasach chi'n galw hynny'n gabledd, mae'n siŵr gen i. Ond mi fasa'n dal yn wir, serch hynny. Dwi'n gwbod yn iawn be' welais i . . . gwbod be' wnes i . . .'

'Gwranda, fy mab!' Cydiodd yn ei fraich, a'i arwain ymhellach i ffwrdd o'r pererinion. 'Mae gen i eitha' syniad pam wyt ti'n siarad fel hyn. Does dim rhaid i fi wybod y cyfan—efallai ei bod hi'n well os nad ydw i'n gwybod. Ond rydw i'n siŵr o un peth. Roeddet ti'n gweithredu yn ôl ewyllys Duw.'

'Fedrwch chi ddim deud . . . 'dach chi ddim yn gwbod yn iawn be' wnes i.'

'Rwy'n gwybod digon i ddeall pam nad yw gweld y creiriau'n bwysig i ti. Rwyt ti wedi eu gweld nhw o'r blaen, on'd wyt?'

'Do.' Taniodd ei lygaid â'r un gynddaredd ag yr oedd Gerallt wedi'i gweld ynddo yn neuadd Penfro. 'A ydach chi'n dal i haeru mai gwyrth oedd hi?'

'Ydw, fy mab,' meddai'n benderfynol.

'Oes gwobr yn aros amdana i yn y Nef, 'ta?'

'Y . . . allwn i ddim dweud . . . alla i ddim . . .' Sylweddolodd fod Elidir eisiau dweud mwy—dweud y cyfan. Ond fe sylweddolodd hefyd nad oedd modd yn y byd iddo wrando rhagor, ac yntau'n archddiacon, ac yn llaw dde i Esgob Tyddewi, ac yn disgwyl croesawu Archesgob Caergaint cyn hir er mwyn ei argyhoeddi o ddilysrwydd Gwyrth Tyddewi . . .

173

'Meistr Gerallt?'

'Y . . . mae'n rhaid i fi fynd . . . rhaid i fi weld yr Esgob. Mae 'na baratoadau i'w gwneud.'

'Ond mi ga' i air efo chi'n nes ymlaen?'

'Siŵr o fod, siŵr o fod . . .'

Caiff, fe gaiff Elidir air â Gerallt eto. Ond nid gair dirgel fel hyn. Yng nghanol y fintai, neu yng nghwmni Gruffydd ap Llywelyn, y byddent yn cwrdd o hyn ymlaen. Fe wnâi Gerallt yn siŵr o hynny.

Pennod 30

Roedd Gerallt yn falch o deimlo awel felys o'r môr wrth iddo adael y gadeirlan, ac yr un mor felys ganddo oedd clywed y lleisiau Ffrengig o'i amgylch. Tybiodd fod yna fwy na'r arfer o estroniaid ymhlith y pererinion, oll wedi'u denu gan y Wyrth, siŵr o fod. Ac roedd hynny'n dda o beth hefyd. Gwnâi les i'r Cymry glywed mwy am y byd mawr y tu allan. Ac yn bersonol, yr oedd Gerallt wedi cael digon ar Gymreictod am y diwrnod.

Arafodd ei gamau wrth agosáu at yr afon a redai ar draws y clos, gan wahanu'r eglwys o'r llys. Dim ond un garreg fawr oedd y bont— carreg hynafol o'r enw Llech Lafar a oedd wedi'i chodi dros yr Alun ganrifoedd yn ôl. Rhyfedd iawn oedd gwylio milwyr Penfro, pob un mewn arfwisg drom, yn cerdded drosti mor ofalus . . .

Rhoes y gorau i'w ymdrech i groesi wrth adnabod un o'r dynion.

'Anselm!'

Gwingodd yntau.

'Rwy'n deall mai ti sy'n gyfrifol am yr holl filwyr 'ma?'

'Ie . . .' Aeth Anselm at yr archddiacon, a'i wŷr yn dal i fynd heibio ac yn casglu o amgylch drysau'r gadeirlan. 'Y . . . mae'n dda gen i'ch gweld chi eto, Meistr Gerallt.'

'Fe allet ti fod wedi 'ngweld i cyn hyn, petait ti 'di trafferthu dod i'r castell!'

'Roeddwn i'n tybio y byddech chithau'n dod i'r llys rywbryd . . .'

Edrychodd Anselm heibio i Gerallt, a phan droes yntau, fe welodd y milwyr yn dal i aros ger y drysau.

'Beth sy'n mynd ymlaen fan hyn?' gofynnodd, gan sylweddoli mor anesmwyth ac mor euog oedd golwg Anselm.

'Dim ond gwarchod y clos, fel y gorchmynnodd 'Nhad.'

'Roedd y milwyr i fod i warchod y clwydi, nid y gadeirlan ei hun!'

'Ie, wel, peth da eu bod nhw'n gwarchod y clwydi. Fel arall, fyddwn i byth wedi clywed am eich gwestai chi.'

'Beth amdano?'

'Fe wnaeth un o 'ngwŷr i ei adnabod. Pam na ddywedsoch chi wrthon ni fod mab Llywelyn yma?'

'Pam y dylwn i, er mwyn dyn?'

'Wel, roedd hyd yn oed yr Esgob yn synnu o glywed am ei ymweliad.'

'Os yw'r peth yn fusnes i ti, roeddwn i ar fy ffordd i'r llys i weld yr Esgob y funud hon, pan ges i fy rhwystro gan dy filwyr.'

'Does neb yma eisiau'ch rhwystro chi . . .'

'Dwyt ti ddim yn disgwyl i fi fynd nawr, a tithau'n amlwg ar ryw berwyl drwg!'

'Mae 'Nhad eisiau i fi siarad â'r bachgen, dyna'r cyfan.'

'Pam?'

'I ddechrau, fe hoffen ni wybod faint o wŷr sy ganddo fe.'

'Wyt ti'n meddwl ei fod wedi dod â byddin, er mwyn cipio tiroedd Penfro? Mae'n ddrwg gen i dy siomi. Dim ond dwsin sy ganddo fe.'

'A ble maen nhw?'

'Yn aros yn yr hen gastell. Roedd Gruffydd eisiau dod i weld y creiriau, felly fe ddes i ag ef a gadael y lleill ar ôl . . .' Roedd Gerallt yn ceisio dyfalu a wyddai Anselm fod Elidir hefyd yn y gadeirlan. Os oedd yr yswain yn dal dig yn erbyn Gruffydd, cymaint fwy y byddai ei atgasedd tuag at Elidir! Heblaw am hynny, ni fynnai Gerallt i neb o Benfro wybod bod y bardd wedi dianc o Faenorbŷr, ac yntau wedi taeru iddo gael ei ladd . . .

'Rwy eisiau gwybod hefyd pam mae e wedi dod yma,' meddai Anselm yn bwyllog.

'Am yr un rheswm â phob pererin arall, mae'n debyg.'

'Ŷch chi'n disgwyl i fi gredu mai cyd-ddigwyddiad yw hyn? Ninnau'n disgwyl croesawu'r Archesgob maes o law, a dyma fab Llywelyn yn dangos ei wyneb!'

'Doedd Gruffydd ddim wedi clywed am ymweliad yr Archesgob nes i fi ddweud wrtho heddiw. *Rhaid* mai cyd-ddigwyddiad yw e.'

'O, ie, dyna ddywedodd e, mae'n siŵr gen i. A chithau'n credu pob gair o'i ben—fel arfer!'

'O'r gorau. Beth wyt ti'n meddwl ei fod e eisiau yma, gan dy fod ti'n gwybod popeth amdano?'

'Rwy'n gwybod un peth—dyw mab Llywelyn ddim yn malio dim am Dduw na'i seintiau! Mae ganddo fe ryw ddrygioni mewn golwg, fe gewch chi weld . . . rhywbeth sy'n ymwneud â'r Archesgob.'

'Ti'n meddwl bod Gruffydd am wneud niwed iddo?'

'Efallai ei fod e. Neu efallai'r gwrthwyneb. Maen nhw'n dweud bod yr Archesgob yn cydymdeimlo â'r gwrthryfelwyr . . .'

176

Ni allai Gerallt ond chwerthin. 'O, rwy'n gweld y golau nawr. Mae'r Tywysog Llywelyn wedi anfon ei fab i Dyddewi er mwyn iddo gael cynghreirio ag Archesgob Caergaint!'

Gwridodd Anselm, ond fe gododd ei ên yn herfeiddiol yn erbyn coegni'r hen ŵr. 'Fe gawn ni weld. Ac yn y cyfamser 'y ngwaith i yw cadw llygad barcud ar y crwt 'cw.'

'Fe fydda *i*'n cadw llygad barcud arnoch chi'ch dau. Dwy ddim eisiau'ch gweld chi'n troi Tyddewi'n faes y gad.'

'Wel, mae yna ffordd hawdd i ddatrys y broblem—rhywbeth y gallwch *chi* ei wneud.'

'A beth yw hynny?'

'Mae mab Llywelyn wastad yn gwrando arnoch chi, on'd yw e? Dim ond i chi ei berswadio fe i adael Tyddewi.'

'Dim ond heddiw gyrhaeddon nhw!'

'Os na wnewch chi ei berswadio, Meistr Gerallt, fe fydd rhaid i *fi* geisio.'

'Chei di ddim mynd i mewn i'r eglwys, os dyna dy fwriad!'

'O'r gore. Fe wna i aros fan hyn nes daw e allan.'

Meddyliodd Gerallt am natur y ddau ogleddwr, a sylweddoli mor benderfynol oedd Anselm . . . 'Na . . . paid â gwneud hynny. Fe wna i siarad ag e fy hun, fel rwyt ti wedi gofyn.'

'Diolch i chi, Meistr Gerallt,' meddai Anselm. Safodd yn ei unfan gan edrych ar yr archddiacon yn ddisgwylgar.

'*Wedi* i ti â'th filwyr fynd o 'ngolwg i.'

Pennod 31

Roedd holl ymdrechion Gerallt wedi dwyn ffrwyth. Roedd wedi llwyddo i gael gwared o'r holl filwyr o glos y gadeirlan, ac wedi hebrwng Gruffydd ac Elidir yn ddiogel i'r castell. Wedyn, anfonodd negesydd yn ôl i'r llys i wahodd yr Esgob Iorwerth i gael ei swper yn neuadd y castell yng nghwmni mab Llywelyn a'i fintai. Yn rhyfeddol iawn, roedd Iorwerth wedi cytuno.

Ymddangosai'r Esgob yn anghysurus ymhlith y gogleddwyr, er cymaint fu ymdrechion Gerallt i roi'r breintiau priodol iddo. Fe, wrth reswm, a gafodd y brif sedd yng nghanol y bwrdd uchel. Eisteddai mab Llywelyn ar ei law dde, a Gerallt yr ochr arall iddo, ill tri yn bwyta oddi ar yr un ddysgl ac yn rhannu'r un gostrelaid o win. O'u blaenau, roedd mintai Gruffydd yn llenwi meinciau'r bwrdd hir. Eisteddai Iestyn ab Idwal wrth ben y bwrdd, yn agos at ei feistr ond ymhell o'i frawd Elidir, oedd ymhlith yr ieuengaf o'r fintai ym mhen draw'r bwrdd ger y drysau. Eu sgwrs hwy oedd y fwyaf bywiog yn y neuadd, ac roedd eu defnydd o win yr Esgob yr un mor rhwydd. Edrychai Gerallt yn eiddigus arnynt wrth wrando ar drafodaeth letchwith Iorwerth a Gruffydd.

'Rydyn ni'n ddiolchgar am dy rodd, fy mab . . .'

'Rhodd 'Nhad oedd hi. Ond diolch i chi, Eich Gras.'

'A wnei di gario ein bendith ni'n ôl iddo?'

'Gwnaf, siŵr.'

'Gobeithio bod dy dad a'i deyrnas yn ffynnu.'

'Ydyn.' Edrychodd Gruffydd ar wyneb Iorwerth gyda mwy o ddiddordeb, a'i lais yn colli ei undonedd blinedig. 'Hwyrach yr hoffech chi weld drosoch eich hun. Beth am ddod i ymweld â'r Gogledd?'

'Wel, wn i ddim . . .'

'Mae ein hesgob ni ym Mangor yn awyddus iawn i'ch cyfarfod.'

'O . . . rwy wedi clywed amdano fe. Mae e'n gefnder i'th dad, on'd yw e?'

'Dyna be' fydd o'n ei hawlio. Dyna be' fuodd o'n ei hawlio beunydd yn y dyddiau cyn ei etholiad! Mi fydd ei elynion yn dweud mai wedi meddwi oedd Llywelyn pan addawodd roi ei gefnogaeth iddo. A phawb yn gwybod pwy fu'n tywallt y gwin i mewn iddo fo'r noson honno!'

Taflodd Iorwerth gipolwg ofnus ar Gerallt, gan gofio mai ef oedd wedi bod ymhlith y rhai cyntaf i leisio'u hanfodlonrwydd ynglŷn â'r etholiad. Ond arhosai Gerallt yn fud, heb geryddu'r llanc, a heb gynnig gair i leddfu penbleth ei esgob. Ni wyddai Iorwerth beth i'w ddweud, felly aeth Gruffydd yn ei flaen, gan fwynhau ei ddrygioni fel plentyn bach yn chwarae gydag arfau ei dad.

'Ond mi fasech chi'n ei roi o yn ei le, Eich Gras, 'tasech chi'n dod i Wynedd. Ia, a'r lleill hefyd. Mi ddylech chi ymweld â phob esgob a phob abad yng Nghymru. Teithio'r wlad fel gwnaeth Meistr Gerallt erstalwm, yntê?'

Cododd Gerallt ei ben mewn syndod. Gwelodd fod yr Esgob wedi troi ato eilwaith, ac ni allai ond ymateb. 'Dyna i chi rywbeth i feddwl amdano . . .'

'Os yw'r llanc o ddifrif—a wyt ti, fy mab?'

'Ydw, wir,' atebodd yn bwyllog, ac eto gwelodd Gerallt ôl direidi ar ei wyneb ifanc. 'A 'tasech chi'n dod â chreiriau Dewi efo chi . . . dychmygwch y croeso!'

Creodd ei eiriau eiliad annifyr. Safodd Gerallt yn yr adwy. 'Mae'r creiriau newydd gyrraedd yma, fy mab, a channoedd o bererinion yn tyrru i'w gweld nhw bob wythnos. A fyddet ti am eu siomi nhw?'

'Wel . . . rywbryd eto, felly. A 'tase Ei Ras yn rhy brysur, mi allech chithau ddod â'r esgyrn aton ni, Meistr Gerallt. Y chi ddaru eu darganfod yn y lle cyntaf, yntê?'

Byddai dyn mwy byrbwyll wedi rhoi bonclust i'r crwt digywilydd. Yr oedd Iorwerth cyn goched â mefus, ac fe deimlai Gerallt ei wyneb yntau'n llosgi. Yna, heb wybod pam, fe droes i edrych i lawr y neuadd. Gwelodd fod Elidir wedi rhoi'r gorau i'w glebran a'i chwerthin, ac yn syllu'n astud arnynt ill tri. Cofiodd rywbeth yr oedd Gwalchmai Brydydd wedi'i ddweud wrtho flynyddoedd yn ôl . . . un o'r pethau prin yr oedd wedi'u datgelu am y beirdd. Roedd gwylio hynt a helynt ei gyd-ddyn, a bod yn dyst i gyfathrebu'r mawrion—neu'n rhan ohoni— yn agosach at galon bardd y llys nag unrhyw fedr o farddoniaeth.

Tra bu meddyliau Gerallt yn crwydro fel hyn, casglwyd gweddillion olaf y bwyd gan y gweision. Daethant yn eu holau gyda rhagor o win, ac fe gydiodd Iorwerth yn ei gyfle i ailddechrau'r sgwrs trwy draethu'n fanwl ar winllannau'r mynachdai, a sut roedd rhai'r

Saeson a rhai'r Cymry yn cymharu â'r rhai yn Ffrainc. Ni wrandawodd Gerallt, ac yntau'n gwybod llawn cymaint am y pwnc ei hun. Roedd yn brysur yn meddwl am ei sgwrs gydag Anselm, ac yn ceisio penderfynu beth i'w wneud nesaf.

Byddai'n rhaid iddo annog Gruffydd i fynd adref yn gynnar, ac yntau wedi addo gwneud, ond doedd dim sicrwydd y byddai'r bachgen yn gwrando arno. Roedd hynny wedi bod yn pwyso ar ei feddwl, nes iddo gael y syniad o wahodd yr Esgob i'r castell. Roedd wedi gobeithio ennill ei ewyllys da, rhag ofn i wrthdaro godi rhwng y gogleddwyr a gŵyr Penfro. Ond nid oedd wedi esbonio ei gynllun wrth Gruffydd, ac erbyn hyn roedd yr Esgob wedi dioddef cymaint o amharch nes ei fod yn debycach o ochri gydag Anselm na chyda mab Llywelyn. Gellid ond diolch i Dduw fod gŵyr y fintai wedi ymddwyn yn weddus, heb wneud dim i gythryblu'r Esgob ar wahân i yfed ei win, a chwerthin, a thipyn o ganu.

Ar hynny, cododd lleisiau llond dwrn ohonynt, a dechrau ar ryw gân seml, siriol. Dechreuodd fel cytgan, ond fe aeth yn uwch ac yn gyflymach nes bod y tafod yn methu a'r geiriau'n baglu. Ymdawelodd un yng nghanol y chwerthin, ac yna un arall, ac wedyn dau, nes mai dau oedd ar ôl a'r canu wedi troi'n gystadleuaeth. Daeth i ben ymysg canmoliaeth frwd, gydag un dyn yn ymgrymu i gydnabod buddugoliaeth y llall. Yna moesymgrymodd y ddau tuag at y bwrdd uchel, a hwythau mor writgoch â rhedwyr wedi ras draed.

'Un arall!' gwaeddodd Gruffydd ap Llywelyn o'r bwrdd uchel, yn hollol ddiffuant . . . ie, yn union fel tywysog yn gofyn i'w feirdd ddangos mwy o'u doniau.

'Iriad bach i gael y gwynt yn ôl . . .' meddai'r dyn a ddaeth yn ail, ac eistedd gan ail-lenwi ei gwpan. Edrychodd ef a phawb arall ar yr enillydd, a safai o hyd gan ymheulo yng ngwres eu canmoliaeth. Yn union fel y bu'n ymheulo yn heulwen Maenorbŷr. Efallai fod Elidir ab Idwal yn fardd wedi'r cwbl. Gallai ymateb i dorf, a chael ei drawsffurfio ganddynt. Prin yr adnabu Gerallt ef, wrth iddo ddechrau ar gân wahanol iawn.

> 'Crist Creawdr, Llywiawdr llu daear — a Nef
> A'm noddwy rhag afar.
> Crist Celi, bwyf celfydd a gwâr
> Cyn diwedd gyfyngwedd gyfar . . .'

Awdl gan un o feirdd y Gogledd ydoedd, fwy na thebyg, a biti nad oedd dim telyn i gyfoethogi'r dôn. Eto, er mor fregus ydoedd ar y dechrau, roedd gan Elidir lais a fedrai gyfleu cerddoriaeth y beirdd, a chrefftwaith eu geiriau ac ysbryd eu hawen.

'Y mae'n cyfaill ni o Lawhaden yn gallu canu,' sibrydodd yr Esgob wrth Gruffydd. 'Pam na ddywedodd e ei fod e'n fardd o'r blaen, tybed?'

'Nid bardd go iawn mohono, Eich Gras. Lleisio geiriau rhywun arall y mae o.'

'Geiriau un o feirdd dy dad?'

'Ia. Un o awdlau Prydydd y Moch ydi hon . . . un newydd. Mi gafodd ei chanu gyntaf pan oedden ni'n dau i ffwrdd. Mae'n clodfori holl fuddugoliaethau Llywelyn, ac yn gorffen efo'i ymgyrch ddiwethaf yn erbyn y Normaniaid. Rhaid bod 'Lidir wedi'i dysgu hi ar ei gof pan fuodd o efo ni yn y llys . . . a dim ond am ryw ddeuddydd oedd hynny, chwarae teg iddo.'

'Mae rhai'n dweud taw cof yw un o'r pethau pwysicaf i fardd. Rwy'n siŵr y bydd dy gyfaill yn mynd yn bell, fy mab,' meddai Iorwerth yn wresog.

'Os dyna fydd ei ddewis o.'

'Pam wyt ti'n dweud hynny?'

'Mi fydd o'n siarad mwy fel mynach y dyddiau 'ma.'

'Ydy e, wir?' meddai'r Esgob yn syn.

Llawn cymaint oedd syndod Gerallt, ac yntau wedi clywed y rhan fwyaf o'u sgwrs. Yna fe gofiodd yr hyn a ddywedodd Elidir wrtho'r prynhawn hwnnw, ger creirfa Caradog: *Onid yr enaid ydi'r peth pwysig?* Rhyfedd oedd clywed yr un llais heno'n canu canmoliaeth rhyfeloedd y gorffennol, a'r aberoedd fu'n arllwys gwaed y gwroniaid i'r môr . . .

> *'Oedd rhyn rhudd ebyr o'r gwŷr gwâr,*
> *Oedd rhan feirw fwyaf o'r drydar,*
> *Oedd amliw tonnau twn, amar — eu naid,*
> *Neud oeddynt dilafar,*
> *Ton heli ehelaeth trwy fâr,*
> *Ton arall guall goch wyar . . .'*

Pan gododd Iorwerth ar ei draed, tybiodd Gerallt ei fod yn mynd i achwyn am gynnwys gwaedlyd y gân. Yna fe welodd fod un o weision yr Esgob wedi ymddangos y tu ôl iddynt. Plygodd yr Esgob er mwyn esbonio'n isel wrth Gruffydd a Gerallt, 'Esgusodwch fi, fy mab . . . Meistr Gerallt. Y mae'n hwyr arnaf, ac fe fydd rhaid i fi fynd i'r llys . . . i 'ngwely.'

'Fe allwch chi gysgu yma yn y castell . . .'

'Ond fe fydd 'da fi bethau i'w gwneud y peth cyntaf yn y bore, ac y mae'n well 'da fi gysgu yn 'y ngwely 'yn hunan bob amser. Nos da i chi'ch dau . . . a bendith Duw arnoch chi . . . ac arnat ti, fy mab, ar dy daith adre.'

Er iddynt ganu'n iach yn ddigon hawddgar, amheuai Gerallt a Gruffydd fel ei gilydd fod y gwas wedi dod â rhyw neges i alw'r Esgob yn ei ôl i'r llys. Neges oddi wrth yr Iarll, fwy na thebyg. Bu pawb yn y neuadd yn syllu ar yr Esgob wrth iddo frysio heibio ar ei ffordd i'r drws, ei law wedi'i chodi mewn bendith, a'i was yn hanner rhedeg wrth ddilyn ei gamau hirion. Baglodd Elidir yng nghanol llinell, ond gwelodd Gerallt ei gymdogion yn ei annog i fynd ymlaen, a dyna a wnaeth.

'Hwyrach fod y canu'n ormod iddo,' meddai Gruffydd yn sychlyd, wrth symud i gadair yr Esgob.

'Fe ddywedodd ei fod e'n hoffi llais Elidir.'

'Nid y llais ro'n i'n 'feddwl, ond y cynnwys. Hwyrach nad ydi abad bach Tal-y-Llychau ddim eisiau clywed am aberoedd o waed!'

'Gwell i ti gofio nad abad mohono bellach! Fe glywais i ti'n ceisio ei bryfocio . . . eisiau gweld faint oedd e'n barod i'w ddioddef, ie?'

'Llawer iawn, mae'n debyg!'

'Ond fe ddylet ti fod yn fwy gwaraidd wrtho fe, os wyt ti'n disgwyl iddo ddod i Wynedd.'

'Ydach chi'n meddwl y daw o?'

'Efallai wnaiff e rywbryd . . . ond heb y creiriau rwy'n siŵr! Fe fyddai fe wedi bod yn fwy parod i wrando arnat ti pe byddet ti wedi egluro oddi wrth bwy y daeth y gwahoddiad. Ti, neu dy dad.'

'O . . . wnes i ddim dweud?'

'Naddo. Ond fe ddylet ti, os wyt ti am gael ateb call!'

'Rhaid ei fod yn syniad da, felly . . .' Gwenodd, ond yn dal heb edrych ar yr archddiacon.

'Beth?'

'Y syniad o wahodd yr Esgob i Wynedd. Rhaid ei fod yn syniad da, os ydach chi'n meddwl y gallai fod wedi dod oddi wrth 'Nhad.'

'Dy syniad di oedd e, felly?'

'Ia. O . . . gwrandewch! Dwi'n hoffi'r darn yma.'

> *'Llywelyn, cyd lladdwy drwy fâr,*
> *Cyd llosgwy, nid llesg ufeliar,*
> *Llary dëyrn uwch cyrn cyfarwar,*
> *Llwrw cydfod, er clod, ys claear.'*

'Da iawn . . .' Wedi clywed ei hoff linellau, roedd Gruffydd yn barod iawn i siarad ar draws gweddill y gân. 'Ond bechod fod Llywelyn yn ymwneud cymaint â chydfod a chyrn yfed bellach, yn lle llosgi a lladd, yntê? Dyna'r trafferth efo Prydydd y Moch. Mi fydd o'n canu cymaint am ryfela nes bydd pawb yn blino ar y testun ac eisiau byw mewn heddwch.'

'Onid dyna beth ddylai pob dyn . . .' Dechreuodd Gerallt fel petai'n dechrau pregeth, nes clywed chwerthin ysgafn y llanc, a gweld ei fod wedi bod yn tynnu ei goes. 'Rwy'n rhy araf heno. Rwy'n rhy hen, ac wedi blino . . .'

'Twt! Ydach chithau'n mynd i redeg i ffwrdd i'ch gwely? Tydach chi ddim am glywed gweddill y gân?'

'Ydw, ond dwy ddim yn *cael* clywed llawer ar hyn o bryd, ydw i?'

'Ydach chithau'n hoffi ei lais o, 'lly? Ydach chi eisiau ei gadw fo yn Nhyddewi? Oes angen bardd ar yr Esgob Iorwerth? Roedd o'n cymryd diddordeb mawr yn Elidir, on'd oedd o? O . . . gwrandewch arno rŵan . . .'

'Dyna beth rwy'n ceisio'i wneud! Y . . . am beth mae e'n canu nawr?'

'Am haelioni Llywelyn tuag at ei feirdd. A rŵan . . . am y meirch fydd o'n eu rhoi iddyn nhw.'

> *'Mwth y rhydd arwydd yng ngwasgar*
> *Mal Arthur, cain fodur Cibddar,*
> *Can a chan a cheinwyll a gwâr,*
> *Cant a chant a chynt nag adar.'*

Gorffennodd wedyn, ac ymgrymu tuag at y bwrdd uchel. Yr oedd y fintai'n hael eu canmoliaeth, ond nid felly fab Llywelyn. 'Mi orffennodd o'n rhy gynnar! Dim ond traean o'r awdl y mae o wedi'i chanu.' Cododd ei lais a gweiddi, 'Beth am y gweddill, wasi?'

Yr oedd y bardd eisoes wedi croesi'r ychydig droedfeddi rhyngddo a'r drws. Arhosodd ac edrych yn syn ar ei feistr.

'Ti 'di colli dy lais?'

Nodiodd yn fud.

'Beth ddywed dy hen athro Prydydd y Moch pan glywith o? Wnaeth o ddim dy ddysgu mai sarhad mawr ydi gadael gwaith bardd arall ar ei ganol?'

'Mi ddysgodd i mi hefyd mai sarhad mawr ydi siarad ar draws bardd sy'n canu.'

'Siarad ar draws *bardd*, ia!'

'Os nad wyt ti'n 'y mharchu i, mi ddylet ti barchu ei eiria fo.' Ac ar hynny, aeth allan.

'Elidir! Tyrd yn dy ôl, fab Idwal, neu . . .'

Mab arall Idwal a atebodd weiddi Gruffydd. Cododd Iestyn ar ei draed a dod i'w wynebu ar draws y bwrdd uchel. 'Gad iddo fod, wnei di?'

'Ers pryd rwyt ti'n galw mab dy arglwydd yn *ti*?'

'Ers i mi ei weld o'n troi'n feddwyn ac yn fygylwr.'

'O . . . 's neb ond ti'n cael bod yn gas wrth dy frawd bach, yn nag oes?'

'Mi roedd o'n iawn i orffen yn gynnar. Mae'n bryd mynd i gysgu.'

'*A phan welsant fod yn well iddynt gymryd hun na dilid cyfeddach, i gysgu yd aethant,*' dyfynnodd Gruffydd yn ffug-farddol. 'Mi gafodd Iestyn ei eni chwe chanrif yn rhy hwyr, wyddoch chi, Meistr Gerallt. A'i frawd hefyd, am wn i.'

'Ond maen nhw'n wŷr da, serch hynny.'

'O ydan, ydan, a minnau'n fachgen bach anniolchgar.' Syllodd Gruffydd yn oeraidd ar Iestyn nes iddo ostwng ei olwg a mynd yn ôl i'w le. Troes yn ôl at Gerallt wedyn, a dweud yn isel, 'Does gynnoch chi'r un syniad sut mae'n teimlo . . . gwybod fod 'Nhad 'di anfon ei annwyl Iestyn ab Idwal—dyn heb fwy o dras na hebogydd—i 'ngwarchod i. I fod yn gyfrifol drosta i. I wneud yn siŵr na fydda i'n gwneud rhywbeth gwirion. Ond mi ddangosa i iddyn nhw . . .'

'Ie, ie . . . dangos iddyn nhw pa mor aeddfed wyt ti, yntê?'

'*Roedd* o'n syniad da, on'd oedd?' Edrychodd mab Llywelyn arno'n ddisgwylgar.

'Beth?' Roedd Gerallt ar goll.

'Gwahodd yr Esgob i'r Gogledd, dwi'n 'feddwl.'

184

'O . . . oedd.'

'A wnewch chi'ch gorau i'w ddarbwyllo i ddod, felly?'

'Efallai. Ond rwy'n ofni y bydd e'n araf iawn i gytuno.'

'Dywedwch hyn wrtho fo, felly . . . Os ydi o am gael ei ddyrchafu'n archesgob mi fydd yn rhaid iddo gael cefnogaeth Tywysog Gwynedd.'

'Os ydyn ni'n sôn am archesgob i'r Cymry, pam wyt ti'n dewis Iorwerth? Fyddai hi ddim yn well gan Llywelyn weld Esgob Bangor yn cael ei ddyrchafu?'

'Tydi'n gweledigaeth ni ddim mor gul â hynny. Mi hoffen ni weld perthynas agos iawn rhwng Tyddewi a llysoedd Gwynedd.'

'O . . . rwy'n gweld nawr. Archesgob Cymru yn y De, i gadw'r deheuwyr yn fodlon, a Brenin Cymru yn y Gogledd! Dwy ddim yn siŵr y byddai'r tywysogion eraill yn cytuno ar hynny . . . heb sôn am y Brenin John!'

'Mi fydd hwnnw wedi'i ladd erbyn y 'Dolig, yn ôl be' dwi wedi'i glywed. Ac mae tywysogion y De'n dal heb arweinyddiaeth. Fyddan nhw byth yn dewis un o'u plith i fod yn benarglwydd dros y lleill . . . felly mi fydd rhaid iddyn nhw edrych tua'r gogledd yn y pen draw.'

'Neu tua'r dwyrain.'

'Gawn ni weld.'

Byddai Gerallt wedi rhoi llawer i gael gwybod faint roedd Llywelyn wedi'i gyfrannu at y syniadau hyn. Wedi'r trychinebau bedair blynedd ynghynt, roedd y Tywysog wedi ennill ei holl diroedd yn ôl, ac wedi ennill parch ei gyd-Gymry, gan gadw'r Normaniaid hyd braich. Er gwaethaf geiriau gwaedlyd Prydydd y Moch, callineb a chelfyddyd oedd rhinweddau ei deyrnasiad, ac roedd yn anodd credu ei fod yn rhannu uchelgeisiau penboeth ei fab. Ac eto, fe allai pethau newid, a newid yn ddychrynllyd o gyflym hefyd. Pwy fyddai wedi meddwl, flwyddyn yn ôl, y byddai abad bach o Gymro'n cael ei ddyrchafu i fod yn Esgob Tyddewi? A phwy fyddai wedi meddwl y byddai holl nerth Coron Lloegr yn cael ei ddarostwng gan gŵynion yr uchelwyr—a Llywelyn o Wynedd yn flaenllaw ymysg y rheiny?

*　　　*　　　*

Roedd hi'n noson dwym, drymaidd, ac mor gynnes y tu allan i'r neuadd ag yr oedd hi wedi bod y tu mewn. Yr oedd Elidir wedi ffoi oddi yno ar frys, ond arafodd wrth fynd i lawr y grisiau. Nid oedd dianc i'w gael rhag yr hyn oedd yn ei lethu, pa mor bell bynnag yr âi. Eisteddodd ar y gris olaf â'i grys tenau'n glynu'n wlyb yn ei gefn, a'i ben yn curo gyda phob curiad o'i galon. Y tywydd oedd ar fai, debyg iawn. Dim byd ond y tywydd melltigedig, a'r hollfyd yn aros am y storm a ddeuai cyn hir i leddfu gormes y nefoedd.

Edrychodd draw dros y beili a'r clwydi, tuag at glos y gadeirlan. Gallai weld y golau o ffenestri'r llys, a'r eglwys yn cysgodi yn y cwm fel corfran yn ei nyth. Er mai Normaniaid oedd wedi'i chodi, roedd Cadeirlan Tyddewi wedi cyffwrdd â'i galon mewn ffordd nad oedd eglwysi'r gogledd erioed wedi ei wneud. Dim ond y creiriau oedd yn llygru ei harddwch fel . . . fel cynrhon mewn gwledd. Pam oedd yn rhaid i eglwysi fod mor llawn o farwolaeth? Nid yn unig esgyrn y seintiau ond hefyd y lluniau dychrynllyd o'r Farn Olaf, a'r darluniadau diderfyn o Angau yn ffurf sgerbwd. Ymhle'r oedd y llawenydd a ddylai ddod o wybod y gall dyn, trwy'r Crist, *orchfygu* marwolaeth? Ymhle'r oedd y llawenydd a allai ddod dim ond o wybod eich bod chi'n fyw, a phob eiliad o'r bywyd hwnnw'n fendith i'w werthfawrogi. Dylid cydio mewn bywyd a'i fyw i'r eithaf . . . ei fyw heb amheuon, heb edifeirwch, heb euogrwydd . . .

'O . . . wyt ti'n iawn, fy mab?'

'Yndw . . . yndw, 'Tad. Wedi blino, 'na'r cyfan. Dwi yn eich ffordd . . . mae'n ddrwg gen i.' Cododd a symud oddi ar y grisiau, heb edrych ar yr archddiacon.

'Fe fwynheais i dy ganu.' Yr oedd Gerallt yn dweud y gwir. Ond petai Elidir wedi canu fel brân yn crawcian, efallai y byddai wedi dweud yn union yr un peth. Ni allai ond tosturio wrtho. Beth bynnag oedd yn blino'r bardd, synhwyrodd ei fod yn rhywbeth mwy nag effeithiau teithio'n bell a gwledda'n hwyr.

'Diolch i chi, Meistr Gerallt. Mae'n ddrwg gen i am orffen y gân yn gynnar. Do'n i ddim yn meddwl y basa neb yn sylwi . . . a bod neb yn gwrando.'

'Roeddwn i'n gwrando.'

'Oeddach?'

'Ac roedd Gruffydd yn mwynhau hefyd, er ei fod mor gas. Dim ond tynnu coes oedd e . . . doedd e ddim yn meddwl dim drwg.'

'Ia . . . dyna un o'i ddoniau mwya.'

'Beth?'

'Gneud i bobl greu pob math o esgusion drosto. Dwi 'di eu clywad nhw i gyd. *Dim ond hogyn ydi o. Hiraethu am ei fam mae o. Wedi methu ymgartrefu mae o. Dioddef o hunllefau mae o.* Ond 's neb yn hel esgusodion drosta i, yn nag oes?'

'Mae dy frawd newydd sefyll i fyny i'th amddiffyn di.'

'Do, dwi'n siŵr. Ac mi fydda i'n talu am hynny am weddill yr wythnos.'

'Cer yn ôl i'r neuadd, fy mab. Mae'r lleill yn gorwedd i lawr i gysgu.'

'Dwi 'm isio cysgu.'

'Ond rwyt ti newydd ddweud dy fod ti 'di blino!'

Edrychodd Elidir yn ddiamynedd arno, heb ateb. Er ei fod wedi dod mor agos at gyffesu popeth yn y gadeirlan, roedd ei hwyliau wedi newid bellach.

'Beth sy'n bod, fy mab? Roeddet ti'n ymddangos mor hapus yng nghwmni dy gyfeillion . . .'

'Fy nghyfeillion, ia?'

'Fe welais i ti'n chwerthin yn braf!'

'Nid fi oedd hwnnw.'

'Roedd e'n edrych fel ti.'

'Dwi'm yn eu 'nabod nhw . . . 'dan nhw ddim yn 'y 'nabod i . . .' datganodd yn isel, fel petai'n datrys rhyw ddirgelwch mawr yn ei feddwl.

'Rwy'n deall, fy mab.' Roedd Gerallt yn meddwl am Gastell Corfe, ac am ei brofiadau ei hun pan fu'n garcharor yn Ffrainc unwaith. Yn meddwl am effaith pedair blynedd o gaethiwed ar ddyn ifanc fel Elidir . . . ac ar fachgen fel Gruffydd.

'Ydach chi?' Syllodd Elidir i wyneb yr archddiacon mor hir nes aflonyddu hwnnw.

'Fe ddylwn i fynd . . .'

'Nos dawch, 'lly.'

'Nos da,' meddai Gerallt, eisoes ar ei ffordd i'w gell. Wedyn fe oedodd, a hanner-troi. 'Fe gawn ni sgwrs eto yn y bore. Fe ddylen ni . . . fe ddylen ni gael sgwrs go iawn cyn i ti fynd adre.'

Pennod 32

Hir iawn fu'r aros ar y traeth y diwrnod wedyn, a'r awyr yn dal yn boeth a mwll, a'r tawch yn cuddio'r gorwel. Yr oeddynt wedi blino ar gwmni ei gilydd, ac yn eistedd yn dawedog ar y meini. Pob un o'r tri yn myfyrio, ar goll yn eu bydoedd eu hunain. Pryderai'r Esgob Iorwerth am y fraint enfawr o groesawu Archesgob Caergaint—a fyddai llety'r llys yn ddigonol? A fyddai'r bwyd yn addas? Meddyliai Gerallt Gymro am y sgwrs a gafodd y bore hwnnw â Gruffydd ap Llywelyn, ac am y sgwrs nas cafodd ag Elidir. Tybed beth fyddai'r bardd wedi'i ddweud petai Iestyn wedi gadael iddo siarad â'r archddiacon . . . a phetai Gerallt ei hun wedi bod yn fwy penderfynol o wrando arno?

Ac am Iarll Penfro . . . cadwai lygad ar ei filwyr gan fyfyrio ar natur y pwysigion oedd ar gyrraedd, ac ar y dull gorau o gadw'r ddau'n ddiogel yn y wlad farbaraidd hon. Ie, y *ddau*. Byddai'r Esgob Iorwerth yn cael sioc ei fywyd pan welai pwy oedd wedi dod gyda'r Archesgob, ond am Gerallt . . . Cymerodd yr Iarll gipolwg arno gan amau fod Gerallt wedi sylweddoli eisoes.

Pan ddaeth y llong i'r golwg o'r diwedd drwy wyll y cyfnos, nid oedd ond dau frycheuyn o oleuni, un uwchben y llall, yn araf siglo ar wyneb y môr. Safodd pawb wrth weld petryal gwyn yr hwyl yn ymestyn fel ysbryd i lenwi'r gwagle rhwng y tri golau. Ie, gellid gweld tri golau bellach, tair ffagl. Un ar ben yr hwylbren, ac un ar bob ochr y llong, a honno wedi'i throi erbyn hyn i anelu'n syth am y porthladd. Clywsant y rhwyfau'n gweithio, a'r hwyl yn dechrau cyhwfan yn rhydd.

Yr oedd milwyr yr Iarll wedi cynnau dwy goelcerth, un ar y traeth ac un ar ben y clogwyni, er mwyn tywys y llong i mewn i'r porthladd cul. Eto gwyliai pawb yn ofnus wrth iddi fentro heibio'r creigiau, a'i hwyl wedi diflannu erbyn hyn a'i baneri yn y golwg yn chwifio'n llipa. Baneri cochion a llewod euraidd arnynt . . .

'Nid lliwiau'r Archesgob yw'r rheina . . .' Edrychodd Iorwerth yn ddryslyd ar Gerallt, ond roedd yntau'n syllu ar y dyn oedd wedi dringo i'r llwyfan castellaidd ym mhen blaen y llong. Roedd e'n gwisgo crys byr o'r un lliwiau â'r baneri.

'A ydy popeth yn barod?' Seiniodd llais yr herodr yn eglur dros yr ychydig lathenni oedd ar ôl rhyngddynt, a'i wyneb wedi'i droi'n ddigamsyniol tuag at yr Iarll. Llais Ffrangeg, ond ei acen yn wahanol i rai Normanaidd yr Iarll a'i weision. Diau fod y dyn hwn wedi'i eni yn Ffrainc.

'Ydy. Mae pob dim yn ei le,' atebodd yr Iarll.

Daeth dyn arall i sefyll yn ymyl yr herodr. Cerddai yn ei gwman fel hen ŵr, a baglu gyda phob siglad o'r llong cyn iddo gydio yn ysgwydd ei was. Fflachiodd golau'r ffaglau ar aur ei goronig, ac o ddyfnderoedd ei lygaid gleision, nes y sylweddolodd pawb nad henwr mohono.

Moesymgrymodd Iarll Penfro yn isel, fel na wnâi i neb arall ar y ddaear. 'Y mae Cymru'n llawenhau o gael croesawu ei brenin, f'Arglwydd.'

*   *   *

'Y Brenin John ydi o, mae'n siŵr gen i.'

'Ti erioed wedi'i weld o . . .'

'Mae o'n gwisgo coronig.'

'Mi fydd ein tywysogion ni'n gneud hynny.'

'Mae'r herodr yn gwisgo'r lliwiau brenhinol!'

'Dydi hynny ddim yn golygu fod y Brenin efo fo.'

'A faint wyt ti'n ei wybod am lys Lloegr? Neu am unrhyw lys?' Blinodd Gruffydd yn gyflym ar ddadlau â'i fardd, a throi at ei gapten. 'Mae'n amlwg, Iestyn, on'd ydi? Dyna pam roedd Gerallt am i ni adael! Mae o'n gwybod cymaint rydan ni'n casáu'r Brenin John.'

'Dwi'm yn ei gasáu o,' meddai Elidir yn wrthryfelgar, ond yn dawel.

'Mi rydach chi'n iawn, yn ddi-os.' Atebodd Iestyn ab Idwal ei feistr ifanc yn gwrtais, ond gallai Elidir weld cymaint yr oedd wedi blino ar ystyfnigrwydd y llanc.

'Iawn,' meddai'r bardd. 'Y Brenin John ydi o. 'Dan ni wedi bod yn aros amdano ers ben bore, a bellach 'dan ni wedi'i weld o. Gawn ni fynd adra rŵan?'

Ni chafodd Elidir ateb, oni bai am giledrychiad oddi wrth ei frawd Iestyn nad oedd yn mynegi fawr ddim. Ocheneidiodd, a chofleidio clustiau aflonydd ei geffyl, a hwnnw'n dal i ffroeni'n obeithiol yn ei grys am ddanteithion. Ni wyddai fod y bardd wedi hen ganu'n iach i'w damaid olaf. A phetai wedi bod cymaint â chrawen sych yn llercian yno, byddai Elidir ei hun wedi ei lyncu erbyn hyn. Nid oedd neb o'r fintai wedi bwyta ers iddynt adael y castell y bore hwnnw, gan addo i Gerallt y byddent yn mynd yn syth adref i Wynedd. Ac roedd Elidir wedi ceisio tynnu'r archddiacon o'r neilltu er mwyn cael gair bach dirgel ag ef, ond yn sydyn roedd brys mawr arnynt i gyd a rhaid oedd cychwyn y funud honno . . .

Suddodd ei galon yn is fyth wrth iddo wylio'r bobl ar y traeth islaw. Wrth i'r Brenin godi o'i gadair gludo, fe aeth Iarll Penfro, Esgob Tyddewi a Gerallt Gymro ato fesul un i'w gyfarch yn foesgar. Ni welodd sut fath o ymateb a gafodd yr Iarll na'r Esgob, gan mai dim ond cefn y Brenin a welodd. Ond wrth i Gerallt gamu ymlaen yn ei dro, fe welodd y Brenin John yn ymestyn ei freichiau a thynnu'r hen ŵr i'w fynwes fel petaent yn geraint agos.

'Duw a'n gwaredo . . .'

Dim ond Elidir a leisiodd ei syndod, ond fe wyddai fod Gruffydd ap Llywelyn yn meddwl yr un peth ag yntau. Yr oeddynt ill dau wedi sylweddoli bod yr archddiacon yn perthyn i ddau fyd, ond ni fyddent byth wedi disgwyl i'r Brenin fod mor hoff ohono.

'Tybed am beth maen nhw'n siarad?' gofynnodd Gruffydd yn ddistaw.

'Amdanon ni, debyg iawn. Straeon doniol am ffyrdd rhyfedd y Cymry. Tyd!' Cydiodd Elidir ym mwng ei geffyl ac esgyn i'r cyfrwy mor ddisymwth nes i'r creadur brancio'n beryglus o agos at fin y clogwyni.

Rhedodd Iestyn i gydio yn yr awenau, ond fe gipiodd Elidir nhw o'i afael a chael rheolaeth ar y ceffyl unwaith eto. Mwy o reolaeth nag y cafodd arno'i hun. 'Dewch! Mi rydan ni'r Cymry wedi cael ein diwrnod yn Nhyddewi. Tro'r Normaniaid ydi hi rŵan . . . o heddiw hyd Ddydd y Farn.'

'Mae o'n darogan eto . . .' meddai Gruffydd, a'i lais gwawdlyd yn gwahodd gweddill y fintai i chwerthin. Ac felly a wnaethant, ac eithrio Iestyn ac Elidir, a syllai'n fud ar ei gilydd yng ngolau olaf y machlud. Nes y cydiodd Elidir eilwaith yn yr awenau, a'i geffyl yn troi'n araf oddi wrth ei gymrodyr a cherdded ymaith dros y meysydd cras.

Edrychodd yn ôl pan nad oedd wedi mynd ond canllath. Disgwyliai weld y lleill yn dod ar ei ôl. Heb fod yn brysio, hwyrach . . . neb

eisiau dangos ei fod yn malio am yr hyn a wnâi brawd bach Iestyn . . .
ond yn sicr yn dod ar ei ôl. Ond nid dyna a welodd.

Gallai eu gweld yn hawdd. Roedd amlinellau tywyll y fintai a'u
ceffylau'n ymddangos yn eglur rhyngddo a'r wybren, ond fe welai yr
un mor eglur farchogion eraill yn cyrchu tuag atynt ar hyd min y
clogwyn.

'Syrthied y cŵn i'r weilgi,' sibrydodd i'r nos, fel gweddi i ba
dduwiau cynhenid bynnag oedd ar ôl yn Nhyddewi. Ond dal i
ddynesu at y fintai a wnâi'r Normaniaid, a'u hymdaith mor anochel â
threigl y tonnau ar y traeth islaw.

Pennod 33

Anodd oedd boddhau'r Brenin John y noswaith honno. Yn gyntaf oll, roedd ei draed yn brifo ac yntau'n cwyno bob cam o'r ffordd i fyny o'r traeth i gapel y Santes Non. Fe weddïodd yno gyda'r Archesgob i ddiolch am eu mordaith ddiogel, ond nid heb gwyno ynghynt ac wedyn am galedi'r daith honno. Wedyn marchogaeth i'r llys gan gwyno nad oedd ei geffyl yn addas ar gyfer brenin. Ac wedi iddo weld y llys—*y fath le cyntefig*! Ni wnâi dim y tro ond bod ei weision yn mynd ati'n syth i godi'r babell enfawr yr oeddynt wedi dod â hi gyda hwy yr holl ffordd o Loegr. Gosodwyd byrddau hir a meinciau y tu mewn iddi, ac, yn bwysicach na dim, orsedd ysblennydd y Brenin. Ac yna câi pawb eiliad o heddwch . . . pawb ac eithrio'r gweision yn y gegin, a hwythau'n sarrug am fod cogydd newydd wedi ymddangos yn eu plith i oruchwylio eu gwaith—ac i flasu pob tamaid.

Ni ddangosai'r Brenin lawer o ddiddordeb yn y wledd nac yn Nhyddewi ei hun ychwaith, ac eto roedd wedi darganfod un difyrrwch at ei ddant, ac wedi cydio'n dynn yn hwnnw. Roedd wedi cadw Gerallt yn agos ato yr holl ffordd o'r porthladd, ac wedi ei wahodd i eistedd yn ei ymyl wrth y bwrdd uchel. Ac wrth i'r gweision ddod â mwyfwy o win at y Brenin, ymhellach, bellach yn ôl yr âi ei atgofion.

'Ydych chi'n cofio'r adeg yr aethon ni i Iwerddon, Meistr Gerallt? Ydych chi'n cofio'r telynorion yn y fan honno? Canwaith gwell na *hwn!*' Chwifiodd ei law i gyfeiriad y clerwr oedd yn canu gerllaw, ac yn canu'r delyn yn ddigon medrus hefyd, yn nhyb Gerallt. Ffrancwr ydoedd, a gwisg amryliw, siriol amdano, er bod ei wyneb yn llwyd ac yn brudd. Efallai ei fod yn gallu clywed sylwadau ei frenin . . .

'Mae yna gystal telynorion yma yng Nghymru,' meddai Gerallt. 'Yn debyg iawn i'r rhai glywson ni yn Iwerddon. Cyfnitherod yw'r ddwy genedl, wrth gwrs . . .'

'A'u cyndadau'n hanu o Droea!'

'Rwy'n falch eich bod chi mor garedig â chofio fy namcaniaethau bach, f'Arglwydd. Mae'n wir fy mod i wedi nodi sawl tebygrwydd rhwng ieithoedd y . . .'

Gallai Gerallt fod wedi siarad felly am oriau, oni bai i herodr y Brenin dorri ar ei draws.

'F' Arglwydd Frenin, y mae Anselm, mab yr Iarll, yn gofyn am gael eich gweld chi. Y mae ganddo fe . . .'

'Gad iddo siarad drosto fe'i hun, ddyn! Y mae tafod yn ei ben, on'd oes?' Gallai'r Brenin weld Anselm yn sefyll ger mynedfa'r babell, ymhell y tu ôl i'r herodr. 'Dere yma, fachgen.'

Daeth Anselm at y bwrdd uchel, gan wrido at fôn ei wallt wrth sylweddoli cynifer o lygaid oedd yn ei ddilyn. Edrychai'n ansicr ar y mawrion a'i hwynebai . . . yr Esgob Iorwerth, a'r Archesgob Langton, wedyn Meistr Gerallt, a'r Brenin, a'r Iarll wrth ochr dde ei feistr fel arfer. Ond pam oedd y Brenin John wedi gadael i Gerallt eistedd wrth ei ochr chwith, gan esgeuluso'r Esgob a'r Archesgob?

'Wel? Beth wyt ti eisiau? Eisiau cael lle wrth y bwrdd uchel gyda'th dad, wyt ti?'

Cymerodd Anselm gip ar ei dad, ond arhosai hwnnw mor ddifynegiant â cherrig gorthwr Penfro. 'Roeddwn i ar y clogwyni, f'Arglwydd, pan oeddech yn cyrraedd. Yn gwarchod y porthladd.'

'Mae'r bachgen eisiau gwobr am ei waith caled!'

Chwarddodd ambell gynffonnwr, ond nid felly'r Iarll na'i fab.

'Fe welais i haid o ddynion yn loetran yno, f'Arglwydd, yn eich gwylio chi wrth i chi gyrraedd. Ac rwyf wedi bod yn chwilio'r ardal rhag ofn bod 'na ragor . . .'

'Rydyn ni'n disgwyl i bobl edrych arnon ni,' meddai'r Brenin yn ddibetrus.

'Milwyr arfog oedden nhw, f'Arglwydd Frenin. Gwŷr y Tywysog Llywelyn, a'i fab yn eu plith.'

'Mab Llywelyn?' Diflannodd pob mymryn o ysmaldod o lais y Brenin wrth iddo droi at Iarll Penfro. 'Onid oedd e gyda ni yng Nghastell Corfe?'

'Oedd, f'Arglwydd, ond fe gafodd ei ryddhau yn ôl amodau hael eich breinlen.' Rhythodd yr Iarll yn llym ar ei fab wrth ynganu'r hanner-celwydd. Nid oedd arno eisiau i'r Brenin ddod i wybod am ei gynllun ffaeledig i ddod â'r llanc i Benfro.

'Ac yn awr mae e wedi ein dilyn ni i Dyddewi, yw e? Pam?'

'Dwy ddim yn gwybod . . . eto,' atebodd Anselm. 'Ond rwyf wedi ei hebrwng e yma, fel y cewch chi ei holi fe . . . os mynnwch chi.'

'Dere ag ef i mewn, ar bob cyfrif.'

Ymgrymodd Anselm a gadael wysg ei gefn.

Siaradai'r Brenin â'r Iarll tra oedd yn aros, a'r Esgob yn sibrwd yn ofnus wrth yr Archesgob. Nid oedd gan Gerallt neb i fynegi ei bryderon wrtho.

* * *

Syllodd Gerallt yn fanwl ar fab Llywelyn pan gyrhaeddodd, ond ni welodd nam ar ei wyneb na rhwyg yn ei ddillad. Cerddai yn rhydd wrth ochr yr yswain, heb rwym am ei arddyrnau a heb filwyr yn ei ddilyn. Ond roedd ei lygaid yn gynddeiriog wrth iddo ymgrymu o flaen Brenin Lloegr.

'Cyfarchion i chi, Arglwydd Frenin,' meddai, yn iaith y Normaniaid.

'Mae'r bachgen yn medru Ffrangeg!' meddai'r Brenin yn syn wrth yr Iarll, fel petai'n rhyfeddu wrth glywed parot yn llefaru geiriau. Troes yn ei ôl at Gruffydd, a siarad yn gythruddgar o araf. 'Mae mab yr Iarll yn dweud iddo dy weld di'n ysbïo i lawr arnon ni o'r clogwyni. Beth sydd gen ti i'w ddweud?'

'Pererin ydw i. Roeddwn i ar fy ffordd adref pan glywais eich bod chi ar gyrraedd, felly mi es i'ch gweld chi.'

'Digon naturiol . . .' Edrychodd y Brenin ar Anselm. 'Wel? Beth yw dy ateb di?'

Cochodd Anselm wrth iddo ddechrau sylweddoli ei fod ef, fel y clerwr druan, yn rhan o adloniant y noson, ac ar drugaredd hwyliau anwadal y Brenin. 'Os oedd e am eich gweld chi, f'Arglwydd, yna fe ddylai fod wedi dod ata i neu at 'Nhad. Fe fydden ni wedi rhoi lle iddo wrth y bwrdd hwn, yn ôl ei haeddiant fel mab tywysog.'

'Da iawn. Dyna beth wnawn ni, felly. Fe gei di eistedd gyda ni, fab Llywelyn. Dere.'

Edrychodd Gruffydd yn ymbilgar ar Gerallt, a hwnnw'n nodio'i ben yn araf a rhybudd yn ei lygaid.

Gwnaeth y Brenin arwydd â'i law, ac fe aeth Anselm o'r babell gan adael Gruffydd yn sefyll yn unig o flaen y prif fwrdd. Nid oedd neb yn ymyl ond y clerwr, a hwnnw'n pwdu'n dawel am fod y datblygiadau newydd wedi tynnu sylw pawb oddi wrtho.

'Dwyt ti ddim wedi sôn am dy dad. Gobeithio ei fod mewn iechyd da.'

'Ia . . . ydi.'

'Ac yn dal yn ffyddlon yn ei wrogaeth i ni, rwy'n siŵr.'

'Ydi, am wn i.'

'Dwyt ti ddim yn ymddangos yn ffyddiog iawn. Onid dyma'r cyfle perffaith i gadarnhau pethau? Fe dderbyniais wrogaeth yr holl dywysogion Cymreig y mis diwethaf . . . efallai ei bod hi'n bryd i ti ymuno â nhw?'

Edrychodd Gerallt yn bryderus o'r naill i'r llall. Gwyddai fod y Brenin yn dweud y gwir. Roedd Llywelyn a'i gynghreiriaid wedi ufuddhau'r alwad i lys John ym mis Mehefin, ac wedi adnewyddu eu llwon teyrngarwch yn ôl amodau'r Freinlen. Cafodd Llywelyn ddwy faenor yn Lloegr fel gwobr, yn ogystal â chadarnhad ffurfiol ynglŷn â rhyddid y cyn-wystlon.

'Fedra i ddim.'

'Beth?' Pwysodd y Brenin ymlaen, a'i lygaid yn llawn dicter dychrynllyd. Sylweddolodd Gerallt na fyddai dim byd yn well gan John na gweld Gruffydd yn ei herio. Roedd Brenin Lloegr fel bachgen yn taflu cerrig at gi cadwynog.

'F'Arglwydd Frenin . . .' Cododd Gruffydd ei ben yn urddasol, ond heb fod yn herfeiddiol. 'Rydach chi wedi bod yn hael iawn wrth fy ngwahodd i ymuno â rhengoedd eich uchelwyr. Ond nid wyf eto wedi cyrraedd oed dyn, felly ni allaf daeru gwroldeb i neb ond fy nhad. Ni weddai i fachgen gymryd gwisg yswain, ni weddai i yswain wisgo ysbardun marchog. Felly er gwaetha'ch haelioni chi, f'Arglwydd, mi fyddwn i'n eich twyllo chi petawn i'n derbyn eich gwahoddiad.' Gorffennodd drwy foesymgrymu'n osgeiddig.

Cododd yr Iarll un ael wrth edrych ar y Brenin, a hwnnw'n methu'n lân â gweld bai ar ateb y llanc. Roedd Gerallt am guro dwylo i'w gymeradwyo, mor falch ydoedd ohono.

Pennod 34

Roedd y clerwr wedi ailddechrau, a'r gweision wedi mynd â gweddillion y bwyd i ffwrdd er mwyn gadael mwy o le i'r gwin melys. Tra bu'r Brenin yn ymroi at wacáu un cwpan ar ôl y llall, siaradai Gerallt yn daer â Gruffydd, a hwnnw hefyd yn llyncu ei win fel petai'n cystadlu â John i ddisbyddu *bouteillerie* y llys cyn gynted ag y bo modd.

'Beth oedd ar dy ben di'n aros yn Nhyddewi? Fe ddylet ti fod filltiroedd i ffwrdd!'

'Mi ges i 'y nal gan fab yr Iarll, on'd do?'

'Ond pam est ti i'r clogwyni? Oeddet ti'n gwybod fod y Brenin ar gyrraedd?'

'Arnoch chi mae'r bai . . . roeddech chi mor ddirgelaidd y bore 'ma wrth geisio cael gwared ohonon ni, nes ein bod ni i gyd bron â marw eisiau gwybod beth oedd yn mynd i ddigwydd heddiw.'

'Roeddech chi i *gyd* eisiau gwybod, oeddech?' Prin y gallai Gerallt ddychmygu Iestyn ab Idwal yn berwi o chwilfrydedd, ac yntau'n gyfrifol am ddanfon Gruffydd adre'n ddiogel.

'Wel, fi . . . fi ac Elidir. Ond mi newidiodd hwnnw ei feddwl yn fuan iawn. Fel arfer. Ac wedi iddo weld y Brenin, y cwbl roedd o eisiau'i wneud oedd ei g'leuo hi . . . fel y base fo wedi dweud. A dyna wnaeth o hefyd—yr eiliad cyn i'r milwyr gyrraedd a'n dal ni. Ia . . . proffwyd go iawn.'

'Beth ddigwyddodd wedyn?'

'Roedd Anselm yn mynnu 'mod i'n dod i'r wledd 'ma . . . yn siarad rhyw lol am *orchymyn y brenin*. Mi fyddai'r hen Iestyn wedi codi helynt, ond roedd cymaint mwy o filwyr gan fab yr Iarll . . . ac wedyn dyma fi'n meddwl sut 'y mod i newydd weld yr archddiacon Gerallt Gymro'n croesawu John fel hen gyfaill mynwesol, a meddwl hwyrach y base fo'n gofalu na chawn i ddim niwed.'

'Roedd Anselm yn dweud celwydd. Doedd yna ddim *gorchymyn y brenin.*'

'Dwi'n sylweddoli hynny rŵan! Roedd o eisiau dial arna i, 'na'r cyfan. Eisiau 'ngweld i'n ymgreinio o flaen ei frenin o. Dysgu gwers i mi, yntê?'

Nid atebodd Gerallt, am ei fod wedi llwyddo i ddal gafael yn un o'r gweision. Er bod pawb arall wedi gorffen bwyta, gofynnodd iddo ddod â lluniaeth i'r gwestai newydd.

'Doedd dim angen,' meddai Gruffydd yn swta, wedi i'r gwas adael. 'Does dim chwant bwyd arna i.'

'Fe wnaiff fwy o les i ti na'r holl win 'na rwyt ti'n ei lyncu!'

'*Gerallt!*' Chwifiodd y Brenin ei law'n ysgubol gan anghofio bod ei gwpan ynddi, a thaenu diferion o win dros y prif fwrdd a'r gwesteion. 'Ydych chi wedi anghofio eich bod wedi gaddo darllen i ni?'

'O . . . Ond mae hi mor hwyr yn y nos erbyn hyn, f'Arglwydd . . .'

'Rydyn ni'n cofio rywfaint o'ch traethodau ar y wlad hon. Dywedwch wrthon ni eto pa mor ddifonedd ydy'r Cymry wrth ymladd . . . pa mor gywilyddus ydyn nhw wrth redeg i ffwrdd o hyd!'

Wrth i'r Brenin chwerthin, fe droes Gruffydd at Gerallt a sibrwd yn y Gymraeg. 'Ai dyna'r math o beth y byddwch chi'n ei 'sgrifennu?'

'Dim ond un llinell oedd honno, fy mab, wedi'i thynnu allan o'i chyd-destun. Prin 'mod i'n ei chofio o gwbl . . . efallai 'mod i wedi dyfynnu geiriau rhywun arall . . .'

'A rhywbeth arall—y syniad gorau glywais i erioed am y wlad hon!' Roedd y Brenin yn mynd i hwyliau. 'Y syniad y dylen ni ddifodi'r Cymry oddi ar wyneb y ddaear a defnyddio'u tir nhw fel tir hela!'

Clywodd Gerallt roch o chwerthin o gyfeiriad Iarll Penfro, ond roedd yn rhaid canolbwyntio ar wyneb cynddeiriog Gruffydd ap Llywelyn. 'Gan bwyll, fy mab . . .'

'Wnaethoch chi ddweud hynny?'

'Wel, do, ond y cyd-destun oedd . . .'

'I gythraul â chi a'ch cyd-destun! Ddaru chi erioed feddwl pa fath o effaith base'ch sgwennu'n ei gael ar bobl? Ddaru i chi 'styried bod y Brenin a'i ryw yn darllen eich gwaith chi er mwyn *dysgu* amdanon ni . . . ia, dysgu amdanon ni cyn mynd ati i ymladd yn ein herbyn!'

'Ydw i'n clywed rhywbeth?' gofynnodd y Brenin i Gerallt. 'Ai cyfarth cenau bach Llywelyn yw e? Onid yw'r Cymry'n gallu chwerthin am eu pennau eu hunain? Duw a ŵyr, mae yna ddigon o reswm dros chwerthin . . .'

'*Mi ladda i o!*'

'A! Iaith seinber, on'd yw hi? Beth oedd ystyr hynny, tybed, Meistr Gerallt?'

'Dydw i ddim yn siŵr, f'Arglwydd, nid yw 'y Nghymraeg i'n berffaith, o bell ffordd . . . mae'n iaith anodd iawn . . .'

'Tewch! All hi ddim bod mor anodd â hynny—mae'r Cymry'n medru'i siarad, wedi'r cwbl!' Aeth ati i chwerthin â'i holl nerth, nes i'r gwin orlifo o'i gwpan dros y bwrdd o'i flaen. Rhuthrodd un o'r gweision i'w lanhau cyn i'r penelinoedd brenhinol gael eu gwlychu, a manteisiodd Gerallt ar ei gyfle i siarad yn isel â Gruffydd.

'Fedri di ddim gweld ei fod e'n gwneud hyn yn fwriadol? Fyddai dim byd yn well ganddo fe na dy weld di'n colli arnat ti dy hun! Dyna beth mae e'n *disgwyl* i ti 'wneud!'

'Pam? Ydach chi *hefyd* 'di sgwennu bod y Cymry'n gecrus ac yn methu goddef sarhad?'

Ni allai Gerallt ateb.

'Mi wnaethoch chi, on'd do?' Ond roedd mab Llywelyn yn chwerthin . . . chwerthin hyd at ddagrau. 'Mi wnaethoch chi . . . y diawl dauwynebog i chi . . .'

'Meistr Gerallt!' Torrodd y Brenin ar eu traws yn biwis. Sylweddolodd Gerallt y byddai'n beryglus dros ben iddynt ddal ati i siarad Cymraeg yn ei glyw. 'Fe glywais fod fy merch Joan yn ei diddanu ei hun trwy ddysgu gair neu ddau o Gymraeg.'

'Mae hi'n ceisio, f'Arglwydd,' atebodd Gruffydd mewn Ffrangeg, ac yn ddigon cwrtais.

'Rwy'n cofio'r adeg pan na allai hi ynganu enw ei gŵr, hyd yn oed. Ond rwy'n falch o glywed ei bod hi wedi rhoi enw go iawn ar ei mab hi . . . *David* yntê?'

'Ie,' meddai Gerallt, gan bwyso ymlaen wrth ymestyn am y gwin fel na châi'r Brenin weld ymateb y llanc. 'Cwpanaid eto, f'Arglwydd?'

Nodiodd y Brenin, ac wrth arllwys fe geisiodd Gerallt droi'r sgwrs. 'A fyddwch chi'n addoli gyda ni yn y brifeglwys yfory, f'Arglwydd?'

'Dyna pam rydyn ni wedi dod yma!'

'Wrth gwrs . . .' Edrychodd Gerallt heibio i'r Brenin am eiliad, a gweld yr Archesgob Langton yn siarad yn ddwys â'r Iarll. Nid oedd wedi cael fawr o gyfle i siarad â Langton eto—tybed a oedd yr Archesgob yn ceisio ei osgoi?

'Ie . . . wedi dod ar bererindod fel 'Nhad, er mwyn profi unwaith ac am byth fod Myrddin yn gelwyddgi!'

'Beth?' Yr oedd John yn amlwg wedi meddwi, ac eto clywodd Gerallt adlais o ystyr yn ei eiriau. 'Beth am Myrddin?'

'Rwy'n cofio i chi'ch hun ddweud y stori wrthon ni, flynyddoedd yn ôl. Roedd Myrddin wedi darogan am y . . . y garreg sy'n siarad . . .'

'Llech Lafar . . .'

'Dyna hi. Fe ddywedodd Myrddin y byddai Brenin Lloegr . . . ar ôl gorchfygu Iwerddon . . . yn marw, petai'n beiddio mynd dros y garreg. Fe glywodd 'Nhad yr hanes gan rywun pan ddaeth e yma, ac yntau newydd ddychwelyd o Iwerddon . . . diau fod yr holl beth wedi'i ddyfeisio'n unswydd ar ei gyfer!'

'I'r gwrthwyneb, f'Arglwydd, rwy'n credu ei bod hi'n hen iawn . . .'

'Ta waeth am hynny, pan glywodd 'Nhad am y darogan fe chwarddodd yn braf, a phan ddaeth yr adeg iddo fynd i'r eglwys fe gerddodd yn ddi-ofn dros y garreg, heb unrhyw drafferth o gwbl. Ac wedyn fe ddywedodd e . . . ydych chi'n cofio, Meistr Gerallt?'

'Celwyddwr yw Myrddin . . . pwy fydd yn ei gredu nawr?'

'Dyna fe. Ond dyma ryw Gymro yn y dorf yn gweiddi . . . *dŷch chi ddim wedi gorchfygu Iwerddon i gyd eto! Nid amdanoch chi roedd Myrddin yn sôn!*'

'Ie, rwy'n cofio . . .'

'A dyna pam mae'n rhaid i fi groesi'r garreg yfory. Am 'mod i wedi gorffen gwaith 'Nhad. Fi ydy Arglwydd Iwerddon nawr.'

'Wel . . .' Edrychodd Gerallt yn ofnus ar Gruffydd, a gweld bod ei fwyd wedi cyrraedd. Roedd y crwt wrthi'n rhwygo'r cig mollt yn filain oddi ar yr esgyrn, heb dalu fawr o sylw i'w sgwrs.

'Rydych chi'n cofio'r adeg aethon ni'n dau yno, on'd ydych? Chi a fi, Meistr Gerallt, yn dofi'r barbariaid 'cw!' Chwarddodd y Brenin yn uchel. 'Ie, *barbariaid* go iawn oedden nhw hefyd . . . ydych chi'n cofio?'

'Ydw.' Nid anghofiai Gerallt fyth mo'r cywilydd a deimlodd o weld y tywysog ifanc yn gwawdio'r henuriaid Gwyddelig, a hyd yn oed yn tynnu eu barfau hirion.

'A dyna beth wnaf i yfory! Dangos i holl farbariaid y wlad hon nad ydy Brenin Lloegr yn hidio dim am eu chwedlau ffôl!' Neidiodd y Brenin ar ei draed gan daro'i ddwrn yn daranllyd ar y bwrdd, ac fe dawodd yr ymddiddan dros y neuadd i gyd. Rhythodd Gruffydd ap Llywelyn arno, a'r asgwrn mollt wedi syrthio o'i law.

'Beth am Ddewi Sant, f'Arglwydd Frenin?' meddai'r llanc.

'Beth?' Roedd y Brenin ar fin gadael y babell i fynd i'w wely, ac Iarll Penfro hefyd wedi codi ar ei draed yn barod i'w hebrwng.

Ymhen eiliadau roedd pawb arall yn y babell wedi codi ar eu traed, ar ôl sylwi bod y Brenin ar ymadael, ac yn awyddus iddo frysio fel y caent wedyn ymlacio. Ond nid felly Gruffydd. Roedd yntau wedi codi, ond roedd mwy o her nag o barch yn ei wedd.

'On'd ydi ei fywyd a'i athrawiaeth o'n rhan o'n *chwedlau ffôl* ni?' gofynnodd y llanc. 'Os felly, mae'n syndod i mi eich bod chi wedi teithio mor bell i dalu teyrnged iddo.'

Daeth rhyw sŵn pŵl o gorn gwddf y Brenin. Edrychodd ar Iarll Penfro fel petai'n erfyn am ei gefnogaeth, ond ni welodd ond cilwen ar ei wyneb, a honno'n dywyll iawn ei hystyr. Dechreuodd gerdded yn araf ac yn boenus. Dywedodd 'nos da' wrth fynd heibio i Gerallt, ond wedyn fe oedodd yn ymyl mab Llywelyn.

'Oes, mae gen i ddigon o barch tuag at dy sant bach Cymreig di.'

Rhythodd Gruffydd ar y Brenin, gan sefyll mor agos ato nes y gallai glywed oglau'r gwin ar ei anadl. 'Diolch . . . diolch i chi, f'Arglwydd.'

Pwysodd John ymlaen yn agosach fyth, a sibrwd, 'Ac yfory, os byddaf i wedi cymryd ato, efallai yr af ag e'n ôl i Loegr gyda fi!'

Pennod 35

Nid oedd sôn am fab Llywelyn yn y llys fore trannoeth. Roedd Gerallt wedi chwilio amdano ym mhob twll a chornel, ac wedi holi'r gwarchodwyr wrth y clwydi, ond y cyfan yn ofer. Gobeithiai'n arw ei fod wedi ail-gwrdd ag Iestyn a'r lleill, a'u bod i gyd ar eu ffordd adre . . . ac eto roedd amheuon yn dal i gnoi. Ni allai anghofio'r casineb a welodd ar wyneb y llanc wrth i'r Brenin adael y babell y noson cynt, a hynny'n fwy na thebyg yn gysylltiedig â beth bynnag y sibrydodd John wrtho. Er nad oedd Gerallt wedi clywed y geiriau, nid amheuodd nad oedd John wedi cwblhau gwaith y noson â pherl o falais heb ei ail.

Wedi iddo roi'r gorau i chwilio, nid oedd dim byd amdani ond ymuno â'r lluoedd oedd yn llenwi garth y llys, pawb â'u bryd ar weld y Brenin a'r Archesgob yn gorymdeithio i'r eglwys. Roedd offeren arbennig i fod, o dan arweiniad Langton ac Iorwerth, er mwyn dangos i bawb sut roedd gwyrth Tyddewi wedi dwyn bendith Duw ar holl ynysoedd Prydain. Roedd Gerallt wedi hen flino ar glywed yr amryw gynlluniau rhyfedd a oedd gan hwn a'r llall i gymryd mantais o'r esgyrn. Bron yr hiraethai am agwedd onest Rhys Gryg tuag atynt.

Roedd y lleisiau cyffrous o'i amgylch yn mynd yn fyddarol, a gormod o gyrff yn hyrddio yn ei erbyn. Tybiai fod holl weision y llys, a holl wŷr y Brenin, wedi ymgasglu y tu allan i siambrau'r Esgob, lle roedd y Brenin wedi cysgu'r nos. Er ei fod yntau wedi gobeithio ymuno ag Iorwerth a'r lleill cyn yr orymdaith, ymgiliodd Gerallt o'r tyrfaoedd a mynd i sefyll ger y clwydi. Nid oedd fawr mwy o lonyddwch yno, ond o leiaf roedd pobl yn mynd ac yn dod yma yn lle sefyll yn eu hunfan gan wthio'u penelinoedd i asennau pawb.

Cafodd ei gyfarch gan un o'r milwyr ger y porthdy, a sylweddolodd Gerallt mai un o warchodlu Nevern ydoedd. Teimlai'n falch fod castell Tyddewi wedi'i gynrychioli heddiw, ymhlith yr holl estronwyr o Benfro . . . a'r rheiny i'w gweld yn herwa yma ac acw gan chwilio'n orawchus am elynion eu brenin. Golwg ddychrynllyd oedd ar rai ohonynt hefyd, a dieithr iawn eu hieithoedd a'u dillad. Cofiodd Gerallt glywed fod y Brenin yn arfer galw ar hurfilwyr o'r cyfandir i ymladd drosto, a bod sawl un ohonynt wedi'i ddyrchafu i fod bron cydradd â'r barwniaid Normanaidd.

Agorodd ei geg yn flinedig gan godi llaw i'w chuddio. Atgoffwyd ef o'r holl adegau pan fu'n aros fel hyn am y Brenin Harri'r Ail. Tybed faint o oriau gwerthfawr o'i ieuenctid a wastraffodd felly? Ac er mwyn cwblhau'r atgof, fel petai, dyma'r diferion cyntaf o law yn taro'r glaswellt sych.

'Meistr Gerallt!' Clywodd ei enw ei hun, o'r tu cefn iddo. Troes, a gweld cynnwrf yn y dorf oedd wedi ymgasglu y tu allan i glwydi'r llys, yn bererinion ac yn frodorion. Gwelodd ddyn yn ymwthio tuag ato.

'Lle mae o?'

'Elidir?'

Cyrhaeddodd y bardd res flaen y dorf, ond ni fentrodd ymhellach. Roedd arno ofn y milwyr, siŵr o fod. 'Lle mae o? Lle mae Gruffydd, o drugaredd?'

Edrychai'r archddiacon yn anesmwyth o'i gwmpas wrth gerdded ychydig gamau tuag ato. Teimlai'n lletchwith yn cael ei gyfarch fel hyn ym mhresenoldeb y llys . . . ac Elidir yn ymddangos mor anniben â phetai wedi mynd yn ôl at ei hen arfer o gysgu mewn ffos. 'Dwy ddim wedi ei weld e ers neithiwr . . .'

'Rhaid i chi ddod o hyd iddo! Mae Iestyn ar anfon un ohonon ni at Llywelyn i ddeud bod y Brenin wedi'i gymryd o'n wystl eilwaith. Mi eith o i ryfel, mi ddaw popeth i ben . . .'

'Wyt ti ddim *eisiau* rhyfel?' Rhythodd Gerallt arno, a'i feddyliau wedi'u meddiannu'n llwyr gan yr wrthdyb hon. Ni sylwodd ar y milwyr yn ceisio cau am Elidir nes i hwnnw droi ar ei sawdl a diflannu eilwaith ymhlith y dorf.

'Rhaid cael rhyw wallgofddyn Cymreig yn gweiddi o'r dorf i goroni'r achlysur, on'd oes Meistr Gerallt?'

Anghofiodd am gyfyng-gyngor y bardd wrth glywed llais bonheddig Archesgob Caergaint. Safai Langton dan gysgod y porthdy, yn ofalus iawn o'i wisg ysblennydd lliw aur ac ifori. Roedd y glaw wedi trymhau, ac felly roedd Gerallt yn falch o'r esgus i fynd i sefyll yn ei ymyl.

'Rwy'n synnu, Eich Gras, nad ydych chi'n cynorthwyo'r Brenin gyda'i . . . y . . . baratoadau.'

'Gadewch i Iorwerth fwynhau ei eiliad o fri.' Gwenodd yr Archesgob yn araf. Roedd ganddo lais ysgolheigaidd ei sŵn, ac wyneb sanctaidd yr olwg, ac fe fyddai wastad yn cadw rheolaeth lem ar y ddau rhag iddynt fradychu'i wir deimladau. 'Ond na . . . mae e eisoes wedi cael profiad gwell na hyn, on'd yw e?'

'Ydy e?'

'On'd yw darganfod creiriau sant yn brofiad gwell na chael croeso brenin? Yn enwedig os ydyn ni'n sôn am greiriau Dewi Sant a Brenin Lloegr! Rwy'n gwybod dipyn am y Cymry, chi'n gweld.'

'Fel rwy'n deall.' Edrychodd Gerallt o'i gwmpas i sicrhau nad oedd y gwarchodwyr yn rhy agos. 'Y . . . mae'n debyg eich bod chi wedi penderfynu eisoes ynglŷn â'r creiriau, Eich Gras.'

'Ydw i?'

'Rydych chi wedi cyfeirio atynt fel petaech chi'n credu yn ein gwyrth ni.'

'Wrth gwrs fy mod i'n credu. Mae angen gwyrth ar y gwledydd hyn, on'd oes? Mae'n rhaid dangos i'n pobl ni—ac i'r byd—nad yw'r Arglwydd wedi troi Ei wyneb oddi wrthon ni.'

'Ac . . . a fyddwch chi'n datgan eich barn ar goedd?'

'Ond i chi fod yn amyneddgar, Meistr Gerallt. Alla i ddim datgan dim byd nes i fi *weld* y creiriau, alla i?'

'Ac wedyn fe fyddwch chi'n gwneud yn siŵr bod y newyddion da'n lledu? Yn lledu mor bell â Rhufain, er enghraifft?'

'Siŵr o fod.' Dygodd craffter Gerallt wên i wyneb yr Archesgob. 'Yn wir, rwy'n meddwl y dylwn i fynd yno fy hun er mwyn cario newyddion mor bwysig.'

'Onid y Brenin yw ffefryn mawr y Pab ar hyn o bryd?'

'Sut clywsoch chi am hynny?'

'Am beth?' Sylweddolodd Gerallt fod ei eiriau wedi taro'n ddyfnach nag yr oedd wedi'i fwriadu. 'On'd yw'r Brenin wedi gwneud heddwch â Rhufain ers misoedd?'

'O, ydy . . . ond yn awr mae e'n ceisio dwyn perswad ar y Tad Sanctaidd i danseilio'r heddwch sy gennym ni yn Lloegr.'

'On'd ydy'r Pab eisiau gweld heddwch ym mhobman?'

'O, ydy, rwy'n siŵr . . . ond mae'r Brenin wedi cael nawdd yr Eglwys, on'd yw e?'

'Dwy ddim yn gweld sut . . .'

'Mae'n ddigon syml. Dyw'r Tad Sanctaidd ddim eisiau gweld yr uchelwyr yn herio awdurdod y Brenin, am y byddai hynny'n golygu eu bod nhw hefyd yn herio awdurdod Eglwys Rufain.'

'Beth am y Freinlen?'

'Cwestiwn da . . .'

'Ydy'r Pab yn ei gwrthwynebu?'

'Mae e'n gwrthwynebu'r gwrthryfel, yn bendant . . . ond dyw e ddim yn *gwybod* am y Freinlen eto. Dyna'r broblem chi'n gweld . . . fe ysgrifennodd y Brenin ato ddwywaith . . .' Syllodd yr Archesgob i'r garth, ond heb weld dim golwg o'r Brenin. 'Beth sy'n eu cadw nhw, tybed?'

'Roeddech chi'n sôn am yr ohebiaeth rhwng y Brenin a'r Pab . . .'

'Oeddwn . . .' Ochneidiodd Langton yn flinedig. Ni fyddai wedi dweud hyn oll wrth Gerallt oni bai iddo weld ei ymddygiad y noson cynt. Er iddo eistedd wrth ymyl ei 'hen gyfaill' y Brenin John, roedd Gerallt wedi bod mor amlwg o blaid mab Llywelyn nes i'r Archesgob amau ei fod hefyd o blaid y gwrthryfelwyr. Roedd Langton wedi dysgu erbyn hyn y dylid edrych am gyfeillion ym mhobman, bob amser . . . ac yr oedd arno wir angen cyfeillion yn ddiweddar. 'Fe anfonodd y Brenin y llythyr cyntaf ym mis Mai, gan gwyno am ymddygiad yr uchelwyr a gofyn am gefnogaeth yr Eglwys yn eu herbyn. Roedd yr ateb yn hir yn dod, ac yn y cyfamser fe luniwyd y Freinlen, fel yr ydych chi'n gwybod. Ac wedyn fe aeth y Brenin i Rydychen i gymodi eto â'r gwrthryfelwyr, ond tra buodd e yno . . .' Llyncodd ei boer. '. . . fe aeth y tu ôl i'w cefnau nhw, Meistr Gerallt. Ac y tu ôl i 'nghefn i. Fe anfonodd ail neges at y Pab a gofyn iddo ddiddymu'r Freinlen. Fyddwn innau ddim yn gwybod am y peth oni bai iddo feddwi un noson ac ymffrostio . . . roedd hynny ar ôl iddo gael yr ateb yn ôl.'

'Yr ateb? Ydy'r Freinlen wedi ei diddymu, felly?'

'Nac ydy, nac ydy . . . dim ond ateb i'r llythyr *cyntaf* sy wedi dod! Nid oedd y Pab wedi clywed am y Freinlen pan ysgrifennodd e ac . . . ac mae'n anodd gwybod beth i'w wneud . . .'

'Pam felly?'

'Mae'r Tad Sanctaidd yn dweud, Meistr Gerallt, y dylid esgymuno'r holl rai sy'n *cythryblu'r Brenin a'r deyrnas.*'

Tynnodd Gerallt arwydd y Groes. 'A . . . a wnaethpwyd hyn eto?'

'Y gwrthryfelwyr i gyd . . . yr holl farwniaid o Loegr, a holl dywysogion Cymru . . . a finnau, am wn i, am fy mod i wedi eu cefnogi nhw yn y gorffennol . . .'

'Ond a wnaethpwyd hyn, Eich Gras?'

'Beth ydw i i fod i wneud? F'esgymuno fy hun?' Dihangodd adlais o chwerthin chwerw o'i enau.

'Os ydy gorchymyn y Pab ar ei hôl hi gymaint, efallai mai'r peth callaf i'w wneud yw aros am gadarnhad. Aros am yr ateb i'r ail neges a anfonodd y Brenin.'

'Da iawn. Dyna beth rydw innau'n ei feddwl. Rydw i a'm hesgobion wedi ymgynghori â chenhadon y Tad Sanctaidd, ac wedi'u darbwyllo nhw y dylid aros dipyn. Maen nhw'n gobeithio y bydd y *bygythiad* o esgymuniad yn ddigon i ddofi'r gwrthryfelwyr yn y cyfamser.'

'A fydd e?'

Ysgydwodd yr Archesgob ei ben gan wenu. 'Rwy'n amau'n fawr. Fe fyddai'n well gan lawer ohonyn nhw weld rhywun arall—rhywun tebyg i'r Tywysog Louis o Ffrainc, am wn i—ar yr orsedd. Fe gafodd yr heddychwyr eu cyfle gyda'r Freinlen, ond nawr bod John wedi gwneud ei orau i gael gwared ohoni, fe fydd y rhyfelgwn yn dod i'r blaen. Ac ni fydd y rheiny'n ymboeni'n fawr ynglŷn â'u dulliau . . .'

'Ydych chi'n meddwl bod yna berygl y bydd rhywun yn ceisio ei ladd e?'

'Nawr, Meistr Gerallt, fe ddylech chi wybod yn well.' Lleisiodd yr Archesgob y cerydd yn eithaf uchel, cyn rhoi'i geg yn agos at glust yr henwr i sibrwd. 'Ac eto mae yna lawer a fyddai'n gorfoleddu . . . a nifer o'r rheiny'n agos iawn ato.'

Taflodd gipolwg amlwg tuag at yr osgordd oedd yn dechrau ymffurfio yng nghanol y garth, o dan gyfarwyddyd Iarll Penfro a'i fab.

Ymddangosodd y Brenin a'r Esgob yn fuan wedyn. Yn swyddogol, roeddynt wedi bod yn gweddïo gyda'i gilydd i ymbaratoi ar gyfer y profiad ysbrydol mawr o weld y creiriau, ond roedd hynny'n amheus iawn gan Gerallt. Fel arfer nid ymboenai'r Brenin ryw lawer ynghylch crefydd, oni bai ei fod yn llygad y torfeydd.

Golwg ddiflas oedd ar yr Esgob Iorwerth hefyd, gan gadarnhau damcaniaeth yr archddiacon. Roedd yn hawdd credu fod y Brenin wedi bod yn ei groesholi am drethi a rheolaeth yr esgobaeth trwy'r bore . . . ac eto, nid ymddangosai'r Brenin yn fodlon iawn â'i ran chwaith, ond yn hytrach yn dawedog ac yn ddigalon ei fryd. Efallai iddo fod yn myfyrio am Lech Lafar ac am ddarogan Myrddin . . . neu ei fod yn dioddef oherwydd gormod o win y noson cynt. Cerddai'n gloff gan bwyso ar fraich yr Esgob, a'r glaw'n gwlychu eu gwisgoedd ceinion nes eu troi'n drwm ac yn ddi-lun. Aeth yr Archesgob Langton i ymuno â hwy, ac Iarll Penfro'n ymddangos o blith ei filwyr ar yr un pryd. Cyfarfu'r ddau wrth ymyl y Brenin, a'u gelyniaeth yn amlwg i'r byd.

Gwyliodd Gerallt y cyfan o bell, heb symud cam. Roedd yn ddigon bodlon aros yn ei unfan wrth i'r Iarll a'r Archesgob ddadlau ynglŷn â sut y dylid ffurfio'r osgordd a fyddai'n gorymdeithio i'r gadeirlan. Prin fod yna ddigon o bellter i gael gorymdaith go iawn ta beth, myfyriodd. Byddai'r Brenin wedi cyrraedd drysau'r eglwys ymhell cyn i filwyr olaf yr Iarll adael y llys.

Ond dyma hwy'n dod at ei gilydd o'r diwedd. Un o weision yr Esgob yn cario'r groes o'u blaenau, wedyn y Brenin a'r Archesgob, a'r Iarll a'r Esgob, a hanner dwsin o filwyr yn cerdded bob ochr. Wedyn eu swyddogion pwysicaf, a heidiau o glerigwyr Tyddewi . . . a chyda'r dynion duwiol hyn yr aeth Gerallt, wrth iddynt fynd allan trwy glwydi'r llys. Adnabu lawer ohonynt, eto ni ddywedodd air wrth neb. Roedd pawb wedi ymdawelu, hyd yn oed y lluoedd oedd yn aros amdanynt o flaen y gadeirlan. Cofiodd Gerallt am Elidir wrth fynd heibio i'r rhengoedd disgwylgar, ond ni allai mo'i weld bellach . . .

Clywodd drydar byddarol o gyfeiriad y gadeirlan, a gweld y corfrain yn codi o'r tŵr nes bod eu hadenydd yn duo'r wybren. Dechreuodd ymwthio trwy'r dorf heb aros i feddwl.

Gwelodd y milwyr yn codi eu bwâu ac yn anelu at y tŵr, a'r heidiau o saethau'n ehedeg i blith y corfrain. Gwelodd yr Archesgob a'r Esgob yn penlinio ar Lech Lafar, a rhyngddynt, o'r diwedd, fe welodd y Brenin John yn gorwedd yn llonydd, llonydd, a'i waed yn araf ddiferu i mewn i ddyfroedd sanctaidd yr afon.

Pennod 36

Roedd yr Alun wedi troi'n goch eilwaith, megis ar ddiwrnod y wyrth honno pan lifeiriodd o win. Yr afon yn troi'n goch, wedyn y Môr Celtaidd, wedyn Cymru gyfan . . . byddai'r wlad i gyd yn talu'n hallt am hyn os Cymro oedd wedi saethu'r Brenin. A hyd yn oed os Norman neu Fflandryswr neu Sais fu'n gyfrifol, byddai'r bai yn dal yn debygol o syrthio ar y Cymry. Ond ei dwyllo'i hun yr oedd Gerallt, fel cynifer o weithiau o'r blaen. Fe wyddai pwy oedd wedi gollwng y saeth.

'O . . . ti sy 'na, Gerallt . . .' Agorodd y Brenin ei lygaid wrth i'r archddiacon edrych i lawr arno. Llygaid gleision fel llygaid ei dad a'i frawd. Roeddynt ill tri wedi bod yn garedig wrth eu gwas Gerallt Gymro. Wedi ei wneud e'n gaplan, wedi mynd ag ef i Iwerddon, wedi gofyn am ei gyngor byth a beunydd. Ac yntau wedi talu'n ôl dim ond gyda dirmyg a brad. Ie, brad . . . oni bai am Gerallt, ni fyddai'r llofrudd wedi bod yn rhydd na hyd yn oed yn fyw i gyflawni ei drosedd. Troes ei lygaid i ffwrdd oddi wrth wyneb y Brenin a gweld y saeth ym môn ei fraich dde. 'Maddeuwch i mi . . .'

Syllai'r Brenin arno'n ddryslyd, nes y sylweddolodd Gerallt ei fod wedi siarad yn y Gymraeg. A oedd e'n colli ei bwyll?

Gwenodd y Brenin wedi iddo ailadrodd. 'Dim byd i faddau, fy ffrind. Fi oedd am ddod yma . . . fi oedd eisiau rhoi'r hen dduwiau ar brawf.'

Hen dduwiau! Rhaid bod y Brenin ar drengi, os oedd e'n siarad fel hyn. Plygodd Gerallt ei ben a dechrau gweddïo drosto, nes i rywun gydio'n ddisymwth yn ei wisg a'i dynnu o'r neilltu.

'Rydych chi braidd yn gynnar gyda'r eneiniad olaf, Meistr Gerallt.' Gwnaeth Iarll Penfro arwydd ar ei filwyr, ac fe ddaethant i godi'r Brenin yn ofalus a'i gludo ymaith i gyfeiriad y llys. 'Rwyf i wedi dod dros gannoedd o anafau tebyg i hwn!'

'Ble rydych chi wedi bod?'

'Yn gwarchod y Brenin.'

'Welais i mohonoch chi.'

'Y peth cyntaf i'w wneud oedd dal y saethwr, rhag iddo wneud mwy o niwed!'

'Ond fe saethodd o'r eglwys . . .'

'Do . . . pechod mawr, rwy'n siŵr. Mae Anselm yn dal yno'n chwilio amdano.'

'Chwilio yn yr eglwys? Chaiff e ddim! Mae gan bawb hawl i geisio noddfa!' Sylweddolodd Gerallt nad oedd bron neb arall ar ôl i'w glywed. Roedd y dorf wedi gwasgaru, a'r mwyafrif o'r milwyr wedi mynd un ai i'r eglwys neu i hebrwng y Brenin. Gwelodd yr Archesgob hefyd yn dilyn y dyn clwyfedig i'r llys, gan ynganu rhyw weddi daer drosto. Tra bu Gerallt yn eu gwylio, fe gefnodd yr Iarll arno a diflannu. Pwy oedd ar ôl?

Gwelodd yr Esgob yn sefyll ymhlith y beddfeini, yn gwasgu'i ddwylo'n ddiymadferth. 'Iorwerth! Rhaid i chi wneud rhywbeth.'

Ysgydwodd ei ben fel petai rhywun wedi rhoi bonclust iddo. 'Alla i ddim . . .'

'Chi yw'r arglwydd fan hyn! Mae'r tiroedd yma'n eiddo i chi . . . dŷch chi ddim yn ddeiliad i Iarll Penfro nac i'r Brenin!'

'Ond rwy'n atebol i Archesgob Caergaint . . .'

'Ydych . . . er mawr cywilydd i ni. Ond mae'r Archesgob wedi mynd, on'd yw e? Ac mae yna filwyr arfog yn hela dyn yng nghyffiniau sanctaidd yr eglwys . . . *eich eglwys chi!*'

'Alla i ddim . . . 'sa i'n teimlo'n dda . . . fe fydden nhw'n gwrando'n well arnoch chi, archddiacon . . .' Ymgiliodd Esgob Tyddewi yn wysg ei gefn nes i'w droed gyffwrdd â'r llwybr, yna trodd a rhedeg am y llys fel cath i gythraul.

A dywediad digon addas oedd hwnnw.

*   *   *

Yr oeddynt wedi hela'r saethwr i lawr o'r tŵr erbyn i Gerallt fynd i mewn i'r eglwys. Gwelodd y milwyr yn ei daflu'n gorfforol allan o'r côr trwy glwyd agored y groglen.

'Mi losgwch chi i gyd yn uffern!' Poerodd y saethwr y rhybudd, wrth ymestyn at yr allor a gafael yn y lliain â'i ddwy law.

Ond ni hidiai neb. Cydiasant ynddo eilwaith a'i lusgo i lawr yr ychydig risiau at gorff yr eglwys, a chornel y lliain yn dal yn ei afael nes bod y groes yn hercian ar hyd yr allor.

Rhedodd yr archddiacon i'w plith mewn pryd i achub y groes rhag syrthio. Fe'i daliodd at ei frest wrth lygadu'r troseddwyr yn ffyrnig. Roedd un o'r milwyr wrthi'n troi braich mab Llywelyn y tu ôl i'w gefn, ac yntau'n dal ar ei liniau. Gallai Gerallt glywed y llanc yn ymladd am ei anadl, a gwelai'r gwaed dros ei wyneb a thros ei law chwith.

'Gollyngwch ef,' meddai, wedi rhoi'r groes yn ei hôl ar yr allor.

Edrychodd yr wyth milwr arno'n ddifater. Wedyn, a hwythau'n ei amgylchu ar bob tu, fe wthiwyd Gruffydd tuag ato.

'Dywedwch wrthyn nhw, Meistr Gerallt. Dywedwch wrthyn nhw am fynd i'r diawl! Dwi 'di hawlio noddfa!' Cydiodd Gruffydd yn daer yn nwylo'r archddiacon nes i hwnnw deimlo'r gwaed yn tywallt. Troes law chwith y llanc drosodd a gweld y clwyf ar draws ei chledr.

'Fe ddylai fe fod wedi ildio'r bwa i ni heb frwydro,' meddai Iarll Penfro, wrth ymuno â hwy.

'Beth rŷch chi wedi bod yn 'wneud cyhyd? Gweddïo am faddeuant?'

'Gwrandewch, Meistr Gerallt . . .'

'Mae'r llanc hwn wedi gofyn am nawdd yr Eglwys.'

'Chlywais i mohono.'

'Wel fe glywais i!'

'Ydych chi'n siŵr am hynny?' Roedd pwyslais cyfrin yn llais yr Iarll. Gorchmynnodd i'r milwyr aros, cyn arwain Gerallt ymhellach i lawr corff yr eglwys fel y caent siarad yn ddirgel. 'Peidiwch ag ymyrryd, Meistr Gerallt. Credwch neu beidio, rwy'n gwneud 'y ngorau i arbed bywyd y cenau bach.'

'Ydych chi'n disgwyl i fi gredu . . .'

'Chi'n sôn am nawdd . . . ond y gwir yw, fe fydd yr eglwys hon yn troi'n lladd-dy os fydd e'n aros yma.'

'Rhag eich cywilydd chi!'

'Nid am 'y ngwŷr 'yn hun yr ydw i'n siarad . . . ond mae gan y Brenin filwyr na fyddai'n meddwl eilwaith cyn dod yma gefn nos a thorri ei gorn gwddf. Maen nhw i gyd yn gwybod cymaint fydd y wobr i'r un sy'n lladd yr *asasin*.' Defnyddiodd yr Iarll y gair Arabeg yr oedd llawer o'r Normaniaid wedi'i ddysgu, trwy brofiad chwerw, yn ystod y Groesgad.

'Beth ŷch chi'n awgrymu y dylid 'wneud ag ef, felly? Ei ryddhau e, siŵr o fod?'

'Mynd ag ef i'r hen gastell . . . allan o gyrraedd y Brenin. Wedyn fe gawn ni amser i feddwl . . .'

'Pam? Os oes cymaint o wobr ar gael, pam ŷch chi'n ceisio'i amddiffyn?'

'Dwy ddim eisiau gweld y Cymry'n ailddechrau'r gwrthryfel! Petai ei fab yn cael ei ddienyddio, fe fyddai'n rhaid i Llywelyn ymateb. Ac fe fyddai'r gweddill o'r arglwyddi Cymreig yn barod iawn i'w ddilyn—maen nhw wedi bod yn aros am esgus ers misoedd. Ac wedyn mae'n bosibl iawn y byddai'r barwniaid yn Lloegr yn ymuno â nhw, a dyna i chi ddechrau rhyfel cartref!'

'F'Arglwydd!' Rhedodd Anselm atynt, a'i lygaid yn serennu o gyffro. 'Rwy wedi gweld rhywbeth . . .'

Edrychodd y ddau henwr arno, yr Iarll yn ddiamynedd a Gerallt yn filain.

'Ar y brif allor . . . y greirfa . . .'

'Meiddiaist ti fynd i mewn i'r seintwar?'

'Roedd rhaid i mi, Meistr Gerallt. Roedd rhaid i ni wneud yn siŵr nad oedd gan *hwnna* gyfeillion yn cuddio yn rhywle yn yr eglwys.'

'Fe ddylwn i esgymuno pob un ohonoch chi!'

'O . . . ydych chi eisiau colli'ch creiriau i gyd, felly?'

'Beth?' Ffromodd Gerallt gan beri i Anselm edifaru'i wawd.

'Os ewch chithau i'r seintwar, Meistr Gerallt, fe welwch chi beth rwy'n ei feddwl. Os edrychwch chi ar y greirfa . . .'

'Beth sy'n bod arni hi?'

'Wnes i ddim edrych i mewn . . . wrth reswm. Ond synnwn i fawr nad yw'r esgyrn wedi mynd. Mae yna olion o gwmpas y clo . . . olion fel petai rhywun wedi ceisio'i agor â chyllell.'

Troes Gerallt ar ei sawdl a mynd am y groglen heb air. Syllodd yr Iarll yn flin ar ei fab. 'A tithau'n meddwl fod mab Llywelyn wedi dwyn y creiriau? Ble maen nhw, felly? Doedden nhw ddim gyda fe yn y twr.'

'Fe allai fod wedi'u rhoi nhw i'w gyfeillion, a hwythau wedi dianc . . .'

'Wnest ti ddim dweud bod ein gwŷr ni'n gwarchod holl glwydi clos y gadeirlan ers ddoe, fel na châi neb o'r gogleddwyr ddod i mewn na mynd allan?'

'Fe allai e fod wedi'u cuddio nhw'n unrhyw le, felly.'

'Pam, er mwyn Duw!'

'Oherwydd . . . oherwydd doedd e ddim eisiau i'r Brenin gael y fraint o'u gweld nhw.'

'Beth ddywedaist ti wrtho fe, 'machgen i?'

'Dim gair! Ches i ddim cyfle . . .'

'Nid heddiw. Ddoe . . . neithiwr. Beth ddywedaist ti wrtho, cyn i ti ddod ag e at y Brenin?'

'Dwy ddim yn cofio . . .'

'Nag wyt?'

'Dim ond cael hwyl ar ei ben oeddwn i. Ar ôl beth wnaeth e i fi . . .'

'*Dim byd!* Wnaeth e ddim byd i ti nad oeddet ti'n ei haeddu! Ni fyddai e byth wedi dianc o'r llong petait ti wedi bod yn arweinydd da i'th wŷr. Ac ni fyddai neb wedi gwrando ar gyhuddiadau gwirion ei gyfaill, oni bai dy fod ti wedi rhedeg ymaith o Benfro!'

'Ond fe allwn i fod wedi cael 'y nghrogi o'i herwydd e!'

'Fe allet ti o hyd! Arnat ti mae'r bai am yr hyn sy wedi digwydd y bore 'ma. Fe ddylet ti fod wedi gyrru mab Llywelyn a'r lleill oddi yma, ond na, roedd rhaid i ti gael dial arno'n gyntaf. Roedd rhaid i ti ei fychanu fe, roedd rhaid i ti ei ddangos i'r Arglwydd Frenin. Beth ddywedaist ti wrtho fe? Bod y Brenin yn bwriadu mynd ag e'n ei ôl i Gastell Corfe?'

Roedd distawrwydd yr yswain yn ateb ynddo'i hun.

'Ie. Ac wedyn fe wnest ti'n siŵr fod dy wŷr di'n gwarchod y clwydi fel nad oedd modd iddo ddianc yn y nos, fel roedd e siŵr o fod eisiau 'wneud. Rwyt ti wedi cornelu gwiber yn y clos yma—*ym mhresenoldeb dy Frenin!*'

'Beth amdanoch chi, 'te? Os oeddech chi'n gwybod cymaint am beth oedd yn digwydd pam na wnaethoch chi ddim byd? Fe allai rhywun feddwl eich bod chi *eisiau* gweld rhywun yn saethu'r Brenin!'

Gwthiodd yr Iarll ei fab yn erbyn un o'r colofnau nes bwrw'r gwynt o'i ysgyfaint. 'Rwy wedi clywed digon 'da ti. Nawr cer yn ôl i'r llys a chadw draw oddi wrth 'y ngwŷr i . . . a phaid â dweud gair wrth neb, ti'n deall?'

'O, ydw. Rwy'n deall yn iawn.' Roedd ei lais yn dal yn wrthryfelgar. Beth a wneir gyda'r fath ystyfnigrwydd?

'Un gair wrth unrhyw un am fab Llywelyn, a ti fydd yr un sy'n hawlio noddfa,' ysgyrnygodd yr Iarll, cyn ei ollwng.

Aeth Anselm o'r eglwys, a'i edrychiad olaf ar ei dad yn llawn casineb. Roedd yr Iarll ar gychwyn ar ei ôl pan welodd Gerallt yn dychwelyd, gan fynd heibio i Gruffydd a'r milwyr heb edrych arnynt.

'Wel, Meistr Gerallt? Ydy'r creiriau'n dal yno?'

'Ydyn, diolch i Dduw. Eto mae'n amlwg fod rhywun wedi

211

ymyrryd â'r greirfa.' Siaradai'n dawel, ddiysbryd. Ni thrafferthodd holi ynghylch y ddadl wresog rhwng yr Iarll a'i fab, er ei fod yn siŵr o fod wedi clywed eu lleisiau.

'Ydych chi'n iawn, Meistr Gerallt?'

'Na . . . nag ydw. Gwell i fi fynd i orffwys. Cofiwch fi at y Brenin . . . fe fydda i'n gweddïo drosto.'

Aeth Gerallt o'r eglwys heb air arall. Fe glywodd lais Gruffydd ap Llywelyn yn edliw o bell, *'Mae 'ngwaed i ar eich dwylo, Gerallt Gymro!'*

Ond nid edrychodd yn ei ôl.

Pennod 37

Cerddodd Gerallt yn benisel ar hyd y llwybr i'r hen gastell, a'i ysbryd yn is fyth. Wrth adael y gadeirlan yr oedd wedi gweld gweision y Brenin yn codi'r Llech Lafar o'i seiliau, ac nid amheuai na fyddent wedi ei thorri'n yfflon erbyn y machlud. Nid oedd wedi dweud dim byd i'w rhwystro, na gwneud dim byd ond mynd yn dawel dros y rhyd gerllaw. Câi'r Brenin ei ddial yn erbyn y garreg oer, pe mynnai, tra bod eraill yn pendroni dros dynged y crwt gwirion a achosodd yr helbul i gyd . . .

'*Meistr Gerallt!*'

Daeth y llais o'r cwm islaw, o ganol llwyni trwchus. Ond erbyn meddwl, ni allai fod yn sicr nad sisial dail coed a glywodd—yr helyg ar lannau'r Alun hwyrach, neu'r ychydig dderw a dyfai'n agosach at y llwybr. Arafodd ei gamau wrth fentro dipyn i lawr yr allt. 'Pwy sy 'na?'

'*Dieithriad a phererin ydwyf ar y ddaear . . .*'

Adnabu'r llais. Adnabu ei dinc gogleddol, a'i hyfdra. Cerddodd at ymyl y coed ac edrych i'w canol. 'Elidir?'

Dim ond chwerthin ysgafn a glywodd, a hwnnw'n dod o gyfeiriad canghennau llydan coeden dderw. A dyna lle roedd y bardd yn eistedd, ac un goes wedi'i thynnu at ei frest a'i gefn yn pwyso yn erbyn y boncyff.

'Fe ddylwn i fod wedi dyfalu y byddet ti'n llercian yn rhywle.'

'Dylech.' Disgynnodd yn ddisymwth . . . ac yn afrosgo, am ei fod yn dal rhywbeth yn ofalus yn ei law dde.

'Beth sy gen ti yn fan 'na?'

'Hon?' Agorodd ei law i ddangos ei drysor, nad oedd yn ddim byd nemor pluen ddu. 'A wyddoch chi ble ges i hon? Mi syrthiodd o'r nefoedd wrth i'r Normaniaid saethu tuag at y gadeirlan.'

'Saethu adar, oedden nhw? A minnau'n meddwl eu bod nhw'n anelu at y saethwr yn y tŵr . . .'

'Ia . . . ond mi gollodd pob saeth ei nod, yn do? A wyddoch chi pam?'

'Pam, felly?' Ochneidiodd yr henwr yn oddefgar.

'Oherwydd bod y brain wedi codi'n heidiau o'r tŵr er mwyn mwydro'r milwyr . . . a rhai ohonyn nhw'n rhoi'u cyrff eu hunain o flaen saethau'r Normaniaid er mwyn amddiffyn mab f'arglwydd.'

213

'Dim ond corfrain sy'n nythu yn y tŵr, nid brain. Ac nid Bendigeidfran fab Llŷr chwaith! A phe bait ti heb lenwi pen Gruffydd â'r fath chwedloniaeth ffôl, efallai na fyddai fe wedi bod mor wirion ag i geisio lladd y Brenin!'

'Nid fi sy wedi gneud iddo gasáu John.'

'Ond petai e heb glywed am hanes Llech Lafar, fyddai fe byth wedi cael y syniad o . . .'

'Pa hanes?' Edrychodd y bardd arno'n chwilfrydig. 'Mi glywais ambell i sibrwd y tu allan i'r eglwys y pnawn 'ma, ond . . .'

'Dim ots . . .' Cofiodd Gerallt yn rhy hwyr mai'r Brenin ei hun, ac nid Elidir, oedd wedi adrodd hanes Llech Lafar wrth Gruffydd. 'Beth rwyt ti eisiau?' meddai'n swta.

'Tydach chi ddim yn gwbod?'

'Rwyt ti'n disgwyl i fi ryddhau dy gyfaill, on'd wyt? Ti'n disgwyl i fi fynd i mewn i'r castell, cerdded heibio i'r milwyr i gyd a dod â Gruffydd yn ôl fan hyn . . . er mwyn i chi'ch dau gael mynd adre fel petai dim byd wedi digwydd!'

'Os 'dach chi'n cynnig . . .' Roedd e'n troi'r bluen drosodd a throsodd rhwng ei fysedd, gan edrych i lawr arni. 'Mae'n beth mawr i ofyn amdano, mi wn.'

'Peth mawr! Rwyt ti'n gofyn i fi ryddhau dyn a geisiodd lofruddio Brenin Lloegr!'

''M ond hogyn ydi o, 'neno'r Tad!' Sylwodd Elidir ar wedd garegog yr hen archddiacon, a thawelodd ei lais. 'Tydach chi ddim yn dallt? *Fedrwn* ni ddim mynd adra hebddo. Mae Iestyn wedi rhoi ei air i'r Arglwydd Llywelyn, a minnau . . . minnau'n *gyfaill* iddo. A hefyd . . . dwi'm isio clywad pawb yn gofyn eto pam y bydd Elidir ab Idwal bob amser yn goroesi trychineb gan adael twmpath o gelanedd ar ei ôl. Mi fasa'n well gen i aros yn Nhyddewi a throi'n fynach.' Troes Elidir ei ben wedyn a syllu i lawr tua'r afon. 'Dwi 'di deud gormod . . .'

Ceisiodd Gerallt ddyfalu beth oedd wedi dal sylw'r bardd, ond methodd â gweld dim byd heblaw canghennau'r helyg a'r aethnen, na chlywed dim ond sibrwd eu dail yn yr awel. Roedd heulwen y prynhawn yn dal i gynhesu ei gefn, eto ni allai'r golau dreiddio hyd at waelod corslyd y cwm. 'Gwranda, fy mab. Mae'n amhosibl i fi wneud beth rwyt ti'n gofyn amdano, rhaid i ti sylweddoli . . .'

Roedd Elidir wedi troi oddi wrtho eilwaith, a bellach fe glywodd Gerallt yntau sŵn rhywun yn dod tuag atynt. Yr eiliad nesaf, ymgrymodd Iestyn ab Idwal o flaen yr archddiacon. 'Mae'n ddrwg gen i, Meistr Gerallt. Mi roedd y brawd i fod i ddŵad â chi'n syth at ein gwersyll, a dyma fo'n eich blino chi efo'i glebran. Mae gynnon ni betha i'w trafod. A ddowch chi efo fi?'

Aethant ill tri i deyrnas yr helyg a'r aethnen, a'u traed yn suddo'n ddyfnach, ddyfnach i'r tir soeglyd. Ond cyn cyrraedd glannau'r afon fe ddaethant i fryncyn bach, cymharol sych, lle roedd y fintai'n gwersyllu. Roedd un wrthi'n diberfeddu brithyllod, ac eraill yn gosod tanwydd yn barod at eu coginio.

'Fe fyddwch chi'n ciniawa cystal â'r Brenin heno,' meddai Gerallt wrth edrych ar y twmpath o bysgod tewion. Nid amheuai nad oedd y gogleddwyr wedi eu dwyn o bysgodlyn yr Esgob.

'A chitha, os 'dach chi'n fodlon ista i lawr efo ni,' atebodd Iestyn.

'Diolch, fy mab.' Eisteddodd ymhlith y fintai, a hwythau'n derbyn ei bresenoldeb heb fymryn o syndod, yn wir fel petaent wedi bod yn aros amdano. 'Iestyn . . . dwy ddim yn siŵr beth yn union rwyt ti'n ei ddisgwyl oddi wrtho' i, ond rhaid i ti ddeall pa mor anodd yw'r sefyllfa . . .'

'Ond i chi fynd yn eich blaen i ddweud mwy, mi fyddwch chi'n rhoi cymorth amhrisiadwy i ni,' meddai Iestyn yn ddwys. Y tu ôl iddo, gallai Gerallt weld Elidir yn crwydro cyffiniau'r gwersyll fel blaidd yn herwa, a glaswen wawdlyd yn ymddangos ar ei wyneb wrth iddo glywed geiriau mawreddog ei frawd.

'Wel, dyw e ddim wedi cael niwed eto, hyd y gwn i. Mae e dan glo yn yr hen gastell, a phawb yn aros i weld beth fydd y Brenin yn 'ddweud pan ddaw ato fe'i hun . . . *os* y daw ato fe'i hun, fe ddylwn i ddweud.'

'Ydi o'n debyg o farw, 'lly?'

'Doedd y clwyf ddim yn ddwfn, ond os bydd e'n mynd yn llidiog, a'r Brenin eisoes yn wael ei iechyd . . .'

'Beth sydd arno fo?'

'Dim ond cymalwst, rwy'n meddwl, ond . . .' Distawodd Gerallt wrth sylweddoli beth roedd yn ei ddweud. Siarad am anhwylderau Brenin Lloegr, datgelu ymhle roedd yr Iarll wedi cuddio'i garcharor . . . pa hawl oedd ganddo i rannu pethau felly gyda'r dynion hyn? Roedd y Brenin John wedi ei alw'n gyfaill ar hyd ei oes, a dyma fe wedi ei fradychu, nid am ddarnau o arian ond am gegaid o bysgod.

215

Daeth Elidir i sefyll yn eu hymyl, a'i fysedd hir, synhwyrus yn dal i chwarae â'r bluen ddu. ''S neb isio i chi ddatgelu holl gyfrinachau Brenin Lloegr. 'M ond i chi ddeud wrthon ni be' ddigwyddith i'n cyfaill.'

'Ond dwy ddim yn gwybod beth fydd yn digwydd . . . dwy erioed wedi clywed am ddim byd tebyg. Pe byddai rhywun arall wedi gwneud beth wnaeth e, fe fyddai'r ateb yn hawdd. Fe gâi ei ladd, ac yn fuan, ac yn gyhoeddus hefyd. Ond mab i'r Tywysog Llywelyn yw Gruffydd, ac fe fydd y Brenin—neu Iarll Penfro—eisiau manteisio ar y ffaith yna.'

'Sut?' gofynnodd Iestyn.

'Fe allai'r Brenin ofyn am diroedd, fel iawndal am y drosedd. Ac wedyn, fe fyddai'n debygol o ddweud y cyfan wrth y Pab, a cheisio ei berswadio fod y Cymry, a'r holl wrthryfelwyr o Loegr, yn llofruddwyr annuwiol i gyd. Mae John newydd ennill ffafr yr Eglwys, ti'n gweld, ac fe fyddai wrth ei fodd petai'n cael y cyfle i . . . wel, efallai i'ch gweld chi i gyd yn cael eich esgymuno.'

'Beth fedrwn ni ei wneud, 'lly?'

Nid oedd gan Gerallt ateb, ac ymledodd y tawelwch eto wrth i Iestyn bendroni dros ei eiriau. Aeth Elidir i ymuno â'r rhai oedd yn cynnau'r tân, ond heb ymuno â'u sgwrs. Yn y man gwelodd Gerallt ef yn cymryd lle'r llanc oedd wedi bod yn trin y pysgod, gan fenthyg ei gyllell hir, hyll ar gyfer y gwaith.

Roedd Iestyn yn dal i eistedd wrth ymyl yr archddiacon, ond nid ynganodd yr un gair i ailddechrau'r sgwrs. Ni phwysodd y tawelwch arno ef fel yr oedd wedi pwyso ar ei frawd. Gwyliodd y ddau'r paratoadau ar gyfer eu pryd, a chyn hir roeddynt hefyd yn mwynhau arogl swynol y pysgod yn coginio.

'Fe ddywedodd dy frawd y bore 'ma dy fod ti'n ystyried anfon negesydd at yr Arglwydd Llywelyn,' meddai Gerallt, ac arno gymaint chwant bwyd bellach nes bod yn rhaid iddo wneud ymdrech i dynnu ei feddwl oddi ar y pryd hir-ddisgwyliedig.

'Do? Mi ddwedodd y gwir am unwaith, 'lly. 'Dan ni 'di bod yn trafod y peth.'

'Wel, rwy'n meddwl y dylech chi anfon rhywun yn bendant. Yn wir, efallai mai'r peth gorau fyddai i chi i gyd fynd adre. Does dim byd y gallwch chi 'wneud fan hyn . . . mae cymaint o filwyr gan y Brenin, a chymaint mwy gan yr Iarll!' Nid atebodd Iestyn, er iddo rythu ar yr henwr yn fwy beirniadol nag o'r blaen. 'A . . . a sôn am yr

Iarll, mae'n debyg ei fod e am gadw Gruffydd yn ddiogel. Fe aeth ag e i'r castell, heb yn wybod i'r Brenin . . .'

'Does neb wedi deud wrth y Brenin pwy saethodd o, 'lly?'

'Nag oes, am wn i . . .'

'Fedrwn ni i gyd ddim gadael,' datganodd Iestyn, wedi meddwl am ychydig. 'Ond mi wnawn ni anfon neges at ein harglwydd peth cynta'r bora.'

'Rwy'n falch . . .' meddai Gerallt, er ei fod eisoes yn poeni beth a wnâi Iestyn yn y cyfamser. Gallai ddweud yn ôl ei wyneb ei fod yn cynllunio rhywbeth.

'A'r Brenin, Meistr Gerallt . . . pryd bydd o'n gadael Tyddewi?'

'Does gen i ddim syniad . . . wir i ti.'

'Fydd o'n mynd â Gruffydd efo fo?'

'Mae'n bosibl. Mae'n bosibl hefyd y bydd yr Iarll yn mynnu mynd ag e i Benfro.'

'Dyna'r diwedd arno, 'lly.' Syllodd Elidir arnynt ar draws y tân, a'r fflamau'n taflu cysgodion hyll ar ei wyneb. 'Mi fydd un ai yng Nghastell Penfro neu yng Nghastell Corfe cyn i Llywelyn gael ein neges. Waeth iddo fod ar y lleuad! Mi rydach chi'ch dau'n fodlon malu awyr trwy'r nos ond mi rydach chi'n *gwbod* nad oes dim gobaith ganddo!'

''Na ddigon!' Neidiodd Iestyn ar ei draed a mynd at y tân. 'Hyd yn oed os ydi o'n garcharor, mae gobaith i'w gael o'n ôl.'

'O ia. *Dyma chi, Arglwydd Frenin, cymrwch ein gwrogaeth ni, a'n harian ni, a'n meirch ni, a'n hebogau ni. O, a gwell i chi gymryd ein tir i gyd hefyd, i fod yn deg. A gawn ni fab ein tywysog yn ôl rŵan, os gwelwch chi'n dda, os nad ydi'n ormod o drafferth? Na chawn? Och, wel chi sy siŵr o fod yn iawn . . .*'

'Hen ddigon,' meddai Iestyn yn dawelach, a hwythau'n sefyll wyneb yn wyneb.

'Mi fasa'n well iddo fod wedi marw. Ac mi fasa ynta'n deud yr un peth. O, basa!'

'*Dos.*'

Prin y clywodd Gerallt y gair yn hisian trwy glegar y tân, ond fe welodd y bardd yn troi ar ei sawdl a diflannu ymysg yr helyg ar bwys yr afon.

'Fydd . . . fydd e'n iawn?' gofynnodd, wedi i Iestyn ddod i eistedd eto.

'Eith o ddim yn bell.'

Nid dyna beth roedd Gerallt wedi'i olygu, ond daliodd ei dafod wrth weld bod y pysgod yn barod i gael eu dosbarthu. Cafodd yntau'r rhan orau oll, fel y gweddai i westai, ac fe dawelodd pawb er mwyn rhoi'r sylw priod i'r bwyd.

'Rŵan, Meistr Gerallt, gan fod ein hanner bardd ni wedi pwdu . . .'

'Beth?' Rhoes Gerallt esgyrn ei frithyll olaf o'r neilltu gan sylweddoli mai ef oedd yr olaf i orffen bwyta. Roedd pawb yn edrych arno'n ddisgwylgar, ac roedd wedi clywed rhyw dinc chwareus annisgwyliedig yn llais Iestyn ab Idwal. 'Ydych chi'n disgwyl i fi eich diddanu?'

'Ma' isio codi'n calonna ni. Dwedwch wrthon ni am y Wyrth. Gadwch i ni glywad hanes creiriau Dewi Sant.'

'Wel . . . ar fy ffordd yn ôl o gastell Llawhaden . . .' Petrusodd Gerallt wrth glywed rhywbeth y tu allan i'r gwersyll. Ai chwerthin ynteu llefain ydoedd?

* * *

'O . . . dyma fe . . .'

Moesymgrymodd Iarll Penfro'n isel, yn falch o'r esgus i osgoi llygaid ffyrnig ei frenin. Roedd wedi dychwelyd o'r gadeirlan gan ddisgwyl y byddai John yn dal yn anymwybodol, ond dyma fe'n ddychrynllyd o effro. Ymsythodd, a gweld bod llygaid y Brenin mor llachar â'r canhwyllau ar y bwrdd. Ac yno'n sefyll yn ei ymyl roedd Anselm, a golwg hynod fodlon ar ei wyneb.

'Wyt ti'n siŵr y dylet ti fod yma, Farsial?' meddai'r Brenin. 'On'd oes gen ti bethau gwell i'w gwneud yn rhywle arall?'

'F'Arglwydd?'

'Ti'n siŵr na fyddai'n well gen ti aros yn hwy gyda'th gyfaill?'

'Dwy ddim yn deall, f'Arglwydd . . .'

'Yr asasin! Rwyt ti wedi'i ddal e . . . ac wedi ei guddio o'n golwg ni!'

Rhythodd yr Iarll ar Anselm yn anghrediniol, a'r llanc yn methu ag edrych arno. Doedd neb arall yn y gell ar wahân i ryw ychydig o swyddogion a gweision, a golwg anghysurus, ofnus ar y rheiny. Petai'r Archesgob ond wedi bod yno . . . ond yr oedd ef wedi mynd i'r gadeirlan ers meitin yng nghwmni'r Esgob, er mwyn penlinio o flaen y creiriau a gofyn am farn Duw arnynt. Neu er mwyn osgoi hwyliau drwg y Brenin . . .

'F'Arglwydd Frenin,' dechreuodd yr Iarll yn araf. 'Mae'n wir bod gennym ni garcharor yn yr hen gastell, ond does dim byd wedi ei brofi yn ei erbyn eto . . .'

'Beth sydd i'w brofi?' gofynnodd Anselm yn ddiamynedd. 'Fe welon ni'r bwa yn ei ddwylo!'

'Serch hynny, dyw pethau ddim mor syml â . . .'

'Dywed wrtho' i, Farsial, beth oedd dy fwriad di ynglŷn â'r asasin?' meddai'r Brenin. 'Ei grogi e? Ei ryddhau e? *Neu roi ei wobr iddo?*'

Cyn i'r Iarll lunio ei ateb, seiniodd llais yr herodr i gyhoeddi dychweliad yr Archesgob a'r Esgob. Tra buont yn dod i mewn yn rhwysgfawr, rhythodd yr Iarll eto ar ei fab. *Ei hoff fab* wedi troi yn ei erbyn.

'Wel?' Syllodd y Brenin yn syn ar yr Esgob a'r Archesgob. Roedd wedi llwyr anghofio amdanynt.

'Yr . . . yr esgyrn, f'Arglwydd Frenin . . .' Edrychodd yr Archesgob Stephen Langton o'i gwmpas, ond fe'i siomwyd pan fethodd â gweld Gerallt ymhlith swyddogion y Brenin. Dylai'r archddiacon fod wedi bod yma i dderbyn y newyddion mawr gyda'r parch priodol. Ni fyddai Gerallt yn agor ei geg yn flinedig, fel y gwnâi'r Brenin, wrth glywed sôn am y creiriau sanctaidd. 'Rwyf . . . rydyn ni . . . wedi bod yn gweddïo'n daer, ac o'i drugaredd mae'r Iôr wedi datgelu'r gwir wrthon ni. Nid oes dim amheuaeth mai gwir greiriau Dewi Sant yw'r esgyrn.'

Roedd yr Archesgob wedi disgwyl i'w gynulleidfa ymgroesi, neu syrthio ar eu penliniau hyd yn oed. Ond ni symudodd yr un cymaint ag ael.

Y Brenin a dorrodd y distawrwydd. 'Ti . . . Anselm. Cer i nôl y carcharor i ddod o'n blaenau ni.'

*   *   *

'Ydach chi 'di sylwi pa mor debyg ydi sŵn dail coed i sŵn y môr?'

Roedd llais Elidir bron wedi'i foddi ymhlith sibrwd a sisial y dail, ac yntau'n sefyll gan bwyso yn erbyn boncyff y dderwen.

'Dal i warchod y gwersyll, wyt ti? meddai Gerallt, gan oedi yn ei ymyl.'

'Mae angen. Maen nhw'n ddall a byddar. Fath â chi.'

'Roeddet ti'n gwybod y byddwn i'n mynd adre ffordd hyn.'
Edrychodd Gerallt ar y llwybr oedd mor agos iddynt, a hwnnw'n
arwain at y castell a'i holl gysuron. Roedd hi'n bur dywyll bellach, er
bod digon o olau lleuad iddo ddilyn y ffordd yn ddiogel. Petai ond yn
cael y cyfle. 'Roeddet ti'n aros amdana i.'

'O'n, debyg.'

'Ond does gen i ddim byd yn rhagor i'w ddweud.'

'Nag oes?' Daeth yn agosach, gan syllu ar yr archddiacon gyhyd
nes iddo ddechrau gwingo'n anesmwyth. 'Pam 'dach chi 'di cefnu
arnon ni? Dyna i gyd dwi isio gwbod. Oherwydd y Brenin? Mi welon
ni chi ddoe ar y traeth, a chitha'n ei gofleidio fel petai o'n frawd i
chi . . .'

'Dwy ddim yn hidio dim am y Brenin John . . . ond llofruddiaeth
yw llofruddiaeth.'

'Ai llofruddiaeth ydi lladd llofrudd? Faint o bobl ddi-fai sy wedi
trengi oherwydd John? Mi roedd o'n haeddu marw.'

Edrychodd Gerallt ym myw ei lygaid, a'r rheiny'n ymddangos yn
dywyllach nag erioed. 'Nid dyna beth rwyt ti'n ei gredu. Rwyt ti'n
benderfynol o achub dy gyfaill, rwy'n gwybod, ond dwyt ti ddim yn
cefnogi beth wnaeth e.'

''Dach chi ddim yn gwbod hynny. 'Dach chi ddim yn 'yn 'nabod
i . . .'

'Rwy'n dy 'nabod di'n ddigon da i wybod dy fod ti'n well dyn na
Gruffydd ap Llywelyn.'

'Tydw i ddim!'

'Wyt. O, rwyt ti wedi 'y nhwyllo i sawl gwaith, rwy'n cyfaddef,
ond dim byd cynddrwg â beth mae e wedi 'wneud.' Aeth ymlaen â'i
lais yn crygu. 'Fe ddaeth e fan hyn . . . dweud ei fod e'n bererin . . . a
thrwy'r adeg roedd e'n bwriadu dwyn creiriau Dewi.'

'Nag oedd, 'neno'r Tad!'

'Paid â'i amddiffyn e! Mae'r prawf gen i. Fe wnaeth e ymyrryd â
chlo'r greirfa yn ystod y nos, pan fuodd e'n cuddio yn y gadeirlan. Ac
fe fyddai siŵr o fod wedi dwyn y creiriau, pe byddai wedi cael
llonydd.'

''Dach chi wedi troi yn ei erbyn oherwydd y creiriau? Ond fi 'di'r
un sy'n gyfrifol am . . .'

'Elidir, rwy'n gwybod cymaint yw dy deyrngarwch tuag ato, ond
ddylet ti ddim fod mor barod i dy gynnig dy hun fel bwch dihangol . . .'

220

Tynnodd y bardd ei gyllell mor ddisymwth nes y cymerodd Gerallt gam yn ôl. ''Drychwch, 'ta! 'Drychwch, os ydach chi'n meddwl 'mod i'n dal i ddeud celwydd!'

Cymerodd Gerallt y gyllell oddi wrtho ac edrych arno'n ufudd. Nid dyma'r llafn a fu'n trin y pysgod. Roedd hon yn llai ac yn llawer gwell ei safon—y math o gyllell a ddefnyddir i fwyta. Methodd â gweld dim byd yn arbennig, nes sylwi ar y smotiau bach golau yma ac acw ar y llafn cul . . . smotiau bach o aur.

'Mi es i'r gadeirlan cyn iddi wawrio bore 'ma,' meddai Elidir, ac yntau wedi hoelio holl sylw'r archddiacon o'r diwedd. 'Ro'n i'n chwilio am Gruffydd, ond welais i mohono . . . wnes i ddim meddwl am edrych yn y tŵr 'cw. Ond pan es i'r cysegr a gweld y greirfa, fedrwn i ddim . . . fedrwn i mo'i gadael hi'n llonydd . . .'

'Nefoedd annwyl . . .'

'Ydach chi'n dallt rŵan?'

'Nag ydw . . . dwy ddim yn deall dim byd. Ro'n i'n meddwl dy fod ti'n cyd-weld â fi ynglŷn â'r creiriau . . . yn cytuno gyda fi mai yn Nhyddewi y dylen nhw fod.'

'Do'n i ddim isio'u dwyn nhw. Isio dinistrio'r sbwrial melltigedig oedd arna i.'

Tynnodd Gerallt arwydd y Groes.

'Tydach chi ddim yn mynd i rwygo'ch dillad hefyd?'

'Sut . . . sut elli di fod mor ddi-hid?'

'Sut alla i . . . a minnau'n ddyn duwiol mor wahanol i 'nghyfaill i . . .' Newidiodd ei lais, yn gymysgedd o ddirmyg a deisyf. ''Dach chi'n gwbod . . . *rhaid* eich bod chi'n gwbod . . . 'dach chi 'di bod yn celu'r peth er mwyn eich esgob ond 'dach chi'n gwbod y cyfan ers y dechrau. Ers i chi siarad efo mi yn Llawhaden, ers i mi adael fan 'no, ers i chi weld yr esgyrn ar allor y Santes Non . . .'

'Gwranda arna i, fy mab. Does dim ots pwy a ddaeth â'r creiriau yn ôl. Y peth pwysig yw . . . y *wyrth* yw . . . eu bod nhw yma yn Nhyddewi, ac yn gwneud cymaint o les. Meddylia beth fyddai wedi digwydd pe byddai Rhys Gryg wedi cael gafael arnyn nhw, neu hyd yn oed dy Arglwydd Llywelyn. Pe bait ti heb eu cipio nhw oddi ar dy gyfaill Gruffydd . . .'

'Ai dyna be' 'dach chi'n 'feddwl?' Chwarddodd fel petai ar golli ei bwyll, eto heb fymryn o ysmaldod yn ei wedd. ''Dach chi'n meddwl o ddifrif i mi gychwyn o Lawhaden, rhedeg ar ôl Gruffydd, dwyn creiriau Dewi oddi arno, a dŵad yr holl ffordd yn f'ôl i Dyddewi mewn pryd i'w gosod nhw ar allor y Santes Non?'

'Ond dyna'r unig esboniad sydd . . .'

'Dyna oedd 'y mwriad i,' meddai, a'i lais wedi troi'n dawel ac yn ddwys fel petai'n mesur pob gair. 'Mi adawais Lawhaden yn llawn brwdfrydedd . . . wnes i hyd yn oed addo i'r deheuwyr y basa'r creiriau'n cael eu darganfod, gan obeithio y basa hynny'n gneud iddyn nhw roi'r gorau i ymladd.'

'Ac fe wnaeth y tro, hefyd, on' do?'

'Do . . . debyg.' Nid ymfalchïodd yn ei gampwaith, ond edrych yn erfyniol ar yr archddiacon. 'Ond wedyn mi sylweddolais i . . . doedd gen i'r un syniad lle roedd yr esgyrn.'

'Beth?' Dylai geiriau'r bardd fod wedi bod yn achos chwerthin, ond roedd Gerallt wedi'i ddychryn ar ei hyd.

'Doedd gen i erioed. Mi ddaru i mi lunio'r hanes i gyd yng Nghastell Corfe, dim ond er mwyn diddanu Gruffydd a'r lleill.'

'Ond . . . ond yr holl bethau ddywedaist ti ym Maenorbŷr, ac yn Llawhaden! Celwydd oedd y cyfan!'

'Nid celwydd, Meistr Gerallt.'

'Beth, felly?'

'Mi roeddwn innau'n coelio pob gair. Ro'n i wedi 'y nhwyllo'n hun hefyd, decini. Mi ddwedais i'r hanes mor aml yn y carchar, rhaid 'mod i 'di dechrau drysu . . .'

'Duw a'n gwaredo!'

'Erbyn i chi 'ngweld i ym Mhenfro, Meistr Gerallt, ro'n i'n coelio â'm holl galon bod y creiriau ar Ynys Dewi . . . ia, coelio cymaint nes i mi feddwl mai fi oedd cennad Duw ar y ddaear. A fedrwch chi ddychmygu beth aeth drwy 'y meddwl i pan ddaeth yr adeg i mi fynd i hela ar ôl y creiriau, a minnau'n dod at 'yn hun a sylweddoli'r gwir? Ni allai'r creiriau fod ym meddiant Gruffydd, gan na fuon nhw erioed ar Ynys Dewi. Ro'n i'n methu amgyffred y peth . . . methu gweld sut y gallwn i fod wedi bod mor wirion, mor wallgof. Taswn i wedi bod . . . . wedi bod fel fi'n hun. . . . mi faswn i wedi ei throi hi adra a cheisio anghofio'r cyfan. Ond nid dyna be' wnes i.'

Arhosodd, er bod Gerallt yn gwrando'n astud, ac yn barod i wrando ymhellach. Roedd yr archddiacon wedi cuddio ei deimladau'n dda, er ei fod wedi'i ysgytio cymaint gan y cyffesiad. *Y cyffesiad.* Nid oedd e wedi gofyn yn ffurfiol eto am . . .

Yn ddisymwth roedd Elidir ar ei liniau wrth draed Gerallt.
'Maddeuwch i mi, fy Nhad, gan 'mod i wedi pechu.'
'Elidir, fe ddylen ni fynd i'r eglwys . . .'
'Does dim amser!'
'Fe ddylai cyffesiad ddod o ddwys fyfyrio, nid ar frys fel hyn.'
''Dach chi'n hel esgusodion, dydach chi ddim isio 'nghlywad i o
gwbl! Ond mae'n rhaid i chi!'
'Nag oes, wir!'
'Rhaid i chi, cyn i mi golli 'mhwyll. Dwi'n . . . dwi 'di dechra
gweld petha, wchi . . .'
'Pa fath o . . .' Dim ond sibrydiad a ddihangodd o enau'r henwr.
'Caets . . . caets o ddur . . . a chorff dyn ynddo fo'n bwydo'r brain,
a nhwtha'n tynnu ei lygaid o a phigo ei groen a'i gnawd a'i esgyrn o
nes mai sgerbwd sy yno a phawb yn syllu . . .'
'Fy mab . . . nid dyna fydd tynged dy gyfaill. Mi ofala i am hynny.
Y fi sydd ar fai . . . fe wnes i droi 'y nghefn arno, fel y dywedaist ti
. . . a hynny oherwydd i fi gamddeall . . .' Distawodd wrth weld Elidir
yn ysgwyd ei ben, a sylweddoli ei fod wedi camddeall eto . . . roedd
Gruffydd ap Llywelyn wedi llwyr fynd o feddwl y bardd, hyd at yr
eiliad honno.
'Elidir, alla i mo'th gynorthwyo di os nad ydw i'n deall beth rwyt
ti'n 'ddweud.'
Syllai Elidir heibio iddo fel petai'n gweld rhyw ddirgelwch mawr
yn nüwch y nos.
'Fy mab, os wyt ti am gyffesu, fe wna i wrando. Cer ati o'r dechrau
. . . yn gall, y tro 'ma.' Roedd Gerallt ar bigau drain. Roedd yn rhaid
iddo wybod y gwir, ac fe wyddai fod yn rhaid i Elidir ymddiried ynddo.
Roedd y ddau wedi'u clymu at ei gilydd gan y gyfrinach, er cymaint
fu'r gwahaniaethau rhyngddynt, er cymaint fu'r dirmyg o'r ddwy ochr.
'Mae'n rhy hwyr.'
'Dyw hi ddim . . .' Trengodd geiriau'r archddiacon yn ei wddf, ac
yntau'n gweld o'r diwedd beth oedd wedi tynnu sylw'r bardd. Degau
o ffaglau'n pefrio yn y nos, ac oddi tanynt ffurfiau tywyll yn cerdded
ar hyd y llwybr.
'Maen nhw'n dŵad. Diolch i Dduw . . . dyma'i diwedd hi.'
Cipiodd Elidir ei gyllell o law Gerallt a mynd ar redeg am y
gwersyll, gan adael yr archddiacon yn sefyll yn ei unfan. Yn fuan
iawn fe welodd y milwyr Normanaidd yn eglur, pob un wedi'i wisgo

yn lliwiau aur a choch Brenin Lloegr. Adnabu'r yswain ifanc oedd yn eu harwain, ac yr un mor gyfarwydd oedd wyneb y carcharor a gerddai yn eu plith.

Arhosodd Gerallt yn ymyl y coed, yn gynulleidfa unig, fud i'r ddrama. Gallai weld pob ystum ar wynebau'r milwyr, a golau eu ffaglau'n ychwanegu at olau oer y lleuad—y troedfilwyr yn flinedig, neu'n eiddgar, neu'n sarrug, a'u harweinydd ifanc yn ddarlun hyll o uchelgais bodlon. Ac am fab Llywelyn . . . er ei fod i'w weld mor benderfynol o aros yn ddewr, ymddangosai fel plentyn wrth ochr y cewri o ddynion caled, estron. Bron na allai Gerallt gredu iddo weld y crwt yn sefyll wyneb yn wyneb â'r Brenin John, ac yn ymateb yn feiddgar i'w wawd Ffrangeg.

Aethant heibio heb sylwi ar yr hen archddiacon yn syllu o'r llwyni. Aethant mor bell nes i Gerallt amau bod Elidir wedi methu ag ysgogi Iestyn a'r lleill i symud o'u gwersyll, ond dyma geffyl Anselm yn gweryru'n ofnus, a'r eiliad nesaf roedd heidiau o bicellau'n chwyrlïo drwy'r awyr, a marchogion ym mhobman fel petaent wedi ymrithio'n hudolus o'r perthi. Aeth llond dwrn ohonynt am Anselm a'i ychydig farchogion, a'r lleill yn anelu at ganol y milwyr troed. Gwasgarwyd y rheiny fel mân us i'r pedwar gwynt, a gwelodd Gerallt ddyn—yr oedd yn bur sicr mai Iestyn oedd e—yn ymestyn ei law, a'r carcharor yn esgyn yn afrosgo i farchogaeth y tu ôl iddo.

Ffrwynwyd y ceffyl hwnnw'n galed, a'i droi i garlamu dros y porfeydd agored yr ochr draw i'r llwybr. Gallai weld y lleill yn torri'n rhydd i'w ddilyn . . .

'Saethwch!' Llais Anselm ydoedd, ac yntau'r unig un o'r marchogion Normanaidd oedd yn dal ar gefn ceffyl. Heliodd ei ddroedfilwyr at ei gilydd gan weiddi'n ffyrnig. 'Saethwch atyn nhw, y cnafon!'

Felly a wnaethant—y rhai nad oeddynt wedi colli gafael ar eu bwâu—er bod y ceffyl cyntaf wedi hen ddiflannu i'r nos a'r lleill yn prysur ddilyn. Ni fu ond un cyfle cyn i'r ffoaduriaid olaf fynd o'u golwg. Wedyn, edrychasant ar eu meistr ifanc gan ddisgwyl gorchymyn arall ganddo.

Ond roedd Anselm yn craffu'n astud ar ôl y gogleddwyr, gan sefyll yn ei warthaflau. Craffu ar rywbeth na allai hen lygaid Gerallt mo'i weld.

Pennod 38

Cyrhaeddodd Gerallt y llys ymhell y tu ôl i Anselm a'r milwyr. Â'i wynt yn ei ddwrn aeth i fyny'r grisiau at ystafelloedd yr Esgob, a mynd heibio i'r milwyr i gyd. Ni cheisiodd neb ei rwystro, er bod cynifer wedi tyrru o amgylch y drws nes ei fod yn gorfod ymwthio trwy eu rhengoedd. Roeddynt oll yn rhyfeddol o dawel . . . ond wedyn fe glywodd lais y Brenin yn gweiddi mor uchel nes collwyd ystyr ei eiriau yn y llif cynddeiriog.

'Nefoedd annwyl!' meddai'r archddiacon yn syn, gan edrych ar y dynion o'i gwmpas. Gwelodd un wyneb prudd a ymddangosai'n gallach na'r lleill . . .

'Nevern!'

'Noswaith dda, Meistr Gerallt. Y . . . odych chi *am* fynd i mewn?'

Nodiodd yr archddiacon ei ben yn benderfynol, ac agorwyd y drws iddo.

'Roedd e i fod yn fyw!'

Roedd y Brenin yn sgrechian ac Yswain Anselm yn ymgreinio wrth ei draed, gydag Iarll Penfro, Archesgob Caergaint a'r Esgob Iorwerth yno'n gwylio, a'u gweision yn llercian yng nghorneli'r ystafell foethus. Roedd brithlenni drudion ar y muriau, a chadeiriau dwfn, cerfiedig islaw, a blodau persawr wedi'u gwasgaru dros fatiau gwerthfawr y llawr. Ac yno yn eu plith . . .

'Yn *fyw!*'

Ciciodd y Brenin y corff yn fileinig nes colli ei gydbwysedd a syrthio'n drwm yn erbyn ysgwydd yr Iarll. Fe wthiodd hwnnw i ffwrdd yn gas. 'Arnat ti mae'r bai, Farsial! Ti a'th fab llipa!'

Syllu ar y corff llonydd a wnâi Gerallt. Roedd yn gorwedd ar ei wyneb, ag un fraich wedi'i throi oddi tano a'r llall ar led. Gallai weld y saeth yn dal yn ddwfn yn ei gnawd, rhwng ei asgwrn cefn a'i ysgwydd. Roedd y gwaed wedi sychu o'i gwmpas, ond fe ddechreuodd llif newydd o waed redeg yn sgil ymosodiad y Brenin. Cofiodd glywed dweud fod dyn sy wedi'i lofruddio yn ailddechrau gwaedu ym mhresenoldeb ei lofruddwyr. Ond fe allai fod esboniad arall, yr un mor anghredadwy. . . . Aeth i benlinio yn ei ymyl a'i droi ar ei ochr, nes cuddio'r clwyf rhag llygaid y Brenin a'r lleill.

Roedd y corff yn oer ac yn welw, ac ni allai weld ei frest yn symud gyda'i anadl. Gwelodd y groes o bres ger gwddf ei grys, a synnu am nad oedd y milwyr wedi ei dwyn . . . wedyn ysgydwodd ei ben wrth gofio na fyddai'n werth dim i'r dynion hyn. Byddent yn disgwyl gwobrau llawer gwell. Roeddynt wedi cael eu hasasin i'w ddangos i'r Brenin, a gorau oll eu bod wedi dod â rhywun nad oedd yn fab i'r Tywysog Llywelyn. Roedd Anselm wedi datrys holl broblemau ei dad trwy lusgo Elidir i ŵydd y Brenin, yn fwch dihangol iddynt oll. *Y bwch dihangol* . . . Beth roedd Gerallt ei hun wedi'i ddweud wrth Elidir, lai nag awr ynghynt? Sylweddolodd fod ei feddyliau'n dechrau crwydro, a bod llygaid y gweddill yn yr ystafell wedi troi ato. Plygodd ei ben wrth ddechrau'r eneiniad olaf am yr eildro'r diwrnod hwnnw.

'Cer o 'na!' gorchmynnodd y Brenin. 'Chewch chi ddim rhoi maddeuant i elynion dy Frenin! Mae'n rhy hwyr ta beth. Diolch i *hwn!'* Rhythodd ar Anselm, gan adael i Gerallt aros eiliad yn rhagor ar ei liniau. Aeth ymlaen â'r geiriau sanctaidd.

'Roedd gyda fe gyfeillion, f'Arglwydd Frenin,' atebodd Anselm. 'Degau ohonyn nhw ac i gyd yn arfog, yn aros amdanon ni yn y llwyni.'

'Roedd milwyr gorau Lloegr gen ti!'

'Oedd, f'Arglwydd, ac fe enillon ni'n fuan iawn ond . . . ond yn anffodus fe gafodd hwn ei ladd.'

Wrth i Anselm wneud arwydd tuag at y corff, sylweddolodd y Brenin fod Gerallt yn dal i weddïo drosto. Aeth at yr archddiacon a'i dynnu ymaith â nerth annisgwyl. 'Cer o 'na, ddywedais i! Oedd e'n ffrind i ti, i ti boeni cymaint amdano?'

'Na . . . nag oedd, f'Arglwydd,' atebodd yn wan, wrth iddynt ill dau edrych i lawr ar wyneb llwyd, llonydd Elidir. Roedd ei lygaid ynghau, a darnau o flodau'r llawr yn sownd wrth ei foch. Ymddangosai'n llawer iau nag o'r blaen.

'Dyw e ddim yn edrych fel asasin,' meddai'r Brenin yn fyfyrgar. 'Pwy yw e?'

Edrychodd yn gyntaf ar Anselm, wedyn ar yr Iarll, ac yn olaf fe ddychwelodd ei sylw at Gerallt.

'Dim ond rhyw . . . rhyw wirionyn oedd yn meddwl ei fod e'n gwneud y peth iawn . . .'

'Beth?' gwgodd y Brenin.

'Dyn o'i gof, f'Arglwydd, dyna beth mae'r archddiacon yn ei feddwl,' meddai'r Iarll.

Llwyddodd Gerallt i nodio, er bod blas cyfog yn llenwi ei geg.

'Dyw Meistr Gerallt druan ddim wedi arfer â phethau fel hyn,' meddai'r Iarll wedyn. 'Efallai y dylai fe'n gadael ni . . .'

Ysgydwodd Gerallt ei ben dan lyncu. 'Nid cyn i fi gael gorffen yr eneiniad. Chewch chi ddim gwrthod, f'Arglwydd Frenin.'

'O, cer ag e oddi yma, 'te! Rwy wedi blino edrych arno ta beth! Ond wedi i ti orffen mae e'n mynd i'r crocbren, er mwyn dysgu holl anifeiliaid y lle 'ma . . .'

Boddwyd geiriau cas y Brenin o dan lif cofion Gerallt, fel broc môr yn cael ei ysgubo'n lân gan y llanw. *Caets o ddur . . . corff ynddo fo'n bwydo'r brain a nhwtha'n tynnu ei lygaid a . . .* Mor hoff oedd Elidir wedi bod o ddaroganau Taliesin . . . a oedd y bardd wedi rhag-weld ei farwolaeth ei hun?

'Na . . .'

'Beth?'

'Ydych chi . . . ydych chi eisiau troi'r dihiryn yma'n ferthyr?'

Rhythodd y Brenin arno'n syn, ond roedd yn gwrando.

'Os awn ni â'r corff oddi yma a'i gladdu fe'n dawel, f'Arglwydd Frenin, fe fydd pawb wedi anghofio am yr holl beth ymhen wythnosau. Ond, os byddwch chi'n ei grogi er mwyn i bawb ei weld, wedyn bydd pawb . . . yn enwedig y pererinion . . . yn gofyn beth wnaeth e, ac yn clywed ei fod wedi saethu Brenin Lloegr. A chredwch chi fi, f'Arglwydd Frenin, rwy'n gwybod sut mae clecs yn lledu, a chyn hir byddai rhai'n taeru iddo *ladd* Brenin Lloegr! Pwy a allai brofi fel arall, yng nghanolbarthau Cymru, neu'n Iwerddon neu'n Ffrainc? Fe allai'r dyn yma ddod yn fwy o elyn i chi wedi ei farwolaeth nag oedd e tra bu'n fyw!'

'Dim ond . . . dim ond i ti fynd ag e o 'ngolwg i!' Chwifiodd y Brenin ei law'n ddirmygus, gan adael Gerallt yn rhydd i fynd at y drws a galw am Nevern.

'Rydyn ni'n dal heb wybod pwy yw e . . . na phwy a'i hanfonodd,' meddai'r Brenin wrth yr Iarll, ond Anselm a atebodd.

'Cymro yw e, wrth gwrs, f'Arglwydd. Maen nhw i gyd yn ein casáu ni . . .'

Ni sylwodd yr Iarll ar eiriau ei fab, am ei fod yn gwylio'r ddau a ddaeth i gludo'r asasin ymaith o dan gyfarwyddiadau Gerallt. Nid oedd wedi eu gweld o'r blaen . . . ai milwyr Tyddewi oeddynt? Roedd rhywbeth ar droed yma . . .

'A tithau, Farsial? Beth wyt ti'n ei feddwl?'

'Does gen i ddim syniad, f'Arglwydd Frenin,' atebodd yn fyfyrgar. Oni ddylid mynd ar ôl Gerallt i weld beth roedd yr hen walch yn ei wneud? 'Fe allai unrhyw un yn y deyrnas fod wedi gwneud beth wnaeth e . . .'

'*Beth?*'

Aeth yr Iarll yn oer trwyddo wrth sylweddoli'r hyn roedd newydd ei ddweud.

'Brenin Lloegr yn wrthrych casineb gan bob dyn yn ei deyrnas, yw e?' rhuodd y Brenin. 'Pawb eisiau ei ladd e? Pawb, o'r gwladwyr hyd at yr *ieirll?*'

'Peidiwch . . . peidiwch â 'nghamddeall i . . . meddwl oeddwn i fod gennych chi lawer o elynion . . . fel rydych chi'ch hun yn gwybod yn dda . . .'

'A tithau'n eu plith!'

'Os ydych chi'n f'amau i, cof byr iawn sy gennych chi . . .' meddai'r Iarll dan ei anadl.

'O, mae'r Brenin yn drysu, yw e, ar ben popeth? Damia di, Farsial! Ti a'th holl sôn am 'nhad a 'mrawd i . . . os wyt ti'n eu caru nhw gymaint pam nad ei di i Uffern i ymuno â nhw!'

Aeth yr Iarll am y drws. Ni allai aros eiliad yn rhagor rhag iddo golli ei dymer yn gyfan gwbl.

'Does arna i mo'th eisiau di, Wiliam Farsial!' gwaeddodd y Brenin ar ei ôl. Wedyn fe droes at ei weision a'i filwyr. 'Ewch, y diawliaid! Ewch i'w nôl e!'

Aethant yn swnllyd, gan adael tawelwch llethol ar eu hôl.

'Dyna . . . dyna oedd y rheswm,' meddai Anselm yn betrus.

'Beth?' meddai'r Brenin yn ddiamynedd.

'Y rheswm i ni fynd â'r saethwr i'r castell, yn lle dod ag e'n syth yma.' Roedd Anselm wedi arswydo trwyddo wrth glywed y ffrae rhwng ei dad a'r Brenin, ac o feddwl mai ef ei hun oedd yn bennaf gyfrifol. Er cymaint ei ofn, ni allai ond ceisio achub y sefyllfa.

'Pam, felly?'

'Oherwydd rydych chi mor . . . mor ddewr eich ffyrdd, f'Arglwydd Frenin. Mor gyflym i weithredu . . . roedd 'Nhad yn poeni y byddech chi'n lladd y dyn â'ch dwylo'ch hun.'

'A pham na ddylwn i?'

'Dyn o'r dras isaf oedd e, f'Arglwydd. Dyna un peth rwy'n siŵr ohono. Ni weddai i'r Brenin bardduo ei ddwylo trwy gyffwrdd â rhywun o'r fath. Ac o flaen llygaid pawb, hefyd . . .'

Craffodd y Brenin arno'n fyfyrgar, a'r dicter yn graddol ddiflannu o'i wedd. 'Dyna i chi rywbeth anghyffredin y dyddiau hyn . . . mab ffyddlon, a deiliad teyrngar i'r Goron.'

Pan ddaethpwyd â'r Iarll yn ôl i'w ŵydd, cilwenodd wrth ei gyfarch.

'Mae gen i deimlad yr aiff dy fab ymhell, Farsial.'

Pennod 39

Maenorbŷr

5 Hydref 1215

'Fe glywes i iddo gael ei grogi o'r crocbren 'na y tu allan i bentre Tyddewi,' meddai Angharad. 'Ond pan ddaeth y Brenin heibio'r bore wedyn, roedd e wedi mynd. Dim ond cigfran oedd yno, a honno'n ehedeg deirgwaith o gwmpas y Brenin a'i fintai . . .'

'Ymhle clywaist ti hynny, fy merch?' Torrodd Gerallt ar ei thraws mor swta nes i weddill y gwesteion edrych arno'n syn. Crychodd talcen ei nai Wiliam. Ni fynnai adael i ddim byd amharu ar y noson hon. Roedd wedi gwahodd holl uchelwyr yr ardal i wledda yn ei neuadd, i brofi i bawb ei fod wedi gwella o'r clwyf a gafodd yn nhwrnamaint Penfro. Hyd yn hyn roedd popeth wedi mynd yn ddigon hwylus, a'i unig siom oedd y ffaith na allai Iarll Penfro na'i feibion ymuno â hwy. Yr oedd ganddynt hwythau, fel roedd Wiliam wedi esbonio i bawb sawl gwaith, *waith pwysig i'w wneud yn Lloegr.*

Ni hidiai Angharad am ymateb y lleill, ac meddai'n ddigon hawddgar, 'Fe welon ni glerwr ym marchnad Penfro yr wythnos ddiwethaf, Meistr Gerallt, ac roedd 'da fe gân am . . .'

'Un peth sydd i'w wneud 'da chlerwyr fel 'na,' meddai Castellydd Hwlffordd, ac yntau'n llawn dop o gwrw'r faenor. 'Eu gyrru nhw mas! Pe byddwn i wedi clywed y fath lol yn Hwlffordd fe fyddwn i wedi gyrru'r cŵn arnyn nhw, ie, a'u gweld *nhw*'n 'hedeg deirgwaith o gwmpas y lle!'

Gwrandawai Gerallt yn dawel wrth i'r ymddiddan barhau. Weithiau byddai'n chwerthin pan chwarddai pawb, ac weithiau byddai'n ateb ymholiad rhywun, neu'n annog rhywun i fwyta mwy o hyn neu'r llall. Ond gan amlaf byddai ei feddyliau ymhell, yn llys Tyddewi neu dan ganghennau'r dderwen . . . *Maddeuwch i mi, fy Nhad, gan 'mod i wedi pechu . . . 'dach chi'n hel esgusodion . . . dydach chi ddim isio 'nghlywad i . . .*

'Ond tybed beth ddigwyddodd?' meddai Castellydd Hwlffordd. 'Gwyrth arall oedd hi, os meiddiodd unrhyw Gymro gipio'r corff oddi ar y crocbren, a'r Brenin yn dal i aros yn Nhyddewi!'

'Roedd ganddo fe gyfeillion, mae'n siŵr,' atebodd Gerallt, pan sylweddolodd fod pawb yn disgwyl iddo ddweud rhywbeth.

'A hwythau'n ddewr iawn, fel rŷch chi wedi dweud, f'Arglwydd,' meddai Angharad wrth y Castellydd. 'Oherwydd fe *gafodd* ei achub, on'd do?'

'Ie, wel . . . peth od, ontefe?' meddai'r Castellydd. 'Maen nhw'r Cymry mor hoff o'r brain, ac eto maen nhw'n gwarafun pryd da o fwyd iddyn nhw!'

Gwridodd Angharad yn gandryll wrth sylweddoli beth roedd y Castellydd yn ei feddwl, ond fe ddaliodd yntau i siarad heb sylwi arni.

'Maen nhw wastad wrthi! Fe wnaethon nhw'r un peth i grocbren Hwlffordd, dim ond tri mis yn ôl. Dwyn y cyrff oddi arno. Dim ond esgyrn oedd un ohonyn nhw hefyd . . . fyddech chi ddim yn meddwl y bydde gyda hwnnw gyfeillion ar ôl, yn na fyddech?'

Syllodd Gerallt arno, a'i wyneb fel y galchen a llais Elidir yn dal i'w erlid . . . *On'd ydi esgyrn pob dyn yr un fath?*

'Chi'n cofio, Meistr Gerallt, mae'n siŵr?' Pwysodd y Castellydd yn ôl yn ei gadair, a phawb yn y neuadd yn gwrando bellach. 'Roeddech chi yno yn Llawhaden pan ymosododd y Cymry ar y castell, y diawliaid annuwiol iddyn nhw . . . a hwnnw'n gastell Esgob Tyddewi, ac yn rhan o deyrnas yr Eglwys Sanctaidd! Wel, fe wnaethoch chi osod coelcerth er mwyn galw am gymorth, on'd do? A dyma fi'n ei weld e, a dod â'r gwŷr at ei gilydd. . . . a nhwthe wrth eu boddau am nad oedden nhw wedi mynd allan ers misoedd . . . a chyrchu Llawhaden gan obeithio dal y Cymry wrth eu gwaith budr. Ond dyna hi . . . rhaid eu bod nhw wedi'n gweld ni'n dod, am nad oedd dim golwg ohonyn nhw wedi i ni gyrraedd. A dyma ni'n mynd i mewn i'r castell a gwneud yn siŵr fod pob dim yn iawn, ac yn cynnig hebrwng yr Esgob i Dyddewi . . . am ei fod e yno, chi'n gweld! Roedd yr Esgob yno yn y castell pan ymosododd y Cymry arno! Fe ddyle fe fod wedi eu hesgymuno nhw i gyd, ond dyna ni, Cymro yw e hefyd, ac rydych chi i gyd yn gwybod sut maen nhw . . .'

Pesychodd Angharad yn uchel. 'Roeddech chi'n mynd i sôn am beth ddigwyddodd yn *Hwlffordd* y noson honno, rwy'n credu?'

'O . . . ie. Wel, fe aethon ni'n ein holau i Hwlffordd, wedi i ni sicrhau bod yr Esgob a'i gastell yn ddiogel. A beth welon ni ond llanast yn aros amdanon ni! Roedd y Cymry wedi cymryd mantais o'n habsenoldeb ni, ac wedi ysbeilio'r dre dros nos!'

'Oedd 'na lawer o ddifrod?' gofynnodd Angharad, a'i gwên gydymdeimladol yn cuddio ei boddhad â'r hanes.

'Dim . . . dim cymaint â hynny. Dwyn defaid o'r meysydd, llosgi dipyn ar y clwydi . . . tynnu'r crocbren i lawr a mynd â'r ddau gorff adre gyda nhw . . . o . . . na . . . dyna beth rhyfedd . . .' Crychodd ei aeliau. 'Nawr 'mod i'n meddwl am y peth, nid dyna pryd y diflannodd yr hen sgerbwd 'cw. Mae'n debyg bod yr esgyrn yn gorwedd yno am oriau, heb neb yn cymryd fawr o sylw ohonyn nhw. Ond roedden nhw wedi diflannu erbyn canol dydd. Synnwn i fawr nad rhyw wrach leol oedd wedi'u cipio nhw, i'w defnyddio yn ei hud a'i lledrith!'

O'r diwedd, deallodd Gerallt bopeth. Aeth allan o neuadd Maenorbŷr gan fwmian rhyw esgus, a cherdded yn araf i lawr y grisiau. Eisteddodd ar y gris isaf a'i ben yn ei ddwylo. Ni fynnai na chlywed, na deall, na meddwl ymhellach.

'Beth rwyt ti wedi'i wneud, Elidir ab Idwal?'

Gwyddai'r ateb yn dda. Ac fe wyddai cymaint fu ei ran yntau. Onid oedd wedi ysbarduno'r bardd i weithredu wrth siarad ag ef yn Llawhaden? Ac yn awr . . . yn awr roedd esgyrn rhyw ddihiryn dienw yn gorwedd ar brif allor cadeirlan Tyddewi, a'r lluoedd yn dod beunydd i geisio ysbrydoliaeth oddi wrthynt, ac Archesgob Caergaint wedi mynd i Rufain i hyrwyddo Gwyrth Tyddewi i'r holl wledydd cred . . .

'Odych chi'n iawn, Meistr Gerallt?' Daeth Angharad i eistedd yn ei ymyl, â'i hwyneb yn llawn pryder.

'Y . . . ydw . . . ond a ddylet ti fod yn troi cefn ar dy westeion fel hyn, fy merch?'

'O, gwesteion Wiliam ydyn nhw . . . does 'da fi ddim llawer i'w ddweud wrthyn nhw. Maen nhw'n sôn am yr Archesgob nawr. Mae'n debyg ei fod e wedi'i wahardd o'i swydd oherwydd ei ran e yn y gwrthryfel. Ac mae'r Freinlen wedi'i diddymu.'

Nodiodd Gerallt ei ben heb yngan yr un gair.

'Am Elidir rŷch chi'n meddwl?'

Edrychodd arni'n syn. 'Pam wyt ti'n dweud hynny?'

''Wy 'di bod yn disgwyl arnoch chi drwy'r noson, on'd ydw i? A wyddoch chi be' 'wy'n 'feddwl? 'Wy'n meddwl taw *chi* achubodd e o'r crocbren.' Gwenodd wrth weld ei ymateb. 'Chi ddim yn gwadu'r ffaith?'

'Nag ydw . . .'

'Ble mae e'n awr . . . yn ôl yn y Gogledd?'

'Ti ddim yn deall, fy merch. Fe gafodd ei saethu. Fe lwyddais i'w guddio rhag y Brenin, ond roedd e'n wael iawn . . .'

'Ac erbyn hyn?'

'Dwy ddim yn gwybod.'

'Ond . . . ond sut allech chi fod wedi ei adael e, heb aros i gael gweld?'

'Nid meddyg mohono' i . . . doedd dim pwrpas i fi eistedd wrth ei erchwyn. Fyddai fe ddim wedi 'nabod i, ta beth.'

'Wel . . . gobeithio bod *rhywun* wedi gofalu amdano.'

Roedd Angharad yn amlwg o'r farn ei fod wedi ymddwyn yn ddideimlad . . . ond beth a wyddai hi? Ysgydwodd Gerallt ei ben gan edrych dros y clos. Gwyddai yn ei galon fod y bardd wedi marw, a chyfrinach y creiriau wedi marw gydag e. Nid oedd gan Gerallt ei hun fymryn o brawf am y peth. Doedd Elidir erioed wedi cyffesu'r gwir i gyd wrtho . . . chafodd e mo'r cyfle. *Duw a'm maddeuo . . .*

Fyddai neb yn ei gredu, petai'n ceisio rhoi'r wybodaeth hon ar goedd. Fyddai neb *am* gredu . . . roedd gormod o bobl wedi cymryd mantais o'r creiriau. Oedd, roedd hi'n rhy hwyr erbyn hyn.

'Fe fyddwch chi'n gweddïo drosto fe?' meddai Angharad . . . a hithau, y fenyw ddiniwed iddi, yn meddwl y byddai hynny'n gwneud lles.

'O, byddaf, mae'n siŵr.' Byddai, un diwrnod. Ond yr eiliad hon ni allai feddwl ond am un peth . . . bod esgyrn o grocbren Hwlffordd yn gorwedd ar allor sanctaidd Cadeirlan Tyddewi, ac nid oedd modd yn y byd cael gwared ohonynt.

Pennod 40

Cerddai'n wamal fel meddwyn gan faglu bob yn ail gam, ond eto roedd rhyw nerth rhyfedd yn ei wthio yn ei flaen.

Aeth i fyny corff yr eglwys, trwy'r côr, nes cyrraedd y seintwar a'r brif allor. Yno tynnodd ei gyllell a'i gwthio'n gelfydd i dorri clo'r greirfa. Ni fethodd y tro hwn. Rhoes yr esgyrn yn y sach bron heb edrych arnynt, sicrhau bod y greirfa wedi'i gwagio, a'i chau'n ofalus. Cododd y sach ar ei ysgwydd . . . a chrio allan mewn poen.

Atseiniodd ei lais yn ddieflig o amgylch yr eglwys. Gallai glywed wedyn y corfrain yn syflyd yn y tŵr, a'r meirch yn gweryru'n isel yn stablau'r llys, a rhuo rhyw anghenfil yn dod yn nes ac yn nes . . .

Gan bwyll, was. Ei anadl ei hun ydoedd. Syllodd o'i gwmpas gan fethu'n llwyr â chofio sut yr oedd wedi dod yma. Rhythai cannoedd o lygaid yn ôl arno o'r lluniau a'r cerfluniau ar bob tu, nes y gallai gredu bod yr holl seintiau'n edliw iddo, ac ysgerbydau Angau'n ei hela, a cheg enfawr Uffern yn agor yn ehangach fyth er mwyn ei lyncu'n fyw. Troes yn ei unfan yn ddiymadferth, ac ofn yn cronni y tu mewn iddo nes ei yrru ar redeg o'r cysegr. Aeth drwy'r côr, allan trwy'r glwyd yn y groglen . . . pa ddihiryn oedd wedi torri honno oddi ar ei bachau, tybed? Syllai ar y llanast fel petai wedi'i swyno gan y cwestiwn. Yna fe gododd ei olygon at y Grog uwchben.

Edrychodd ym myw llygaid Crist ar Ei groes, a'r rheiny'n disgleirio gan fywyd wrth i'w ddychymyg gydweithio â gwyll y nos. Syrthiodd ar ei liniau a'i lygaid yn llawn dagrau. Doedd dim angen rhedeg, dim angen poeni am gael ei ddal. Roedd wedi ei roi ei hun yn nwylo Duw ac yn gweithredu yn ôl Ei ewyllys . . . *ac os nad ydw i, os ydw i wedi twyllo'n hun eilwaith, mi fyddaf yn llosgi am oes oesoedd i dalu am 'y nghamgymeriad i.*

Safai uwch y dibyn. Y tu ôl iddo roedd capel y Santes Non, ac o'i flaen ymestynnai Môr Hafren yn llwydlas tua'r gorwel. Ond na, ni allai weld y gorwel. Yn sydyn fe ddaeth yn hynod o bwysig iddo'i weld o . . . ond ni fedrai. Roedd y môr a'r wybren yn dod at ei gilydd . . . yn rhywle . . . a dyna'r cyfan y medrai neb ei ddweud. Sylweddolodd ei fod yn drysu eto. Tybed faint oedd o wedi'i ddweud pan fu'r llid arno? Ond pryder dibwys oedd hwnnw, rhy dila i boeni yn ei gylch ac yntau wedi dod yma i gyflawni gorchwyl pwysig.

Agorodd y sach, a'i wyneb yn llawn atgasedd wrth iddo gyffwrdd â'r esgyrn. Ond roedd yn rhaid cyffwrdd â hwy. Roedd yn rhaid cydio ym mhob un a'i daflu nerth ei fraich . . . heb hidio am y clwyf yn ei ysgwydd, a hwnnw'n artaith pa fraich bynnag a ddefnyddiai at y gwaith. Cofiodd eto fel yr oedd wedi estyn ei law trwy'r twll yng nghreirfa Caradog er mwyn cyffwrdd â'i esgyrn ef . . . *yr un fath, hollol yr un fath . . .*

Gwelodd yr olaf o'r esgyrn yn troelli trwy'r awyr cyn taro'r creigiau islaw. Fe'i gwelodd yn torri'n yfflon cyn cael ei lyncu gan don enfawr, chwantus, a honno'n tynnu'n ei hôl heb adael dim arwydd.

Gallai flasu'r halen yn yr awyr a theimlo'r héli fel nodwyddau ar ei fochau. Y tonnau'n chwistrellu i fyny o'r cerrig gan dorri'n berlau disglair. Nid oedd ond cam rhyngddo fo a'r fath brydferthwch, a'r daith yn ôl i Wynedd mor ddychrynllyd o bell . . .

Safodd uwch y dibyn, fel deilen yn nannedd y gwynt.